DEC 2 7 2000

Hültner **Die Godin**

Robert Hültner

Die Godin

Roman

Eichborn.

Die deutsche Bibliothek - CIP-Einheitsaufnahme

Hültner, Robert:
Die Godin : Roman / Robert Hültner - Frankfurt am Main :
Eichborn, 1997
ISBN 3-8218-0550-1

© Vito von Eichborn GmbH & Co. Verlag KG,
Frankfurt am Main, Oktober 1997
Lektorat: Georg Simader/Stefan Hauck
Umschlaggestaltung: Petra Wagner unter Verwendung
eines Gemäldes von Gabriele Münter
© VG Bild-Kunst, Bonn 1997
Satz: Fuldaer Verlagsanstalt GmbH, Fulda
Druck und Bindung: Wiener Verlag, Himberg
ISBN 3-8218-0550-1

Verlagsverzeichnis schickt gern:
Eichborn Verlag, Kaiserstraße 66, 60329 Frankfurt
http://www.eichborn.de

Der Wegmacher wollte wieder davon erzählen, wie einmal der Himmel auf Sarzhofen gefallen, der Eglinger Alois dabei zu Tode gekommen sei und das Elend über die Aichingerischen, aber man ließ ihn nicht.

»Es ist doch schon so lang her, Wegmacher«, sagte der Wirt, ohne den alten Mann anzusehen, und hielt einen Bierkrug unter den Zapfhahn.

Der Landthaler spuckte auf den Boden und griff nach den Spielkarten, die der Reither ausgegeben hatte. »Dasselbe mein ich auch«, pflichtete er dem Wirt bei. »Laß uns endlich in Ruh mit der Geschicht. Ein jeder kennt sie.«

Der alte Wegmacher jedoch hörte nicht. Störrisch wiederholte er jene Worte, mit der alle Geschichten auf dem Land beginnen: »Leut, ich lüg euch nicht an …«

Das Ritual will eigentlich, daß die Zuhörer zunächst lautstarken Zweifel an dieser Behauptung äußern, woraufhin der Erzähler seine Versicherung zu erneuern hat. Doch, wie neugierig man auf das Kommende auch sein mag, so wenig darf auch jener Bekräftigung Glauben geschenkt werden: »Geh zu! Du allerweil mit deiner Fabelei!«

Ein paar Mal darf das hin und her gehen. Es hat seine Grenzen aber dann, wenn der Erzählende nicht mehr anders kann, als sich schließlich in die Rolle des gekränkten

Wissenden zurückzuziehen, welcher es durchaus nicht nötig hat, seine Weisheiten Unwürdigen mitzuteilen. Doch mit einem gnädigen »Dann red halt, in Gottsnam« wird dies rechtzeitig verhindert.

Die drei Männer dagegen, die sich an diesem August-abend in der Sarzhofener Gaststätte »Zum Nauferger« zum Kartenspiel getroffen hatten, machten keine Anstalten, ein anderes Spiel zu spielen als jenes, welches der Reither soeben gemischt hatte.

Der Stadler sandte einen geschmerzten Blick zum schwarzgeräucherten Plafond. »Sagt ja auch niemand, daß du lügst, Michl«, stöhnte er, »aber jetzt gibst eine Ruh. Wir spielen Karten.«

»Gewiß wahr, ich lüg euch nicht an ...« wiederholte der Wegmacher Michl. Er knetete seine fleckigen Finger und blickte ins Nichts.

Die Kiefer des Landthaler mahlten. »Streng wird gespielt, habts gehört?« mahnte er die anderen beherrscht. »Einen wenn ich beim Schwindeln erwisch!«

»Freilich.« Der Reither tat unschuldig und gab seinem Nebenmann einen leichten Stoß mit der Fußspitze. »Wer gibt?«

» ... es ist gewesen im Vierer Jahr, wie ...«

»Deine Goschn, Wegmacher!« fauchte der Landthaler.

» ... im Vierer Jahr, wie der Teufelsstein im Schatzberger Wald auf einmal angefangen hat zu schwitzen ...«

Zornig wandte sich nun auch der Reither um. »Wir spielen! Hörst nicht? Bring uns nicht draus, sonst werden wir grantig!«

» ... auf einmal angefangen hat zu schwitzen, und wie ...«

Krachend patschte die geöffnete Hand des Landthalers auf den Tisch. Er stand auf, ging zur Ofenbank und stellte sich breit vor den Alten. Seine zur Faust geballte rechte

Hand pendelte drohend. Der Wegmacher duckte sich ängstlich.

Wortlos kehrte der Landthaler an den Tisch zurück.

»Das hat er verstanden«, stellte der Reither befriedigt fest. Der Wirt atmete erleichtert auf, griff nach den gefüllten Krügen und trug sie an den Tisch.

»Wißts ja, wie er ist. Er hört nimmer gut«, versuchte er auszugleichen.

»Der hört ganz gut, da täusch dich nicht«, widersprach der Landthaler ärgerlich.

»Schon«, wußte der Stadler, »aber er kanns nimmer deuten.«

»Was für eine Krankheit das ist«, schüttelte der Wirt den Kopf, »hört und sieht, aber kanns nimmer deuten.«

»Die Krankheit hast du auch hie und da«, stichelte der Stadler boshaft. Der Wirt lachte.

»Aber bloß dann, wenn du ein halbes Jahr bei mir anschreiben laßt, nicht ans Zahlen denkst und allerweil noch eine Halbe willst!«

»Dafür kommst auch in den Himmel, Nauferger. Ist dir das gar nichs wert?«

»Und das verdank ich dann dir, Stadler.«

»So ist es. Selig sind, die die Durstigen tränken, heißt's in der Heiligen Schrift.«

»Jetzt spiel!« unterbrach der Landthaler ungeduldig. Der Stadler überlegte einen Augenblick, zog eine Karte und schlug sie auf die Tischplatte.

»Liegt schon!«

Der Landthaler betrachtete mit zusammengekniffenen Augen sein Spiel und überlegte. Er wirkte angestrengt.

» ... ich lüg euch nicht an!« brabbelte der Alte.

Das Gesicht des Bauern wurde krebsrot. Heftig stand er auf. Sein Stuhl kippte und polterte zu Boden.

»Wegmacher!« schrie er unbeherrscht. Der Wirt sah alarmiert auf.

»Spinn dich aus, Landthaler«, sagte der Stadler ruhig, »was regst dich denn eigentlich gar so auf?«

»Warum ich mich aufreg?« japste der Landthaler. »Weil ich dem Wegmacher seine erstunkenen Geschichten nimmer hören kann.«

»Hörst halt nicht hin! Aus! Hast doch sonst nichts gegens Geschichtenerzählen!«

Der Landthaler erstarrte. Sein Blick flirrte. Auf seiner Schläfe bildete sich eine wurmartige Geschwulst. »Was ... was willst damit sagen?« fragte er rauh.

Der Stadler tat unschuldig. »Gar nichts. Bloß, daß du doch auch hie und da gern Geschichten erzählst.«

»Landthaler! Stadler!! Aufhören!« Der Wirt hatte das Wischtuch zur Seite geworfen, kam an den Tisch geeilt und versuchte, die beiden Männer auseinanderzuzerren. Ein klobiger Faustschlag, der eigentlich dem Stadler gegolten hatte, traf seine Schulter. Er taumelte zurück.

Die Tür der Gaststube fiel krachend in das Schloß.

»Hörts auf!« keuchte der Wirt.

»Das mein ich auch.« Wachtmeister Kaneder trat langsam in die Mitte des Raums, schob seine Brille mit der Fingerspitze zurecht und kratzte sich seinen hinter dem Kragen nässend geröteten Hals. Der Landthaler richtete sich mürrisch auf.

Der Ortspolizist musterte ihn streng. »Wegen was wird da schon wieder gerauft?« Der Bauer schniefte verletzt und schwieg. Langsam griff er in seinen schütteren Schopf und schob einige siechfarbige Strähnen, die ihm über die Stirn gefallen waren, zurück. Kaneder wandte sich mit fragendem Blick an den Stadler. Dieser zuckte die Schultern.

»Nichts«, räusperte er sich, »ich ... ich hab ihm bloß gesagt, daß es seltsam ist, daß er allerweil, wenn er mit dem Mischen dran ist, hernach den Herzkönig kriegt.«

Der Reither nickte erleichtert.

»Ist überhaupt nicht wahr«, knurrte der Landthaler.

Kaneder verstand. »Dann sag ich euch, daß jetzt gleich Sperrstund ist und ich den Holzköpfen, die ich das nächste Mal wieder beim Raufen erwisch, eine saftige Straf aufbrenn! Haben wir uns?« Er hob die Stimme. »Ob ihr mich verstanden habt?«

Die beiden Streithähne nickten widerwillig. Der Reither griff nach den Karten, stand auf und legte das Päckchen auf eine Ablage neben dem Schanktisch. »Heut wars wieder gemütlich!« sagte er ernüchtert und griff nach seiner Jacke.

Auch der Landthaler zog sich an. Der Reither befand sich bereits im Hausgang. Wortlos verließen die Bauern die Stube.

Der Wachtmeister wandte sich an den Wirt.

»Und deine gspaßigen Logiergäst? Sind die eigentlich schon daheim?«

»Den Notari von München, meinens? Der ist schon längst oben in seiner Kammer«, sagte der Wirt. »Ist was mit dem?«

Kaneder schüttelte unwillig den Kopf und drehte sich um.

»Und der Wegmacher?« sagte er milder. »Mag Er nicht heimgehen? Zeit ists.«

Der alte Bauer regte sich nicht.

»Keine Geschichterl heut, Wegmacher?«

Der Wachtmeister wartete die Antwort des bockig dreinblickenden Alten nicht ab, kratzte sich wieder hinter seinem Kragen und verabschiedete sich.

Der Alte schwieg auch noch, als ihn der Wirt wenig später vor die Tür führte. Mit unsicherem Schritt trat er aus dem Kegel des von Mücken berannten Hauslichts und verschwand in der Finsternis. Vom fernen Altwasser am Flußgrund quakten Frösche.

Der Wirt drehte den Schlüssel und löschte das Licht.

Als er kurz darauf die Treppe zu seiner Schlafkammer emporstieg, sich in ihr entkleidete, das Federbett zurückschlug und sich schwer auf sein Lager fallen ließ, dachte er noch einen kurzen Augenblick an die Geschichte, die der Alte hatte erzählen wollen. Dabei schlief er ein.

※

Als die Magd an diesem Spätnachmittag im August des Jahres 1904 mit käsigem Gesicht zur Reitherin in den Stall trat und ihr stumm den leeren Wassereimer zeigte, wußte die Bäuerin sofort, daß etwas Ernstes geschehen sein mußte. Der Hausbrunnen war nun endgültig trocken, und der in die Tiefe gelassene Eimer scheppernd auf Stein gefallen.

Bald darauf versiegten auch die Brunnen von Wengen und Oberroth. Die erst vor wenigen Jahren verlegte Bleirohrleitung, die das Wasser der Elskirchner Quelle zu den Weilern über dem Inn führen sollte und aus der zuletzt nur noch ein rostig braunes Rinnsal geflossen war, gab schon seit Wochen keinen Tropfen mehr ab. Auch der Gruber hatte bereits aufgegeben und die Hunde, die seine Pumpe antrieben, aus dem Geschirr gelassen.

Als vom Grund des Hungerbrunnens im Wolfspeuntner Wald feuchter, von Mückenschwärmen umtoster Morast glitzerte, erschraken die Bauern zutiefst. Von ihren Vorfahren wußte sie, daß Feuchtigkeit in dieser Grube, die in regenreichen Zeiten stets trocken war, eine noch größere Dürre voraussagte.

Schließlich war auch der Burgstaller Bach ausgetrocknet, und die Mühle im Höllgraben mußte stillgelegt werden. Die Bauern suchten den Pater Prosper auf und baten ihn um die Abhaltung des Regengebets. Kurz flammte der alte Streit zwischen der »Bruderschaft zum guten Tod« und dem »Jünglingsverein« auf, in welcher Pfarrei dieser Gottesdienst abgehalten werden sollte. Die Auseinandersetzung wurde jedoch sofort erstickt, denn kein vernünftiger Mensch konnte widersprechen, daß allein die heilige Elisabeth und damit das alte Elskirchner Gotteshaus zuständig waren.

Das gotische Kirchenschiff war überfüllt, als der aus dem Kloster Sarzhofen herbeigeeilte Augustinerpater das alte Regengebet vortrug. Doch die Orgel, deren Holzverkleidung in der wochenlangen Trockenheit geschrumpft war, gab keinen Ton mehr von sich. Auf der Heimkehr begegneten die erschöpften Wallfahrer den Fuhrwerken der Wasserträger. Auf ihre keuchenden Rösser einschlagend, bis hoch über den Kutschbock in Staub gehüllt, waren sie nahezu Tag und Nacht unterwegs, um das rettende Naß zu den Höfen zu bringen.

Die Gebete waren vergeblich gewesen. Die einst üppigen Bauerngärten verdursteten, das Blattwerk der Obstbäume verlor seinen Glanz. Die Wiesen brannten aus. Die Grasnarbe wurde rissig, schälte sich, hungriges Federvieh kratzte auf der Suche nach Engerlingen den brockigen Boden auf. Aus einst blühenden Feldern wurden staubgraue Äcker. Um die Augustmitte mußten bereits die Heustöcke angegriffen werden, um das Vieh zu füttern. Doch für den Schäfer von Aschpoint stellte sich die Frage, was im Winter werden würde, nicht mehr. Er bestritt, betrunken gewesen zu sein, und gab statt dessen an, von Erschöpfung überwältigt in seinem Karren eingeschlafen zu sein, als seine Herde in die sumpfigen, von den Mäandern des Höllbachs durchzogenen Naßwiesen ausgebrochen war. Erbärmlich waren die Tiere verendet. Man hatte den Schäfer mit Schlägen vom Hof gejagt.

Die neuen Tage zeigten im ersten, zitronenfahlen Licht, daß wieder kein Regen zu erwarten war. Binnen kurzer Zeit wälzte sich erneut schmutzige Hitze über das Land. Übergossen mit glühender Luft lag es um die Mittagszeit längst benommen unter einer brütenden Sonne. Dann und wann schob sich ein heißer Windstoß durch das papieren wispernde Korn und kippte es, ohne Widerstand zu erfahren, aus der mürben Krume.

Nur der Marktflecken Sarzhofen, auf einer kleinen Erhebung zu Füßen des höheren Klosterhangs gelegen, hatte noch Wasser. Die fetten Gärten am Innhang, geschlämmt von einer Ableitung des Klosterbachs, widerstanden der Hitze.

Doch auch hier litten die Menschen unter der Hitze und dem Staub, den das Umland über den Markt geworfen hatte. Die Alten atmeten schwer durch rissige Lippen.

Es war Mittag. Die Menschen, die den baumlosen Platz in der Ortsmitte überquerten, bewegten sich langsam; kein Luftzug regte sich. Es war still. Rufe versanken taub, das Platzen des Kalkputzes von den Häuserwänden klang wie das Brechen verdorrter Äste. Der Wirt des Gasthofs »Zum Nauferger« riß in einem Moment der Verwirrtheit die Tür der Standuhr auf, dessen Ticken ihn zu schmerzen begonnen hatte, und hielt das Werk an.

Am späten Nachmittag schienen Ort und Hügelland friedlich zu dösen. Die Schatten wuchsen. Kaum war die Nacht zum Sonntag hereingebrochen, begann die Erde zu dampfen. Das Pflaster glänzte bleiern, und um Mitternacht stiegen vom Inn violette Nebelschwaden empor. Es wurde augenblicklich kühler. Als sich die letzten Besucher des »Nauferger« auf den Heimweg machten, in der Mitte des Marktplatzes nach oben sahen und betrunken die schneidende Luft kosteten, stand über ihnen, kaum anders als in den Nächten zuvor, der Nachthimmel wie kalt glimmender Granit. Die Tritte der Heimkehrer verloren sich in der Stille. Grillen zirpten kraftlos. Das Land fiel in Schlaf.

Niemand sah, wie kurze Zeit danach im Norden ein

tonloses Leuchten über die Hügelketten eilte. Ein ferner, samtener Donner folgte. Nun herrschte völlige Stille. Wieder flammte das fahle Leuchten auf, und wieder, doch nun in kürzerem Abstand, war ein tastendes, zögerndes Poltern, das wie das Fallen eines Holzstoßes klang, zu vernehmen.

✳

Es kam kein Tag. Die Sonne kämpfte irgendwo hinter dem östlichen Horizont, warf ein krankes Gelb und erstickte dämmernd. Entlang der Flußlinie hatten sich Schicht um Schicht die fetten Quader einer Wolkenwand in maßlose Höhen getürmt. Noch immer schien die Wand zu wachsen, noch immer stand sie nahezu unbewegt wie eine erstarrte Flutwelle.

Binnen Sekunden platzte das Gebilde. Eigroße Hagelbrocken explodierten auf Pflaster und Dachpfannen, spratzten knallend ab oder durchschlugen die Dächer. Kräftige Laubbäume bogen sich unter den Sturmstößen und brachen ergeben, die Fichten rissen im Fall ihr flaches Wurzelwerk aus dem Erdreich, Scheunen zerlegten sich Brett um Brett oder purzelten wie Würfel über das Feld. Durch die silbrige Schraffur des zur Erde jagenden Eises waberten die Blitze. Das Wettergeläut der Pfarrkirche winselte gegen den Tumult, bis der Orkan unter die zerschlagene Dachhaut des Turmes fuhr, dessen Spitze abriß und Schindeln, Gebälk und Mauerwerk in die Tiefe prasseln ließ. Bedrohlich ächzte das Bundwerk der Stallungen der freistehenden Gehöfte. Die windig gebaute Stallung des Wegmacher-Gütls krachte zusammen und begrub, was darunter lebte.

✳

Fast beiläufig hatte sich das Unwetter gelegt. Ohne große Eile war es nach Nordosten gestapft. Der Wind wurde schwächer, dann legte er sich ganz.

Es war still. Das zerdroschene Land rauchte. Die Luft war kühlfeucht und klar und roch nach Winter. Der Himmel blieb grau, von Westen näherte sich ein sanfter Regen. Bis zum Herbstbeginn sollte er sich nicht mehr verziehen.

Natürlich hätte man die Leiche des Fuhrknechts Alois Eglinger irgendwann entdeckt. Wenn nicht an diesem Tag, dann am nächsten. Sie wurde so früh gefunden, weil sich der Nauferger beim Kirchbäck darüber beschwert hatte, daß das sich sulzig zersetzende Eis auf der Gasse zwischen beiden Gebäuden begann, den Weinkeller des Gasthauses unter Wasser zu setzen. So schickte der Kirchbäck seinen Lehrling, und dieser war es, dem diese eigenartige, blaßrot emporgestiegene Fläche aufgefallen war und der, nach wenigen Schaufelstichen, den Körper des Fuhrknechtes entdeckte.

Wachtmeister Sinzinger, den man vom Dach der Ortsgendarmerie holen mußte, wo er die zerschlagenen Dachpfannen inspiziert hatte, begann kurz darauf mit seinen Untersuchungen. Er tat es widerwillig. Irgend etwas sagte ihm, daß diese Angelegenheit unangenehm werden würde, obwohl alles, was ihm aufgeregt mitgeteilt wurde, auf einen Wirtshausstreit mit tragischem Ausgang hindeutete. So etwas kam nicht eben häufig, aber doch hin und wieder vor. Der letzte Mord im Gebiet der Sarzhofener Gendarmerie – eine Magd war im Wolfspeuntner Wald erschlagen und ausgeraubt worden – war lange vor Sinzingers Amtsantritt geschehen, und außer der nie ermittelten Todesursache eines Säuglings in der Nachbargemeinde, den die Mutter, eine unverheiratete und offenbar geistig etwas labile Magd, versehentlich im Schlaf erdrückt hatte, konnte er sich an keinen Fall in dieser Gegend erinnern, der nicht binnen weniger Stunden hatte aufgeklärt werden können.

Der Wachtmeister überlegte, wie er seinen Bericht beginnen sollte. Er war, nachdem er die Leute mit einem »Wenn er schon tot ist, pressiert's eh nicht mehr« zu beruhigen versucht hatte, in die Amtsstube gegangen, hatte dort seinen Rock angezogen, seinen Säbel umgeschnallt, seinen Helm aufgesetzt und sich auf den Weg gemacht.

Der Schauplatz des Verbrechens, die vom Marktplatz zum Innhang führende Gasse zwischen dem Gasthaus und der Bäckerei, war nur wenige Minuten von der Station entfernt. Nachdem er die Neugierigen zurückgescheucht und sich schnell vergewissert hatte, daß der Fuhrknecht an mehreren Messerstichen in Brust und Hals gestorben sein mußte, wurden die Umstehenden von ihm befragt, ob einer von ihnen etwas berichten könne, das mit diesem Vorfall zusammenhinge. Man schüttelte den Kopf. Außer dem Wirt hatte sich keiner der Anwesenden in der vergangenen Nacht im Gasthaus aufgehalten. Der Nauferger gab zögernd an, daß der Ermordete am Abend zuvor einige Halbe Bier getrunken, die Gaststätte jedoch kurz nach Mitternacht verlassen habe.

»Als letzter?«

»Ja ...« Die Erklärungen des Wirts wurden dadurch unterbrochen, daß der Dorfarzt mit offen fliegendem Mantel durch den Eismorast herbeigeeilt kam und sich wortlos der Leiche widmete. Respektvoll wich die Menge zurück.

Der Wirt fügte noch hinzu, daß der Tote als streitsüchtig gegolten habe, und daß es beinahe täglich zu kleineren Auseinandersetzungen, die jedoch schnell wieder beigelegt waren, gekommen sei. Der Doktor unterbrach ihn.

»Der Mann ist seit etwa zwölf Stunden tot«, stellte er fest.

»Haben Sie berücksichtigt, daß er unter dem Eis gelegen ist?«

Der Arzt lächelte nachsichtig. »Ich kann durchaus bis drei zählen, Herr Wachtmeister. Aber ...«, er war aufgestanden und wischte sich die Eissplitter vom Knie, » ... man braucht mich ja hier nicht mehr, nicht wahr?«

»Ist ja nur eine Frag gewesen, Herr Doktor.«

»Schon recht.« Der Arzt knöpfte sich umständlich den Mantel zu.

Der Gendarm dachte nach. Vor zwölf Stunden. Kurz vor Sonnenaufgang. Was suchte der Fuhrknecht um diese Zeit in der Gasse?

Der Mesner hob den Zeigefinger. »Der Eglinger ist ein rechter Weiberer gewesen«, stieß er eifernd hervor. »Es hat so gehn müssen mit ihm.«

»Was du alles weißt ...«

»Ich seh halt auch noch was anderes als Teig und versalzenes Mischbrot, Bäck.«

»Mit dir bigottem Hanswursten red ich gar nicht. Aber, Herr Wachtmeister, ...«

»Was, Bäck?«

»Der Doktor muß sich getäuscht haben.«

»Warum?«

Der Bäcker fühlte den mißbilligenden Blick des Arztes. »Weil ich ... dann ja was gehört haben müßt. Ich bin jeden Tag schon um halb vier wach, auch wenn ich nicht in die Backstuben muß. Ich hätt was hören müssen – aber ich hab nichts gehört. Bloß, wie auf einmal das Wetter angefangen hat, hab ich gehört.«

»Und das hat angefangen, nachdem du aufgestanden bist?«

»Wenig später.«

»Da ist es also schon hell gewesen?«

Der Bäcker schüttelte den Kopf. »Da wär es hell gewe-

sen!« berichtigte er. »Wenn es ein normaler Tag gewesen
wär. War es aber nicht. Es war stockfinster.«

Sinzinger verzog nachdenklich den Mund und blickte
wieder auf das mit schwarzem Blut besudelte, durch-
weichte Bündel zu seinen Füßen. Der Tote lag mit dem
Rücken nach oben. Die klaffenden, wächsern gerandeten
Einstiche waren deutlich zu erkennen.

»Der markiert nimmer«, bemerkte der Schmied-Hansl
nüchtern. Die Bäckin kicherte hysterisch. Ein Blick des
Wachtmeisters brachte sie zum Schweigen.

»Was ist gestern auf Nacht passiert? Hat einer gesehen, mit wem der Eglinger gestritten hat? – Wirt?«

Der Nauferger schüttelte den Kopf. »Nein. Gestern
war er sogar recht gut aufgelegt, der Alois. Hab mich
schon gewundert.«

Der Landthaler, den in seiner Jugend ein schwerer Un-
fall mit dem Heuwagen weißhaarig gemacht hatte,
schniefte grimassierend durch die Nase und entblößte
seine tabakbraunen Zähne. Er schien zu überlegen, wie
er beginnen sollte.

Der Arzt trat einen Schritt vor. »Herr Wachtmeister,
ich wollte Ihnen nur noch sagen: Wie ich vorhin an der
Gendarmeriestation vorbeigekommen bin, hab ich den
Aichinger Martl dort stehen sehen. Er möcht eine Anga-
be machen, hat er gesagt.«

»Wird nicht so pressieren«, gab Sinzinger unwirsch
zurück.

Der Arzt, der sich schon zum Gehen gewendet hatte,
wiegte den Kopf und strich sich über seinen grauen
Bart.

»Es hätte aber mit der Leiche hier zu tun, hat er gemeint.«

❊

Kopiermeister Ostler hatte Grund zu guter Laune. Die deutsche Kinoindustrie hatte nach dem Krieg einen ungeheuren Aufschwung genommen; allein im vergangenen Jahr wurden nahezu sechshundert Filme hergestellt, und bereits jetzt, im Frühsommer 1924, konnte jede Wette darauf eingegangen werden, daß sich diese Zahl heuer noch einmal erhöhen würde. Ostlers Zukunft war gesichert. Vor seinem Häuschen in Planegg blühte der Flieder, und im Biergarten der Münchner Kindl-Brauerei, den er aus alter Anhänglichkeit hin und wieder aufsuchte, obwohl er sich längst nicht mehr dem gemeinen Münchner Proletariat zurechnete, rückten die jungen Frauen näher an ihn heran.

Natürlich liebte Ostler auch das Kino. Der Kopiermeister hatte lediglich einen persönlichen Geschmack und war davon überzeugt, daß nur dieser der richtige sei. Er, der seit der Gründung der Filmfirma Arnold & Richter im Werk an der Türkenstraße arbeitete, hatte sie alle kennengelernt, den geschäftstüchtigen Ostermayer, den verrückten Fey, den verträumten Jaffé und viele andere. Erfolge und Katastrophen hatte er beobachten können, auch Jaffés Verzweiflung miterlebt, als diesem mitten in den Aufnahmen zu seinem König-Ludwig-Film, für den der Regisseur sein ganzes Privatvermögen eingesetzt hatte, der Hauptdarsteller verstarb.

Der Kopiermeister, der gerade dieses Werk mit einer gewissen Zuneigung bearbeitete, sich aber ein Mitleiden bei allerlei Katastrophen schon früh abgewöhnt hatte, gab dem jungen Mann einen Tip, den dieser dankbar annahm. Was er ihm riet, gab er, wenn sich Gelegenheit bot, gern zum besten. »Gehns, Herr Jaffé«, wollte er gesagt haben, »dann nehmens halt einen anderen und machen mit dem einen zweiten Teil: Der König im Alter!« Mit tränenfeuchten Augen habe ihm der Regisseur gedankt und sei seinem Rat gefolgt. Daß jedoch Publikum

18

und Kritik sich nicht vorstellen konnten, daß der edle König innerhalb weniger Jahre vom jugendlich aufrechten Zwei-Meter-Recken zum kleinwüchsigen und quergesichtigen Vierschröter mutiert sei, erwähnte Ostler, wenn überhaupt, nur ungern.

Ebenso ungern erinnerte er sich auch an den Besuch jenes Frechlings aus Berlin, der sich an einer Bergfilmkomödie versuchen wollte und deutlich zeigte, daß er seine belichteten Rollen nur gezwungenermaßen in München bearbeiten ließ. »Mein Herr«, wollte Ostler ihm gesagt haben, »Sie dürfen uns schon glauben, daß wir uns auskennen, wenn es um Bergsachen geht.« Worauf der aufgeblasene junge Mann geantwortet hätte, daß ihm die Berge schnurz wären, eine verkehrt gesetzte Kreisblende hingegen nicht. Der Kopiermeister hatte später befriedigt feststellen können, daß gerade dieser Film, eine verquere Groteske um die Liebe einer in den Bergen hausenden Räuberin zu einem eitlen Verführer, ein Reinfall wurde, und mit noch größerem Genuß durfte er nach wenigen Monaten verfügen, daß die Kopie dieses Films aus dem überquellenden Filmlager geworfen und auf die Müllhalde gekarrt wurde. Kopiermeister Ostler erinnerte sich ebenso ungern daran, daß der vorlaute Berliner einmal von seiner Hauptdarstellerin begleitet worden war, was die Zurechtweisung wegen der verpatzten Blende umso peinlicher gemacht hatte.

An dieses Erlebnis mußte er denken, als er die Viragierung der neuen Filmkopien überprüfte. Eine steile Falte bildete sich zwischen seinen Brauen.

»Wer hat die Negri eingetaucht?« brüllte der Kopiermeister, »Kajetan?! Warst epper du das?«

Der Angesprochene, eine erst vor wenigen Wochen eingestellte Hilfskraft, antwortete vom anderen Ende der Reihe von Färbebottichen.

»Die wen?«

»Geh her da!« herrschte der Meister. »Wirds bald?«

Der Gehilfe kam. Ostler hob einen Streifen gegen das Mattlicht, deutete mit dem behandschuhten Finger darauf und sah den Kopierwerkshelfer streng an. Ein grauer Arbeitsmantel umschlotterte den nicht sonderlich großen, ziegenbärtigen Mann.

»Was ... was ist damit?« Kajetan verstand nichts.

»Wer die Negri eingetaucht hat, habe ich gefragt! Red ich böhmakisch?«

»Die Negri? Das war ich.«

»Natürlich. Wer denn sonst? Und wieso ...« Der Kopiermeister legte die Rolle auf den Tisch und verschränkte die Arme, » ... hast die Negri blau gemacht?«

Kajetan ahnte, daß Ostler, dessen Gesicht rot angelaufen war, kurz vor einem cholerischen Ausbruch stand. Aber noch immer begriff er nicht, was den Meister so erregte.

»Aber ...«, sagte er unsicher, »so ist es doch draufgestanden in der Färbnotiz vom Teobalt.«

Ostler holte Luft. »Der Herr Teobalt ist nicht der Chef da herinn!« brüllte er unbeherrscht. »Da herinn ist der Teobalt ein kleines Würsterl und hat da gar nichts zum melden. Teobalt?! Da her!«

Er wandte sich nicht um, als wenig später ein blaßgesichtiger, hochgewachsener und hagerer Mann mittleren Alters mit bestürzter Miene an den Tisch trat.

»Herr Teobalt«, in Ostlers Stimme mischten sich Zorn und Hohn, »wie kommt Er drauf, daß die Negri blau werden soll?«

»Ich ...«, stotterte der Mann eingeschüchtert, »ich habs so übertragen, wie es in den Notizen des Regisseurs steht. Sehns selbst ...« Er blätterte aufgeregt in einem Stapel Papier.

Ostler wandte sich ihm zu und kippte seinen Kopf in den Nacken. Streng fixierte er den Blick Teobalts.

»Und was hab ich Ihm gesagt? Ha?«

»Sie sagten: Rosé. Aber ich dachte, daß das ein Irrtum sein muß, weil ...«

»Irrtum?«

»Pardon ..., aber ...«

»Ist das eine Zimmer-Szene oder nicht?«

»Schon ..., aber ...«

»Und gehört nicht eine Zimmer-Szene rosé eingetaucht?«

»Schon ...«

»Schon was, Teobalt?«

»Es ... ist doch aus dem Zusammenhang erkenntlich, daß es sich um ein unbeleuchtetes Zimmer handelt, also ...«

Ostlers Augen hatten sich verengt.

»Er verdient bei mir offenbar so gut, daß Er alle daumlang ins Kino rennen kann?«

»Nein«, entgegnete der junge Mann, »alle daumenlang nicht. Aber dieser Film ...«

» ... ist ein Krampf, nebenbei gesagt!«

Emil Teobalt stand schmal und fest vor Ostler. Nein, meinte er, dieser Film sei ein Meisterwerk. Der Kopiermeister explodierte.

»Weißt du, was dabei ist, wenn ich dich das nächste Mal das Lager ausräumen laß, damits auf den Geraffelhaufen geschmissen wird, wos hingehört? Da ist ›Die Flamme‹ vom Herrn Ludwig dabei, das garantier ich dir! Und noch ein paar andere parfümierte Judensauereien!«

Teobalt schwieg.

»Und was die Färbung betrifft, mein Lieber, da laß Er sich ein für allemal gesagt sein: Der Tag ist gelb, die Nacht ist blau, und ein Weibsbild im Zimmer ist rosé! So war es, so ist es, und so wirds anders nie sein.«

Teobalt hob die Schulter und wich dem Blick des Meisters aus.

»Wir machen das nämlich so, wie wir das allweil machen«, fuhr Ostler fort, »und nicht, wie irgendein Herr Ludwig das meint! Als ob der wüßt, was die Leut wollen.«

» ... Lubitsch«, korrigierte Teobalt ergeben.

»Ha?«

»Nicht Ludwig – Lubitsch!«

Auch Kajetan nickte.

»Egal!« Ostler machte eine ärgerliche Handbewegung. »Von dem hört man eh bald nichts mehr, weil die Leut dem seine Krämpf nimmer sehn wollen. Genausowenig, wie das Zeugs vom Plumpe, vom Reinhardt und wie die geblähten Gackerl noch alle heißen.« Er hob den Zeigefinger. »Das Publikum, das merkens Ihnen, das hat allweil recht!«

Teobalt räusperte sich. »Bitteschön, mir gefällts.«

»Tja«, sagte der Kopiermeister lauernd, »das ist so eine Sach mit dem Gefallen, Herr ...«

Teobalt übersah die Signale. »Das ist wahr«, stimmte er zu.

Ostlers Stimme klang nun ruhig. Kajetan, der sich während des Streits wieder zu einem der Färbebottiche zurückgezogen hatte, horchte auf.

»Weißt«, fuhr der Kopiermeister fort, »mir gefallt zum Beispiel nicht, daß Er allerweil grad extra anders tut als wie man Ihm sagt.«

»Aber es ist doch der Wille des Regisseurs ...«, beharrte Teobalt ahnungslos.

Ostler holte Luft. »Und mein Wille ist, weißt du, was? Daß du dich schleichst!« Seine Stimme überschlug sich. »Auf der Stell! Sie sind entlassen, Herr! Teobalt! Ihre Papiere liegen bereit! Schon seit einiger Zeit!«

Kajetan erschrak und senkte die Rolle, an der er gerade gearbeitet hatte, in den Bottich zurück. Teobalt löste sich langsam aus seiner Versteinerung und wandte sich um.

»Bleib da, Emil!« Vergeblich versuchte Kajetan seinen Kollegen, der sich bereits zur Tür des Färbesaales begeben hatte, aufzuhalten.

»Das könnens doch nicht tun, Herr Ostler ...«, versuchte er zu vermitteln.

Der Kopiermeister kniff die Augen zusammen.

»Ahso?« sagte er sanft. »Das kann ich nicht?«

✳

Seit dem Ende des Frühjahrs hatte es fast ohne Unterbrechung geregnet. Seit Wochen dämmerte die Stadt unter einem dichten Nebeltuch, und die Stadt, längst in stumpfgraue Farben getränkt, hatte zu stinken begonnen. Sie roch nach schimmelndem Mauerwerk, nach Rauchfeuer, Küchengerüchen, dem von Tritten und Wagenrädern zermahlenen Pferdekot und dem von fauligen Abfällen geschwängerten Dampf der Tage. Früh dunkelte es, und nur in den Nächten schien sich der schweißige Brodem der langsam verpilzenden Stadt in das Erdreich zurückzuziehen. Zwar hatte sich hin und wieder ein Morgen strahlend geöffnet; doch spätestens dann, als sich die Straßen mit schlafblindem, unfroh fröstelndem Volk füllten, Trambahnwaggons auf ächzenden Geleisen Tausende an ihre Arbeitsstellen beförderten und die Schutzgitter der Läden keckernd zur Seite geschoben wurden, hatte sich wieder eine regenschwangere, filzig undurchdringliche Wolkenmatte über die Gassen, Straßen und Plätze gesenkt. An manchen Tagen stand die Luft unbewegt; milder Faulgeruch wuchs aus den Pflasterritzen, das Unkraut wucherte. Vor Nässe geschwollen trieben Bäume und Sträucher aus.

Nach regelmäßigen Wolkenbrüchen, in deren Folge die Isar binnen weniger Stunden zum tobenden Wildfluß anschwoll und sich die donnernde, lehmige Flut an den steinernen Brückenpfeilern brach, war die Luft würzig und kühl. Befreiung kündigte sich an; die Wolkendecke hob sich und stellte in den kurz geöffneten hellen Feldern eine Idee der darüber liegenden Bläue aus, fing an ihren zerfetzten Rändern schwefeliges Licht und schien nach Norden zu treiben. Doch kaum waren die dunklen, bauchigen Gebilde zum Horizont gesegelt, hatte der Himmel sich wieder geschlossen.

Der Nieselregen tappte geräuschlos auf Dächer, Hüte, Blattwerk. In den Ausläufen der Regenrohre rauschte es gleichförmig, Abfall und abgefallene Blätter trieben in dünnen Rinnsalen in das Dunkel der Kanalisation. Die Fäule kroch hinter den Stuck der neubarocken Fassaden der Bürgerhäuser, salzige Mineralien sprengten den Verputz von den Hauswänden. Fleckiger Aussatz blühte an den Fundamenten, feuchtschwarzes Moos dehnte sich aus allen Fugen, weitete sich zu flächigen Flechten, zerfraß den Mörtel zu erdiger Konsistenz, bis er dem unablässig rieselndem Regen keinen Widerstand mehr bot. Die unbefestigten Gassen zwischen den ärmlichen Vorstadthütten in Haidhausen und der Au hatten sich längst in schlammige Bahnen gewandelt; erdiger Schmutz und Kot, der aus den überlaufenden Kanälen schwappte, schwemmte über die Dielen in die dämmerigen Wohnhöhlen der Tagelöhner.

Über Wochen hatte sich nichts mehr verändert. Kein Wind war aufgekommen, kein Sturm hatte geklärt. Es regnete. Die Stadt triefte. Alles an ihr rieselte, sickerte, gluckste, und der zementfarbene Himmel erdrückte sie, nahm ihr den Atem. Die Enge der Straßen wurde drängender, die Gemüter trübe. Man hetzte. Es wurde wenig gelacht.

Die Fenster des dichtbesetzten Schwabinger Kaffeehauses waren bedampft. Emil Teobalt starrte auf die blinden Scheiben und nahm die milchigen Umrisse der draußen vorbeieilenden Passanten wahr. Er wandte sich wieder seiner Kaffeetasse zu und rührte gedankenverloren darin.

»Nein«, schüttelte er den Kopf, »das wäre nicht nötig gewesen.«

Kajetan zuckte die Achseln und lehnte sich zurück.

»Geschehen ist geschehen.«

»Was ist schließlich dabei herausgekommen? Ich bin entlassen – und Sie auch. Dabei hab ich neulich noch gelesen, daß sie in Amerika schon einen Farbfilm ausprobieren.«

»Tatsach?«

»Ja. Da wird nichts mehr viragiert werden! Da ist das Bild dann, wie die Welt ist. Das Gras grün, die Haut weiß oder braun oder gelb, das Blut rot und ...«

» ... die Weiber im Schlafzimmer?«

Teobalt lachte. »Stimmt! Wie sind die eigentlich?«

»Kommt drauf an.« Kajetan schmunzelte und hob vielsagend seine dichten Augenbrauen. Teobalt wurde wieder ernst.

»Hätte ich doch bloß mein Maul gehalten«, sagte er müde.

»Hinterher ist man immer gescheiter.« Kajetan nahm einen Schluck aus seiner Tasse.

»Bei mir scheint ja Hopfen und Malz verloren. Aber Sie! Was geht es Sie eigentlich an, wenn ich mit einem über Kreuz bin?«

»Gebens schon eine Ruh.« Kajetan setzte die Tasse auf. »Ich habs halt getan und werd schon wissen, warum.«

»Jetzt reden Sie Blödsinn. Sie wissen es nicht, genauso wenig wie ich.«

Kajetan fingerte nach seinem Kinnbart.

»Stimmt«, gestand er zögernd ein.

Teobalt beugte sich vor. »Der Stolz ist mit Ihnen

durchgegangen, nichts weiter. Daß jemand ein wenig arm ist im Hirn und dann noch sein Maul aufreißt, das könnens nicht ertragen. Und deswegen tappens immer wieder rein in die Soße, genau wie ich. Aber wir vergessen dabei, daß man sich das auch leisten können muß.«

Kajetan mußte es zugeben. »Aber wer kann raus aus seiner Haut?«

Teobalt schüttelte den Kopf. »Bei mir hab ich den Verdacht«, sagte er nachdenklich, »daß ich es gar nicht möcht.«

»Na sehens. Also Schluß mit der Trübsinnigkeit! Alles ist, wies ist. Und irgendeinen Zweck wirds schon gehabt haben.« Kajetan hatte die Stimme gehoben, als wollte er sich selbst von seiner Rede überzeugen.

Emil Teobalts Miene hellte sich auf.

»Aber das muß man Ihnen lassen«, gluckste er, »ein gutes Mundwerk haben Sie. Das tut mehr weh als manche Ohrfeige.«

Kajetan wehrte gespielt ab.

»Ich hab bloß gesagt, was wahr ist.«

»Aber den Ostler ein ... wie haben Sie ihn genannt?«

»Ein blahts Schwundhirn, ein blahts!«

» ... zu nennen, das ist ...«

»Nichts als die Wahrheit.« Kajetan grinste.

»Schon. Aber wenns statt dessen freundlich gesagt hätten: Herr Kopiermeister, für mich sind Sie ein ausgesprochener Cerebral-Atropist, dann hätt er sich sogar noch was drauf eingebildet!«

Kajetan tat ernst. »Jetzt weiß ich endlich, wozu ihr Bourgeois Latein gelernt habts.«

Teobalt schmunzelte. »Und wozu? Sagen Sie's mir?«

»Doch bloß dafür, damit man nicht gleich spannt, daß ihr genauso hinterfotzig sein könnts.«

»Allerdings!« Teobalt nickte sarkastisch. »Haben Sie

eine Ahnung ... Aber sagen Sie, was werden Sie jetzt tun?«

Kajetan hob die Schultern. »Mich nach einer neuen Stell umschauen, was sonst? Die zwiderne Wurzen, bei der ich logier, hockt mir schon jetzt im Genick wegen der Miete. Und Sie?«

»Ich muß mir auch auf der Stelle eine neue Unterkunft suchen. Ich kann sie mir ja bereits jetzt nicht mehr leisten. Was Arbeit betrifft: Da werde ich dasselbe tun. Was sonst?«

»Eben.« Kajetan nahm einen Schluck aus seiner Tasse. Dann beugte er sich neugierig vor. »Aber sagens – Sie sind doch eigentlich ein Studierter?«

»Eigentlich schon.«

»Und man hat sich erzählt, daß Sie bei der ›Münchner Zeitung‹ gearbeitet haben. Wieso fangen Sie stattdessen als Hilfsarbeiter im Kopierwerk an? Und wieso könnens das nicht wieder tun?«

Teobalt zögerte mit seiner Antwort. »Das wär eine längere Geschichte.«

Kajetan nickte ihm aufmunternd zu. »Wir haben ja jetzt Zeit, oder nicht?«

»Na, meinetwegen. Es stimmt. Ich bin, wie Sie sagen, ein Studierter und hab nach meinem Studium bei der Zeitung angefangen. Erst in Berlin, danach in Augsburg, zuletzt in München. Es ist immer ordentlich aufwärts gegangen, und nebenbei hab ich einige Bücher publiziert. Aber nur solange, bis mein letztes Buch – Buch ist übertrieben, es war eher eine dünne Broschüre – erschienen ist.«

»Worum ist es darin gegangen?«

Teobalt tat unschuldig. »Ooooch ...«

Kajetan grinste zurück. »Weiß schon. Lateinisch verpackte Unverschämtheiten. Hab ich recht?«

Sein Gegenüber wurde ernst. »Nein. Es war eine Broschüre, die ich für die deutsche Sektion der Menschenrechts-Liga verfaßt habe.«

»Für wen?«

»Die kennen Sie nicht? Eine Schande – nein, nicht für Sie! Für die Liga! Haben Sie gar nichts mitbekommen von der Kampagne für Sacco und Vanzetti? Wirklich gar nichts?«

»Doch ... ich erinnere mich. Waren das nicht ... in Italien oder wo ...?«

»Anarchisten?« Teobalt schien aufzuleben. »Nein. Es handelt sich um harmlose Gewerkschaftsmitglieder in den Vereinigten Staaten, die man zum Tode verurteilt hat. Sie haben wirklich nie davon gehört?«

Kajetan verneinte.

»Nicola Sacco und Giacomo Vanzetti sind ...« Teobalt brach ab. »Lassen wir es. Ich erzähls Ihnen ein andermal. Zurück zu meiner Broschüre. Interessiert Sie es noch?«

»Erzählens schon!«

»In dieser Broschüre – es waren nicht einmal zwanzig Seiten und das magerste, was je von mir veröffentlicht worden ist –, da habe ich nichts getan als aufzulisten, wie die Justiz des Deutschen Reichs mit linken und rechten Putschisten, also mit den Räteleuten einerseits und den Kapp-Putschisten andererseits umgegangen ist.«

»Öha«, sagte Kajetan ahnungsvoll.

»Sehr richtig. Bei der Aufrechnung der gegen beide Parteien ausgesprochenen Zuchthausstrafen bin ich auf ein leichtes Unverhältnis von 373 zu 0 Jahren gekommen. Welche Zahl zu welcher Seite gehört, überlasse ich Ihrer Phantasie.«

»Dreihundert ... zu Null? Aber ist nicht der Eisner-Mörder zu lebenslänglich ...?«

Aus Teobalts Stimme tönte leichte Ungeduld, als er Kajetan unterbrach.

»Von Zuchthaus rede ich! Und nicht von einem kommoden Festungsaufenthalt in Landsberg, in dem man sich einen eigenen Koch leisten kann und einen Salon, nobler als zuvor. Nebenbei, weil Sie grad von Lebenslänglich reden – haben Sie nicht mitgekriegt, daß der Graf Arco, der den Ministerpräsidenten erschossen hat, vor gut vier Wochen bereits wieder entlassen worden ist? Zum Ausgleich sitzt der Mühsam, der keinen umgebracht hat, noch immer. – Sie können den Mund wieder zumachen. – Aber wieder zurück: Kaum war das Büchlein veröffentlicht, brach die Hölle los. Private Details erspare ich Ihnen, beispielsweise, daß ich danach nicht mehr allzu lange mit der Tochter einer angesehenen Familie verlobt war, oder, daß ich seither an einer nicht völlig ausgeheilten Kieferfraktur leide.«

»Was ist passiert?«

»Ein Verein, der sich ›Wirtschaftsverein ehemaliger Angehöriger der Reichswehr‹ nannte und den ich der Konspiration gegen die Republik verdächtigt hatte, hat einen unwesentlichen Fehler entdeckt, mich verklagt und, nachdem ein Informant seine Aussage nicht beeiden wollte, diesen Prozeß auch gewonnen. Meine Stelle in der ›Münchner Zeitung‹ – Sie wissen, dieses tapfere liberale Blatt – habe ich von einem Tag auf den anderen verloren. Ich hatte zwar ein paar Mark gespart. Danach aber war ich ruiniert. Und weil ich wohl nicht die besten Nerven hab, auch gesundheitlich.«

»Was habens denn?«

»Weiß nicht«, antwortete Teobalt niedergeschlagen. »Da ist ... manchmal so eine unendliche Müdigkeit. Als könnt ich kerzengrad umfallen.«

»Aber ...«

»Ich weiß, was Sie fragen wollen. Natürlich fühlte sich die Liga verantwortlich. Aber deren Macht reicht nicht weit. Man hat mir zugesagt, sich um eine Stellung für mich zu bemühen. Das war vor über zwei Jahren. Nichts hat sich getan. Ich ...«, er sah aus dem Fenster, » ... ich war auch hier wieder zu blöd. Als ich gemerkt habe, daß mich keiner meiner Kollegen bei der ›Münchner Zeitung‹ unterstützte, habe ich einige, sagen wir einmal, ganz und gar nicht-lateinische Worte gebraucht.«

»Was war blöd daran? Ich hätts nicht anders gemacht.«

»Nichts war blöd daran. Ich beklage mich nicht. Ich habs gewollt, ich habs getan, würds wieder tun. Und zahle dafür, c'est tout.«

Er klatschte mit der flachen Hand auf den Tisch. Das Geschirr klirrte leise. »Ich hab die Nase voll gehabt. Ich wollte nichts mehr mit diesem ...«, er unterdrückte einen trockenen Husten, » ... diesem Beruf zu tun haben. Nicht allein, weil die Kollegen mich, wie es drauf angekommen ist, im Regen haben stehen lassen. Nein, auch deswegen: Du kannst schreiben, was du willst und wie du willst, kannst es diplomatisch und verbindlich angehen oder so bös und scharf und verächtlich, daß man meint, die Seite, auf die es gedruckt wird, müßte in Rauch aufgehen. Es nutzt nichts, es ist alles Kasperei, und es ändert sich gar nichts. – Im Gegenteil, es scheint alles schlimmer zu werden.«

Kajetan hatte ihn besorgt betrachtet.

»Weiß nicht.« Er zuckte ratlos mit den Schultern. »Vielleicht kommts drauf an, was einer erwartet. Wenn man schon damit zufrieden wär, daß man denen, die der gleichen Meinung sind, das Gefühl gibt, damit nicht allein in der Welt zu sein ... verstehens, was ich mein?«

Teobalt preßte die Lippen aufeinander und lächelte gequält.

»Ja, ich weiß, was Sie meinen. Vielleicht haben Sie recht und ich bin tatsächlich etwas größenwahnsinnig.«

»Haben Sie gesagt.«

Teobalt erwidert nichts. Gedankenverloren rührte er

in seiner Tasse, in der sich nur noch ein körniger Boden-satz befand. Die beiden Männer schwiegen.

»Schluß jetzt!« sagte Teobalt entschlossen.«Ich rede und rede. Was ist eigentlich mit Ihnen? Haben Sie nicht auch früher in einem anderen Beruf gearbeitet? Eigent-lich ist es schön, daß man sich endlich etwas mehr ken-nenlernt. Das Komische ist bloß, daß dafür zuerst was schiefgehen muß.«

Kajetan lachte leise. »Stimmt.«

»Also, was war Ihr früherer Beruf?«

»Polizist.«

»Gehens weiter! Sie?« fragte Teobalt ungläubig.

»Doch. Zuletzt war ich Kriminalinspektor in Dorn-stein. Zuvor in München.«

Teobalt wiegte ungläubig den Kopf. Kajetan verzog den Mund zu einem bitteren Grinsen.

»Dann lassens mich raten, Herr ... gehens, wir sind doch, die vier oder fünf Jahre, die ich Ihnen voraus hab, fast der gleiche Jahrgang. Sollten wir nicht endlich Du zueinander sagen, Herr Kollege? – Emil.«

Kajetan war damit einverstanden und nannte seinen Vornamen.

» ... ich rat«, fuhr Teobalt fort, »daß du nicht eben freiwillig ausgeschieden bist, Paul.«

»Nicht daneben.«

»Also voll drin. Erzähl, wieso?«

»Hab halt auch mein Maul nicht halten können.«

»Hätt mich auch gewundert. Wird aber wieder nicht vernünftig gewesen sein.«

Nein, das sei es nicht gewesen, bestätigte Kajetan und erzählte, daß er wegen Befehlsverweigerung und ver-leumderischer Anschuldigung gegen seinen Vorgesetzten entlassen worden war. Emil hörte aufmerksam zu.

»Wo liegt denn der Ort, an den man dich versetzt hat?«

»Dörnstein? Das ist eine kleine Stadt im Südosten, in der Nähe der Grenze. Aber – lassen wir die alten Geschichten. Kriegst du eigentlich eine Unterstützung von irgendwo her?«

Teobalt schüttelte den Kopf.

»Du vielleicht?«

»Bei unehrenhafter Entlassung gibts nichts.«

»In meinem Beruf erst recht nicht. Außerdem – von den paar Mark, die es bei der Erwerbslosenfürsorge gibt, kann keiner leben.«

»Ein paar müssens scheinbar doch.«

Teobalt stieß den Atem durch die Zähne und nickte ernst.

»Ein paar? Die halbe Stadt muß es. Aber diese entwürdigende Prozedur erspar ich mir, solange es geht. Außerdem ...« wieder hustete er, » ... solange einer arbeitsfähig ist, wie ich, gibts nichts.«

Kajetan kannte diesen Husten.

Es war dunkel geworden. Emil Teobalt legte einige Münzen auf den Tisch, bat Kajetan, für ihn zu bezahlen und verabschiedete sich. Man würde sich wiedersehen, irgendwann.

Die Tür fiel zu. Kajetan fühlte sich plötzlich verlassen und versuchte, gegen die Unruhe zu kämpfen, die sich in ihm ausgebreitet hatte.

Seine Ersparnisse waren seit Monaten aufgebraucht, und der Rest des Wochenlohns, der ihm noch ausbezahlt wurde, würde nur noch wenige Tage ausreichen. Er brauchte Arbeit. Bald.

✳

Ein seit Tagen anhaltender, kräftiger Südwind hatte den Himmel über dem Inntal geklärt, und schon weit vor Ödstadt, einem weniger als drei Zugstunden von München entfernten, schläfrigen Ort am untern Inn, strahlte die Sonne. Doch hinter den massigen Mauern des alten Ödstädter Zuchthauses herrschte auch an diesem Morgen noch Dämmerung.

»Sperrens nicht hinter mir ab, Herr Bletz«, hatte der Geistliche auf dem Flur des Ödstädter Gefängnisses gebeten, »und bleibens bitte in der Näh. Wer weiß, wie er es aufnimmt.«

Der Wärter schloß die Zellentür auf und trat zur Seite, um den Gefängnisgeistlichen eintreten zu lassen. Er ließ die Tür einen Spalt offen und blieb davor stehen.

Der Gefangene erhob sich langsam und stierte den Priester fragend an. Seine Arme hingen nach vorne, der Kopf schien tief zwischen den Schultern zu sitzen. Sein ausgemergeltes, stoppelbärtiges Gesicht unter dem kurzgeschnittenen, altersgelben Haar war ausdruckslos. Der Pfarrer sprach leise.

»Mein Sohn«, sagte er salbungsvoll, »du mußt jetzt fest an unseren Herrn Jesus denken.«

Der Angesprochene schien nicht zu verstehen und wandte sein Gesicht ab.

»Ich ... habe die schmerzliche Pflicht, dich vom Ableben deiner Ehegattin zu unterrichten, mein Sohn.«

Die Lippen des Mannes bewegten sich kaum. »Vronerl ...?«

»Ja, mein Sohn.«

Der Gefangene preßte seine Augenlider zusammen. » ... habs ... gespürt ...« flüsterte er.

Der Priester nickte ernst, obwohl er die Worte nicht verstanden hatte.

»Der Herr sei ihrer armen Seele gnädig.«

Der Gefangene blieb in starr gebückter Haltung stehen. Als der Pfarrer seine Hand ausstreckte, um tröstend die Schulter des Mannes zu berühren, krümmte dieser sich jäh. Klatschend fiel er zu Boden.

»Herr Aufseher!« rief der Geistliche erschrocken. Bletz war mit wenigen Schritten in der Zelle.

»Gehts wieder los«, sagte er ärgerlich.

»Sie sehn doch, daß er ohnmächtig geworden ist. Helfens ihm.«

Bletz packte den Gefangenen, schleifte ihn zu dessen Pritsche und wuchtete ihn schwer atmend hinauf.

»Das hat er früher alle daumlang gehabt«, sagte er ungerührt, »wenns mich fragen, markiert der.«

»Sinds nicht gar so harsch, Herr Bletz. Seine Frau ist gestorben. Hams gar kein Herz? Gehens! Holens den Doktor!«

*

Mit sturem Gleichmut hatte Kajetan seit Tagen versucht, wieder Arbeit zu bekommen. Es gab jedoch keine Arbeit. Die Zahl der Erwerbslosen nahm zu, obwohl es – glaubte man dem Jubel der bürgerlichen Zeitungen – mit der Wirtschaft seit dem Ende der Inflation bergauf zu gehen schien.

Kajetan fühlte sich hilflos. Seine Wut hatte kein Ziel, sie zerschmolz zur Scham des Verlierers, und jede gutgemeinte, mitfühlende Freundlichkeit, mit der ihm hin und wieder begegnet wurde, verstärkte dieses fremde Gefühl.

Kajetan schlief schon seit Tagen unruhig. An diesem Abend stand er auf, machte mit verkniffenen Lidern Licht, setzte sich ratlos an den Tisch und versuchte, seine Gedanken zu ordnen. Er fühlte nur die Stille, die darauf zu warten schien, welche Idee er als nächste verwerfen würde. Er ging im Raum umher, um sie abzuschütteln, doch als er sich wieder setzte, erhob sie sich erneut und schien höhnisch darauf zu lauern, mit welch vergeblicher Bewegung er ihr Herr zu werden versuchte.

Endlich überwältigte ihn die Müdigkeit.

Es mußte weit nach Mitternacht gewesen sein, als er mit einem heftigen Ruck erwachte. Verstört sah er im Dunkeln um sich; sein Puls raste. Er stand auf, zog sich hastig an und verließ seine Kammer. Als er mit eiligen Schritten aus dem Pechdunkel der Sterneckergasse ins Thal trat und die feuchte Nachtluft einatmete, beruhigte er sich ein wenig. Er ging langsamer. Die Turmuhr des Frauendoms schlug zweimal, das Geläute des Alten Peter und der Heiliggeistkirche gaben ein Echo.

Das breite Thal war menschenleer. Kajetan schlug seinen Kragen hoch und kreuzte seine Arme vor der Brust. Ein kalte Bö fegte gegen sein Gesicht.

Die Stadt schlief. Kajetan hörte nichts als das Klicken seiner Schritte. Mit einem Mal wurde der Wind heftiger. Ein taubes Donnern in der Ferne folgte, und ein gleichmäßiges Rauschen näherte sich. Erste Tropfen klatschten auf das Pflaster. Aus dem Himmel über dem Süden der Stadt kroch das weiße Geäst eines Blitzes. Als ihm ein nicht enden wollender Donner folgte, hatte der Wolkenbruch schon begonnen. Kajetan fluchte und begann zu laufen. Der Regen wurde heftiger. Als er die verschlossenen Marktstände am Viktualienmarkt erreicht hatte und unter einem Vordach Schutz fand, war Kajetan bereits völlig durchnäßt.

Der Stand hatte einen Anbau, dessen Tür einen Spalt weit geöffnet stand. Ein schmaler Lichtstreifen flirrte über das Kopfsteinpflaster. Für Sekunden gaben Donner und prasselnder Regen Fetzen von Gelächter und Gesang frei. Kajetan trat neugierig näher.

*

Kajetan brauchte einige Zeit, um sich im rauchigen Dunst der Baracke zurechtzufinden. Schwaden verbrauchter Luft zogen an ihm vorbei ins Freie. Ein Mann, der der Türe am nächsten saß, zog die Schultern zusammen. Er wandte sich leicht und musterte den Ankömmling aus den Augenwinkeln.

»Mach die Tür zu, Baraber«, grunzte er, drehte sich wieder zurück, schob den Bügel von der Flasche und nahm einen Schluck.

Niemand schien von Kajetan Notiz zu nehmen. Er sah um sich. Der Raum wurde von einer schwachen Petrollampe beleuchtet, die von der Mitte der niedrigen Decke hing. An den Wänden standen leere Holzkisten. Die Männer, es mochten etwa ein Dutzend sein, hatten ein paar von den Kisten zu Sitzgelegenheiten verwandelt. Einige von ihnen saßen um einen provisorischen Tisch und schlugen ihre Karten auf die Bretter. Die größere Gruppe lagerte auf unterschiedlich hohen Obststeigen und unterhielt sich lautstark. Eine grüne Flasche kreiste.

Mehrere Männer schienen bereits betrunken zu sein. Rauchiger Atem stand vor den Gesichtern. Im Schatten hinter ihnen, abseits an der Rückwand und nahe eines zweiten Ausgangs, schnarchte ein greises, unkenntliches Etwas auf einer Pritsche, die, soweit man es erkennen konnte, aus zusammengestellten Kisten und einem lose darübergeworfenen Lumpenbündel bestand.

Einer der Männer sang. Er wurde von Zwischenrufen und grobem Gelächter unterbrochen. Ein anderer lallte die Worte des Liedes nach. Kajetan verstand wenig; noch immer prasselte der schwere Regen auf das Barackendach. Er setzte sich und schob die nassen Haare aus der Stirn.

Der Sänger, ein rundgesichtiger, gedrungen und kräftig gebauter Mann mit einem eigenartigen, bis unter das

Kinn reichenden Halstuch hatte geendet, genoß den grölenden Beifall und nahm zufrieden einen Schluck aus der Weinflasche.

Als er den Kopf nach hinten neigte, fiel sein Blick auf Kajetan, wanderte zur Seite und kehrte zurück. Er setzte die Flasche ab, ohne getrunken zu haben. Das trübe Oberlicht fiel auf eine körnig vernarbte Stirn, wulstige Wangen und den mächtigen Keil der Nase. Seine Augen lagen im Schatten.

»Ah naa!« sagte er.

Kajetan fror plötzlich. Seine Zähne klapperten. Er sagte sich, daß er sofort fliehen mußte, und erkannte gleichzeitig, daß dies nicht mehr gelingen würde. Er senkte ergeben den Kopf. Als er ihn wieder hob, sah ihn der Sänger noch immer an. Der Blick schien ihn abzutasten, maß Kajetans Haltung, wanderte von der durchnäßten Kleidung zu den Händen, die noch immer das umgeschlagene Revers des Mantels hielten und blieb auf seinem Gesicht hängen. Er dachte an etwas, doch seine Miene verriet nichts.

Kropf-Kare war zurückgekehrt.

Der Regen war schwächer geworden; der Wind drückte gegen die Bretterwand. Das Pfostengebälk knarzte.

»Kropf! Verzähl eine Gschicht!« krächzte der Besoffene.

Er steigt an einem Sommernachmittag auf den Wiesenbichl vor dem Hof, streckt dort vor Seligkeit die Arme gegen die Sonne und läßt sich in das Gras fallen. Die weiche Matte ist warm wie seine Wiege. Es ist dunkel geworden. Er steht auf und geht zum Haus zurück, betritt den düsteren Stall. Vorne stehen die Kühe, gleichmütig fühlen sie sein freundliches Tatschen, an der Seite schar-

ren und grunzen die Schweine. Die Schaf- und Ziegenkoben stehen leer. Es riecht herrlich. Er verläßt den Stall, geht an der Seitenwand des Gütls nach vorne, vorbei am vor Nässe tropfenden Bauerngarten. Ein dunkler Gesang fliegt heran; der Wind zieht durch die Dächer.

Er liebt die Stille der Dorfkirche, liebt das Licht, das in gleißenden Stäben durch die bunten Fenster fällt. Seltsam sei er, sagt man, so seltsam. Und dann wandert er einmal, allein und ohne es Vater oder Mutter wissen zu lassen, zum Riesboden, hoch über dem Tal. Er geht auf das von mächtigen Kastanien beschattete Portal der vergessenen Einsiedelei zu. Ein Schatten schiebt sich über sein Gesicht, er betritt klopfenden Herzens den kalten, hohen Raum. Seine Augen weiten sich, glänzen. Er sieht nichts, hört nur noch das hallende, nackte Tappen seiner Sohlen auf den Steinplatten. Ein eigenartiger Zauber umfängt ihn, ihn schwindelt. Er hält den Atem an. Etwas wächst aus seiner Kehle, beginnt in ihm zu tönen.

Es hört erst auf, als er die Stimme eines Mannes vernimmt, der hinter ihm die Kirche betreten hatte. Er erschrickt. Der Mann ringt nach Worten. »Deine Stimme ... deine Stimme ...«

Wenig später stellt sich der Unbekannte dem verblüfften und mißtrauischen Vater als Stellvertreter des Hofkapellmeisters Levi in München vor. Er sei hier zur Sommerfrische, beginnt er. Und, nachdem man dazu nur nickt, sagt er, daß der Junge über eine außergewöhnliche, ja gesegnete Stimme verfüge und er darum bitte, sich seinen Vorschlag anzuhören. Die Eltern überlegen lange, dann stimmen sie zu. Eines Tages, es war nach dieser schlechten Ernte, verläßt der Junge das Dorf. Er lächelt scheu beim Abschied. Bis die lärmende Woge der Stadt über ihm zusammenschlägt, weint er.

Alles um ihn ist jetzt schwarz und ernst. Doch wenn er singt, ist es ihm wie Atmen. Manchmal schließt er die

Augen und sieht die Töne. Sie tanzen in der Luft, schwanken, torkeln fröhlich, steigen rasch auf, stehen wieder unbewegt und entfernen sich schwebend.

Erst ist da nichts als ein erbsweicher Knoten am Hals. Dann schwillt die Haut an und treibt die Adern nach außen, als schmatze ein fetter Wurm darunter. Die Ärzte verständigen sich mit mitleidslosen Blicken. Sie urteilen leise. Nichts hilft. Die böse Geschwulst wächst, wuchert, sie dehnt sich bald vom Kinn zum Brustbein. Je schöner der Gesang des Jungen wird, desto häßlicher wird sein Äußeres. Man gibt ihm Tücher, welche die schier platzende Fläche verbergen sollen. Nach Monaten sagt man, er dürfe wieder nach Hause zurückkehren.

Dort kriecht er zwischen die Tiere im Stall. Doch das Gelächter dringt durch alles. Er scheint sich zu ergeben, scheint sich nicht mehr zu wehren und wird älter und seltsam. An einem Tag im Winter starrt man ihn an, weil er zu singen begonnen hat. Er zieht sich an, wickelt sein Tuch und geht. Man will ihn halten, doch er schlägt plötzlich grob zu. Er wird erfrieren, sagen die Leute.

Er erfriert nicht. Er geht ohne Rast. Am Abend ist er in Landshut und betritt eine Gastwirtschaft am Fluß. Er suche Arbeit, er sei kräftig. Wenn du ein gut tust, sagt der Wirt, kannst bleiben. Aber bleib beim Vieh, die Leut erschrecken sich, und schau dich um auf Lichtmeß.

Er hat jetzt keine Hand frei, trägt einen schweren Pfosten, den er im Wirtsgarten einrammen soll. Ein betrunkener Fuhrknecht zieht ihm das Tuch vom Hals, reißt die Augen erschrocken auf und bricht in boshaftes Gelächter aus, dem sich alle Gäste anschließen. Er nimmt den Pfosten und erschlägt den Knecht. Zwei Schutzleute werden gerufen. Sie gehen die hölzerne Treppe empor und öffnen die Tür zur Kammer. Er sitzt auf dem Bett. Sein Kopf ist auf die Brust gesunken. Einer der Gendarmen spricht ihn an und möchte von ihm wissen, warum er den Mann er-

schlagen habe. Könne er nicht hören? Sei er taub? War-um er ... ach! Die Gendarmen befehlen ihm zu folgen. Einer der beiden, der jüngere, hält es für unnötig, ihn zu fesseln. Der Täter gehorche ja. Sie führen ihn durch die Gaststube, durch ein Getöse aus Drohungen und Beleidi-gungen. Sie sind bereits an der Tür des Gasthofs, als ei-ner schreit: »Kopf-ab, Kropf-Kare!« »Maul halten!« brüllt der junge Gendarm. Aber da ist er erwacht, packt die schwere Tür, drischt sie einem der Gendarmen an den Schädel und stößt den anderen um. Der erste Schutz-mann bleibt benommen liegen, der andere verfolgt ihn. Es ist dunkel, rasche Fußtritte dort, ein Schatten hier. Sie sind sich immer nah. Sie rennen zwei Stunden.

Der junge Gendarm gibt auf. Er nimmt seinen Helm ab. Sein Herz rast, er ringt nach Luft, hustet hart. Sein erster Fall. Er hatte versagt.

Die Arbeiter sahen verwundert vom einen zum anderen. Die Kartenspieler legten ihr Blatt auf den Tisch.

»Was hast denn auf einmal? Kare?«

Der Sänger schwieg noch immer und hielt die Flasche vor seinen Lippen. Einer der Männer folgte seinem Blick.

»Was ist denn das für einer? Sag – was bist du denn für einer? He? Heda, Baraber?«

Der Betrunkene stieß Kajetan an. »Jetzt seh ichs erst. Der gehört nicht in die Altstadt.«

Ein zweiter war aufgestanden, hatte seinen Hut in den Nacken geschoben und sich hinter ihm aufgebaut.

»Was suchst denn bei uns, mitten in der Nacht? Schon gspaßig!«

Kajetan machte eine erschöpfte Handbewegung nach draußen.

»Was wohl? Ich ... ich bin in der Sterneckergassen daheim, ich ... hab nicht einschlafen können.«

»Ah geh! Sollen wir ihm dazu helfen?« höhnte der Angetrunkene. Einer der Kartenspieler erhob sich gemächlich.

»Ich riech da was, und des schmeckt mir gar nicht.«

Kajetan öffnete den Mund.

»Ihr täuschts euch ...« stöhnte er hilflos. Er wollte aufstehen, doch eine schwere Hand drückte ihn nach unten.

Plötzlich schüttelte Kare heftig den Kopf.

»Laßts ihn aus!« rief er.

Kajetan atmete aus und ließ seine Schultern fallen.

Kare machte ein Handbewegung. »Hockts euch wieder nieder, Manner. Biwi! Spiegel! Laßts den armen Tropf. Gehts wei ... Hoj – wer kommt da noch?«

»Das Windradl!« rief ein anderer. »Und ... ja, da schau her!«

Die Tür war aufgeschoben worden. Ein großgewachsener Mann mit bis zu den Schultern reichendem Haar, das aber trotzdem kaum verbergen konnte, welcher körperlichen Eigenschaft er seinen Namen verdankte, trat gebückt unter den Türsturz. Eine junges Mädchen drängte ihm nach, schüttelte fröstelnd die Schultern und sah sich erstaunt um.

»Kropf!« rief Windradl gut gelaunt. »Was ist los? Wird nicht gefeiert bei euch?«

Kare lachte polternd.

»Wir feiern alle Tag! Hock dich her! Wo kommst denn du her?«

»Vom ›Steyrer‹! Ich wollt doch einmal schauen, wies euch Krauterer geht.«

»Seit wann leits denn dir ein Bier beim ›Steyrer‹«?

»Wenn man sei Geld ned glei versauft, Spiegel«, lachte Windradl, »dann geht des durchaus.«

Kropf sah an ihm vorbei.

»Und des is ...?«

»... des wär die Mia«, erklärte Windradl stolz und legte seine Hand um ihre Hüfte. Sie wand sich aus seinem Griff und lachte perlend.

»Sauber! Windradl, sauber!« lallte der Betrunkene anerkennend.

»Hockts euch nieder!« wies Kropf auf eine der Obststeigen und hielt dem Ankömmling seine Flasche entgegen. »Trink, Windradl!« Der Großohrige nahm einen tiefen Schluck. Das Mädchen stieß ihn lachend an.

»He! Laß fei no was über!« tadelte sie.

Windradl hielt betroffen inne und reichte ihr die Flasche. Sie trank. Die Männer lachten anzüglich. Windradl sah drohend um sich.

»Tuts euch fei zusammenreißen!«

Einer der Kartenspieler, die wieder an ihrem Tisch Platz genommen hatten, drehte sich um. »Öha! Jetzt wirds aber nobel, unser Windradl!«

Wieder polterte Gelächter durch den Schuppen. Einer der Männer drehte sich zu Kajetan, der sich aufgerichtet hatte, zögernd an der Tür stehengeblieben war und unschlüssig in den prasselnden Regen geblickt hatte. Er hielt ihm die Flasche entgegen.

»Und du? Magst auch? Wir hätten dir ja fast unrecht tan! «

Kajetan war unschlüssig.

»Geh zu! Wirst doch nicht in das Sauwetter rausgehen!«

Kajetan ging auf ihn zu, setzte sich und nahm einen Schluck.

»Was ... was habts denn geglaubt, was ich bin?«

»Nichts, Baraber, denk nicht mehr dran. Ah, wie sagst du dich nachert eigentlich?«

Kajetan nannte seinen Vornamen und wollte den des Fragenden wissen.

»Ich wär der Damerl ...«

»Der Dotschn-Damerl!« ergänzte ein anderer lachend. Die anderen fielen in das Gelächter ein. Damerl kümmerte sich nicht um ihn und beugte sich wieder zu Kajetan.

»Tust du da barabern auf dem Viktualienmarkt, oder was?«

»Nein ...«

»Was nachert?«

»Jetzt grad tu ich – nichts.«

»Aha«, Damerl begriff, »nausghaut? Seh ichs recht?«

Kajetan nickte.

»Was solls dir anders gehen«, meinte Damerl achselzuckend und drehte sich wieder zu den anderen. »Sag an, Windradl! Seit wann karessierst du so saubere Weiber? Wo hast denn die aufgegabelt?«

Bevor der Langhaarige antworten konnte, tat es das Mädchen. »Mich gabelt keiner auf, Bursch!« stellte sie klar, »wenn da wer gabelt, dann bin ich des!«

Spiegel puffte sie an. »Laßt mich einmal rein in deine Gabel?«

»Spiegel! Reiß dich ...«, wollte Windradl warnen.

Das Mädchen unterbrach ihn. Sie warf ihr Haar nach hinten. »Da dazu brauchts Mannerleut! Keine Mäus!«

»Haaa!« krähten die Männer. »Spiegel! Jetzt hats sie dir aber sauber eingeschenkt!«

Mia lachte mit. »Sagts, Manner, ihr habts so gspaßige Namen? Wieso heißt denn du ›Spiegel?‹

Der Wein tat mehr und mehr seine Wirkung. Das Gelächter ließ die Baracke erbeben. »Wenn ... haha ...«, einer der Kartenspieler, ein untersetzter, bulliger Arbeiter mit narbigen Zügen, rang nach Atem, »wenn der Spiegel sein Hut aufhebt, dann siehst es! ›Haar‹, sagt er allweil, ›Haar brauch ma net!‹«

Mia übertönte das Gebrüll. »Und du? Wie heißt nachert du?«

Der Narbige schwieg betreten.

»Des ... des is der Bladern-Biwi!« lachte Spiegel boshaft. Mia kicherte. Biwi streifte sie mit einem grimmigen Blick.

»Also, bittesehr, gnä' Fräulein«, fiel Kare dröhnend ein, »wenns gnä' Fräulein erlauben, tät ich unsere noblige Gsellschaft einmal vorstellen.« Er zeigte auf einen der Kartenspieler. »Der da, des is der Indianer-Sepp, auch der ›Naserte‹ genannt. Warum, das ist ein Geheimnis!« Der Angesprochene grinste säuerlich und hob grüßend einen Finger zur Stirn.

»Was zahlst, Kropf, wenn ich jetzt mein Maul halt?«

»Gar nichts!« Kare lachte dröhnend und setzte die Vorstellungsrunde fort. »Der da, mit seinem gewesenen pechschwarzen Haar, das ist der Weißkraut, auch der ›Held von Ypern‹ geheißen, der daneben is der Moos-Michi.«

»Der Held von was?«

»Von Ypern«, erklärte Kropf-Kare, »der Weißkraut hat da im sechzehner Jahr die Scheißerei gekriegt und ...«

»Red ned, Rindviech!« fiel ihm der Weißhaarige zornig ins Wort.

»Hast recht, war ein Gspaß«, beschwichtigte Kare und wandte sich wieder Mia zu, »der Franzmann hat ihn seinerzeit ein wengerl zugegast.«

Sie verstand.

»Und überhaupts, Kropf, du ...«, knurrte Weißkraut, noch immer verärgert, »du darfst ja grad reden, du ... du Kartoffel-Caruso!«

Kare lachte herzlich. Sein mächtiger Hals wogte.

»Kartoffel-Caruso? Wie kommst denn auf den Namen?« Mia strich ihr durchnäßtes Haar zurück. Kare lächelte wissend und nahm einen Schluck.

»Sagts halt!« beharrte sie lachend.

»Also«, erklärte Windradl kennerisch, »Kartoffel-

Caruso, so heißen wir ihn, weil er die Meistzeit beim Erdäpfel-Baron zu Feldmoching barabert. Und Caruso – also, Kropf, eigentlich müßt es ja umgekehrt sein! Der Itaker müßt sich nach dir nennen! Weil, so schön wie du singen kannst, packt der das nie.«

»Aff«, bemerkte Kropf geschmeichelt.

»Kare«, rief der Indianer, »jetzt bist dran! Jetzt singst uns noch eins!«

Kropf wehrte ab. »Laßts mir meine Ruh! Ich brauch meine Stimm noch für in der Früh!«

Die Männer gaben nicht nach. Auch Mia bettelte. Der laute Lärm hatte den Schlafenden, ein vierschrötiges Männchen mit wächserner, schmutzig verknitterter Haut und zahnlosem Mund, geweckt. »Ja! Kropf, sing: ›Der Frühling auf dem Berge‹«, bat er krächzend.

»Den singst dir selber!« beschied ihm Kare.

Der Indianer ächzte auf. »Bittschön keine Brutalitäten. Die Folter ist abgeschafft. Seit Achtzehnnochwas.« Der Alte boxte ihn wütend an. Der Indianer ließ eine Reihe verwüsteter Zähne sehen.

Windradl beugte sich zu Kare und deutete auf das Mädchen. »Du, Kropf – die Mia, die kann auch singen! Und wie!« sagte er stolz. Kare sah erst ihn, dann das Mädchen neugierig an. Sie schwieg.

»Is wahr?« fragte Kropf interessiert.

»Wahr is«, bestätigte Windradl, »und wie! Drüben, im ›Steyrer‹, da singts hie und da. Ich habs selber gehört. Gell, Mia?«

Sie bestätigte es bescheiden. Doch als Kropf sie drängte zu singen, zierte sie sich. Aber schließlich konnte sie seiner und der Aufforderung der anderen Männer nicht mehr widerstehn. »Aber erst langst mir noch einmal die Flaschn her!«

»Da ist aber Wein drin! Keine Milch«, stichelte Spiegel.

»Sag an!« gab sie schnippisch zurück und nahm einen Schluck.

»Milch braucht die nicht noch extra«, erklärte Weißkraut fachmännisch. »Schau dirs an, die Laiberl! Ich wär glatt neidisch, wenn ich eine Kuh wär!« Die Männer wieherten.

»Bist aber ein Ochs!« zischte Windradl verärgert.

»Eine Ruh ist, ihr Krautschwänz, ihr Erdinger« fuhr Kare energisch dazwischen. »Singen solls. Auf! Ich bin schon gespannt.«

»Erst noch gurgeln«, sagte das Mädchen grinsend, nahm noch einen Schluck und gab die Flasche zurück. Sie wischte sich über die Lippen, warf ihren Kopf zurück und begann zu singen.

Die Männer horchten auf.

Ihre Stimme war dünn und weich. Doch die Art ihres Vortrags, die plötzlich in dieser schweißfeuchten, stinkenden und verrauchten Höhle, in Grobheit und faulzahniger Häßlichkeit ein sommerliches und kindseliges Paradies entstehen ließ, brachte die Männer augenblicklich zum Schweigen. Die Spieler legten die Karten bereits nach der ersten Zeile auf die Kistenbretter. Sie starrten auf das Mädchen, das unter dem braunen Kegel des Öllichts davon sang, wie sie, ›einst das reinste, unschuldsvollste Kind‹, schon in allzu jungen Jahren zur körperlichen Liebe verführt worden war.

Windradl, der zu Beginn des Liedes noch triumphierend in die Runde geblickt hatte, lauschte hingerissen. Keiner sprach mehr. Der Bladern-Biwi begann hilflos zu zwinkern, und der Indianer-Sepp schniefte als erster laut auf. Als Nächster bemerkte auch Spiegel die salzige Flüssigkeit, die ihm zwischen die Lippen gesickert war.

Das gefallene Mädchen sang nun davon, daß ihr Leben seit dieser ersten Liebesnacht nichts als ein ›schönster Lenz‹ sei, und wenn sie schließlich keinem mehr gefiele –

hier machte sie eine wehmütige Pause –, sie gern begraben sein wolle ...

Nachdem sie geendet hatte, heulte der wüste Biwi wie ein Schloßhund. Tränen rieselten über sein narbiges, von Melancholie und Seligkeit verzogenes Gesicht. Auch der käsige Weißkraut und der grobe Moos-Michi schluchzten, fluchten schamlos und verdeckten ihr Gesicht, damit niemand in ihre glücklich glänzenden Augen sehen konnte. Windradl schneuzte kräftig in die Hand. Kropf nickte anerkennend. Seine Wangen glänzten. Auch er kämpfte gegen die Rührung. »Singen kannst nicht«, stammelte er rauh, »aber zaubern, das kannst.«

Das Mädchen spielte die Schuldlose und hob in koketter Verschämtheit ihre Schultern, als hätte sie keine Ahnung, weshalb alles um sie herum zerflossen war. Lächelnd streifte ihr Blick die Runde. Ihre und Kajetans Blicke trafen sich nur für den Bruchteil einer Sekunde. Ruhig, als wären sie bereits seit Kindertagen miteinander vertraut, tauschten sie sich aus. Erst viel später, als sich die allgemeine Erschütterung wieder gelegt hatte, das Mädchen sich längst wieder Windradl und den von diesem heftig abgewehrten, ungeschlachten Komplimenten der anderen widmete, fühlte Kajetan verwundert, daß ein seltsames Gefühl von ihm Besitz egriffen hatte.

»Bei euch is zünftig!«

Die Stimme kam von der Tür. Niemand hatte bemerkt, daß zwei Männer und eine Frau die Baracke betreten hatten. Kajetan hatte den Eindruck, daß die Stimmung augenblicklich eisig geworden war.

»Gehts weiter! Was stiers uns denn aso an? Tuts was zum Saufen her!«

»Der Bierkugel! Da schau her!« Der Dotschn-Damerl grüßte gequält. »Und der Messer – seids heut selber gekommen? Mit Anhang heut gar! Des is eine Ehr!«

Der große, breitgebaute Mann, den Damerl mit »Messer« angesprochen hatte, grinste gemein und wies auf seine Begleiterin. »Weißt es doch, Damerl: Schnallen bringen Glück.« Er setzte sich. »Und jetzt tuts euren Wein her – öha, was istn mit euch?«

Bladern-Biwi, Moos-Michi und der Indianer hatten sich erhoben.

»Nix, Messer ... aber für uns wirds Zeit«, sagte Biwi.

»Die Bauern werden bald da sein ...«, ergänzte der Indianer entschuldigend. Sie grüßten Kare nickend und verließen die Baracke.

Messer grinste. »Dann schleichts euch meinetwegen, Bagasch, ungemütliche!« Er griff zu der Flasche, die Kropf-Kare ihm mit unbehaglicher Miene gereicht hatte, und trank glucksend. Mias Augen verengten sich. Windradl sah unschlüssig zu Boden. Messers Hure war bereits betrunken. Ihr Oberkörper wiegte unruhig hin und her. Ihr Blick flackerte nervös.

Messer übergab Bierkugel die Flasche. Dieser lehnte ab.

»Ekelhaft. Ein Mensch, der keinen Durst hat«, klagte Messer und setzte die Flasche erneut an.

Die Hure stieß ihm den Finger in die Seite.

»Du ... Messer ...« Ihre Stimme klang weinerlich.

Der Zuhälter setzte die Flasche ab. »Laß die Penzerei. Sonst schmier ich dir eine.«

Sie zuckte gedemütigt zusammen. Der Zuhälter nahm einen tiefen Schluck.

»Messer ... die da ... Schau doch ...«, quengelte die Hure wieder.

Messer drehte sich unwillig in die Richtung ihrer Augen und entdeckte Mia.

»Da schau her.« Er stand auf.

Kropf war alarmiert: »Gib eine Ruh, Messer.« Auch Windradl witterte Gefahr. Er fuhr hoch und stellte sich dem Zuhälter bebend entgegen. »Was möchst ...?« Er beendete den Satz nicht. Messer schlug wortlos zu. Windradls Haare flogen. Er stolperte über eine Kiste und blieb benommen liegen. Kropf-Kares Kinnlade mahlte. Die anderen glotzten.

Kajetan verstand nichts. Was geschieht hier? Haben alle Angst? Drei, vier ausgewachsene Männer gegen diese beiden und eine besoffene Hure?

Mia schrie auf. Messer hatte in ihre Haare gegriffen und sie zu sich gezogen.

»Vom Bahnhof«, kreischte die Hure, »vom Bahnhof hat eine in der Altstadt nichts zu suchen.«

»Genauso ist es.« Messer nickte gelassen. Seine fleischige Pranke schrieb einen Bogen.

Der Knall der Ohrfeige stand noch im Raum, als Kajetan schon aufgesprungen war, Messer jäh herumgerissen und ihm mit der rechten Faust auf das Kinn geschlagen hatte. Der Zuhälter war verblüfft. Er taumelte, stürzte über die Obstkisten, griff rudernd nach einer mit Apfelkisten gefüllten Stellage und riß sie mit sich zu Boden.

»Sau, feige.« Kajetan rieb sich die schmerzenden Finger und atmete schwer. Das Mädchen richtete sich schluchzend auf und stolperte ins Freie.

»Gut, Paule«, brummte Damerl betrunken.

»Stimmt. Er haut ned schlecht hin«, ließ sich eine gemütvolle Stimme vernehmen. Kajetan wandte sich um, geradewegs in einen mörderischen Faustschlag des kleinen, rundlichen Mannes, den Damerl »Bierkugel« genannt hatte.

Er fiel zu Boden. Bierkugel baute sich vor ihm auf.

»Ich kenn dich nicht«, stellte er gelassen fest, »deswegen laß dir gesagt sein, Meister, daß wir so was bei uns gar gar nicht mögen.«

Kajetan versuchte, seiner Benommenheit Herr zu werden. Er spürte, wie ihm Blut aus seiner Nase rann. Er stützte sich auf die Hände, zog die Knie an und versuchte sich aufzurichten.

Der Kleine beugte sich nach unten und packte Kajetan an den Schultern.

»Wenn in der Altstadt einer zuhaut, Meister, dann sind wir des«, er riß ihn mit einem heftigen Ruck nach oben, »und wenn einer gehaut wird ...«, den letzten Silben dieses Satzes folgte ein Schlag in Kajetans Magengrube, » ... dann sinds die anderen. Ist das so schwer zu verstehen?«

Kajetan krümmte sich. Er torkelte an die Barackenwand und schnappte nach Luft. Der Kleine stieg über eine Obstkiste und kam näher. Er drückte seinen Zeigefinger schmerzhaft in Kajetans Brust.

»So schauts aus, Meister.« Bierkugels Stimme klang freundschaftlich. »Hast mich verstanden?«

Kajetan antwortete nicht. Er hielt den Kopf gesenkt und sah zu Boden. Bierkugels Finger stieß gegen seine Brust.

»Ob Er mich verstanden hat, der Meister, frag ich?«

Bierkugel, dessen gekrümmter Finger noch immer wie ein Schnabel auf ihn pickte, stand nahe vor ihm. Kajetan haßte es, auf diese demütigende Weise berührt zu werden. Er hielt den Kopf gesenkt.

»Ich frag ein allerletztes Mal, Meister. Hast du mich ...«

Kajetan schwang beide Fäuste, als würde er einen Hammer führen. Verwundert fing der Kleine den Schlag. Die fette Gelassenheit wich aus seinem Gesicht. Er wurde böse. Mit einer überraschend flinken Bewegung duckte sich Bierkugel und ging zum Angriff über.

Kajetan zog ein Knie an, stieß es dem Heranfliegenden in die Brust, setzte nach und schlug erneut zu. Der Dicke torkelte zurück und fiel über seinen Kumpanen, der noch immer stöhnend am Boden lag.

Bierkugels Augen loderten schwarz, als er sich nun aufrichtete. In seiner Hand hielt er einen matt glänzenden, länglichen Gegenstand.

»Obacht!!« kreischte Kropf-Kare. »Er hat ein Messer!«

Kajetan wich zurück. Eine maßlose Wut überkam ihn. Er packte eine der herumliegenden Kisten und drosch sie, die Holzsplitter flogen, dem fassungslosen Dicken über den Kopf. Bierkugel brüllte auf, taumelte zur Wand und hielt sich an einer Stellage fest. Ruckartig sah er um sich, ging in die Knie und hechtete nach vorne, um das Messer wieder an sich zu nehmen.

Im selben Moment hörte Kajetan Messers zorniges Grunzen hinter sich. Er drehte sich um. Der Zuhälter wankte mit verrissenem Gesicht auf ihn zu und hielt, siegesgewiß grinsend, eine abgeschlagene Weinflasche in der Hand. Kajetan duckte sich, konnte dem Hieb des Angreifers ausweichen und schlug mit der Faust mitten in dessen rot angeschwollenes Gesicht. Messer schüttelte sich, tappte einen Schritt zurück, griff an seine Nase und glotzte auf seine Finger, von denen blutiger Schleim troff. Er schniefte. Kajetan folgte ihm und holte wieder aus.

Hinter seinem Rücken griff Bierkugel nach seinem Stilett.

»Sau!« Kropf-Kare war nach vorne gesprungen und stampfte mit ganzem Gewicht, es klang wie ein Tritt auf trockenes Reisig, auf die Finger des Dicken. Bierkugel schrie auf.

Auch Messer schien aufgegeben zu haben. Er stützte sich an die Wand und bewegte sich ängstlich zum Ausgang. Kajetan, noch immer vor Wut bebend, folgte ihm. Bierkugel hatte sich mit dem Rücken an der Wand hochgeschoben, bewegte sich mit verzerrtem Gesicht zum rückwärtigen Ausgang und stieß die Tür mit dem Ellenbogen auf.

Als das »Da bleibst!« der Schutzmänner dröhnte, war er bereits verschwunden. Kajetan fuhr herum.

Die Baracke war bis auf den ohnmächtig zwischen den zerbrochenen Kisten liegenden Windradl leer. Einer der drei Gendarmen hatte Kropf-Kare bereits die Hände auf den Rücken gedreht und hielt ihn fest. Die beiden anderen, von denen einer im Gehen seinen Säbel in die Scheide schob, gingen auf ihn zu.

»Bist uns ned bös, gell?« sagte der Ältere gemütlich, »aber eine jede Gaudi muß einmal ein End haben.«

Er schloß Kajetans Hände auf den Rücken. Es tat weh.

✳

Es hat sich kaum etwas verändert, dachte Kajetan verblüfft. Der vertraute Geruch des geölten Eichenparketts in der Altstadtwache löste ein Gefühl ruhiger Sicherheit in ihm aus. Die Beamten führten ihn und Kropf-Kare in eine kleine Zelle hinter dem Wachraum. Den leichten Stoß, den ihm einer der Polizisten gegeben hatte, bevor er das Gitter abschloß, nahm er kaum wahr.

Nachdenklich ging Kajetan einige Schritte auf und ab. Kropf-Kare hatte sich auf einen Schemel unterhalb des Fensters gesetzt.

»Hock dich endlich hin«, fauchte er.

Kajetan wollte ihn beschwichtigen: Die Sache sei zu eindeutig, man würde sie bald wieder freilassen, es mußte so sein.

»Halts Maul«, flüsterte Kare. In seinen Augen schimmerte Angst. Unruhig verschränkte er seine Finger ineinander.

Kajetan setzte sich auf die Pritsche.

Natürlich wußte er, was Kropf ängstigte. Doch nicht einen Augenblick zog er in Erwägung, den Beamten zu helfen und sie über Kropfs Identität aufzuklären. Er war

52

nicht mehr bei der Polizei. Sie hatte ihn entlassen. Und Kropf hatte ihm, vermutlich, das Leben gerettet.

Soll ich Kropf sagen, überlegte Kajetan, daß es geradezu mit dem Teufel zugehen mußte, wenn sich noch irgend jemand darum kümmern würde, was lange vor dem Krieg und irgendwo im Niederbayerischen geschehen ist? Daß ins Münchner Polizeiarchiv höchstens ein Fahndungsersuchen, das er damals an alle Gendarmeriestationen des Königsreichs geschickt hatte, gelangt war? Daß der Großteil dieses Archivs aber beim Sturm der Roten auf die Polizeidirektion, im April 1919, in Flammen aufgegangen war?

Kare stöhnte auf. »Warum bin ich nicht abgehauen, ich Rindviech«, murmelte er. »Und warum mußt du ausgerechnet mit dem Messer und dem Bierkugel zu raufen anfangen? Alles bloß wegen einer Henn vom Bahnhof, die der blöde Windradl zum Zeug bringt?«

»Warum, warum.« Kajetan hob die Schultern. »Haben die angefangen oder ich?«

»Als obs danach ging da herin. Warum bin ich bloß von lauter Deppen umgeben?« Kropf sah verächtlich auf. »Verstehst nicht, gell?«

Kajetan war beleidigt.

»Ich sags ja. Lauter ...« Kropf ließ die Schultern fallen. »Nichts für ungut. Hast ja recht getan. Aber sag ...«, seine Lider verengten sich, »ich mein noch allerweil, daß ich dich kennen müßt. Von irgendwoher. Es will und will mir nicht aus dem Kopf.«

»Keine Ahnung, wie du da drauf kommst«, log Kajetan, »ich kenn dich jedenfalls nicht. Bin auch eine Zeitlang aus der Stadt fortgewesen.«

Kropfs dichte Augenbrauen hoben sich.

»Weggewesen? Bist epper einmal ... zur See gefahren?«

Kajetan lachte leise. »Geträumt hab ich hie und da davon.«

»Geträumt ...«, sagte Kropf nachdenklich.

»Und du?« Kajetan beugte sich interessiert vor. Kropf-Kare war damals wie vom Erdboden verschwunden. Aus keiner der von ihm informierten und um Nachforschung angesuchten Gendarmeriestationen war je eine Meldung über den Verbleib des Totschlägers gekommen. Die Suche war schließlich eingestellt worden.

»Ob ich einmal zur See gefahren bin, möchst wissen?«

Kajetan bejahte.

»Wüßt nicht, was dich das angeht.«

Doch dann erzählte Kare. Nach einem gewissen Geschehnis, worüber er jedoch nicht sprechen wollte, sei er zu Fuß zur Grenze marschiert, hätte sich über die Bregenzer Berge ins Ausland geschlichen und halbverhungert im Hafen von Marseille wiedergefunden. Mit einem der Rattenkästen, die von ihren Eignern längst abgeschrieben waren und die nur noch ausliefen, um eine hohe Versicherungsprämie zu erlösen, sei er – prompt sei der Kahn im karibischem Meer in Seenot geraten – in Costa Rica gelandet. Nach Kriegsausbruch habe man ihn dort internieren wollen; dem hätte er sich aber in einer abgeschiedenen Kolonie an der Grenze zu Nicaragua entziehen können. In diesem Dschungelnest sei er schließlich schwer erkrankt; zu Hunger, Hitze und Stechmücken, zu Würmern, die in den Därmen schmatzten und wie fette Bindfäden aus der brandigen, knotig erhöhten Haut herausgezogen werden mußten, sei ein blödes Heimweh gekommen. Endlich, der Krieg war zu Ende, habe er sich mit Hilfe deutscher Emigranten an der mexikanischen Ostküste einen falschen Paß besorgen und ins Deutsche Reich zurückkehren können. Nach einer mehrjährigen Odyssee, bei der er sich mit Gelegenheitsarbeiten durchgeschlagen, mit Berbern und Walzgesellen genächtigt und sich dem durch die Republik ziehenden Troß der Saisonarbeiter angeschlossen habe, sei er auf den riesigen

Kartoffeläckern im Norden von München hängengeblieben, habe dort Arbeit gefunden und sei so schließlich auf den Viktualienmarkt gekommen.

»So«, sagte Kare erschöpft. »Jetzt kennst dich aus.«

Kajetan suchte nach Worten.

»Daß ... also, daß du nicht in der Weltgeschicht herumgekommen bist, kannst nicht grad sagen.«

»Es tuts so«, sagte Kare bescheiden. »Und du? Hast keine Stell dabei gefunden, wo ich dich schon einmal gesehen haben könnt?«

Mehr als eine Stunde war bereits vergangen. Es stank nach Urin. Das Oberlicht des vergitterten Fensters stand offen. Kajetan fror; sein Mantel war klamm.

Ein junger Polizist ging den Flur entlang. Kajetan sprang auf. »Herr Wachtmeister!« rief er.

Der Beamte stutzte und trat einen Schritt zurück.

»Herr Wachtmeister, wann können wir denn endlich unsere Aussag machen? Es ist saukalt da herinnen.«

Der Angesprochene sah Kajetan erstaunt an. »Dir wirds schon noch warm werden«, knurrte er mürrisch.

»Halt bloß dein Maul«, warnte Kropf-Kare mit gepreßter Stimme.

Kajetan kümmerte sich nicht um ihn. »Unsere Personalien habts doch schon aufgenommen ...?«

Der Polizist glotzte ihn an. Er fühlte eine eigenartige und – wie er fand – unangebrachte Kollegialität in Kajetans Stimme. Sie machte ihn ärgerlich.

»Halts Maul, du Depp, hab ich gesagt!« wiederholte Kare verzweifelt.

Der Beamte machte eine ungläubige Miene. »Ah – seh ich das richtig«, fragte er mit gespielter Neugier, »daß ihm was nicht paßt?«

Kajetan bemerkte nichts. »So lang kanns doch nicht dauern, die Personalien zu überprüfen. Jetzt sitzen wir schon über eine Stund da herinn. Es wird doch wegen der Rauferei keinen Haftbefehl geben, also ...«

Also dürft ihr uns auch nicht länger festhalten, wollte Kajetan sagen. Der Beamte unterbrach ihn.

»Wenn du es gar so pressant hast, dann komm einmal mit.« Er öffnete die Tür und winkte Kajetan heraus. Als sie durch den Flur gingen, schlug der Wachtmeister das erste Mal zu.

»He!!«

Bevor Kajetan weitersprechen konnte, hatte der Polizist schon eine Tür am Ende des Ganges geöffnet, ihn am Arm gepackt und in die Mitte des Raums geschleudert.

»Dem Herrn da gfallts nicht bei uns!«

Ein älterer Gendarm drehte sich auf seinem Stuhl und betrachtete Kajetan mit müder Neugierde.

»Ah. Da schau her?« sagte er gemütlich.

»Des ist übrigens der, wo den Messer und den Bierkugel umgehauen hat.«

Der Beamte hob die Augenbrauen.

»Ah. Da schau her«, wiederholte der Schutzmann. »Und jetzt gfallts ihm ned bei uns?«

»Mir kommts akkurat so vor«, bestätigte der Jüngere.

»Und warum gfallts ihm nachert ned?«

»Es dauert ihm alles zu lang, sagt er.«

Obwohl das Gesicht des Sitzenden nicht verriet, was in dessen Kopf vorging, war Kajetan plötzlich alarmiert. Er versuchte zu erklären.

»Wegen einer Rauferei gibts doch keinen Haftbefehl, und da ...«

Der Gendarm sah ihn verwundert an.

»Ah so?« unterbrach er.

Kajetan nickte eifrig.

» ... und da müßts doch nach Klärung ...«

»Halt deine Fotzn!«

Kajetan schüttelte ungläubig den Kopf. » ... nach Klärung des Sachverhalts die Freilassung anord ...«

Der Polizist, der ihn in den Wachraum geführt hatte, unterbrach ihn. »Ich glaub, dem ist ein bisserl langweilig bei uns herinn. Er möcht ein bissel eine Unterhaltung, was meinst, Maxl?«

»Das glaub ich auch. Aber, Schorsch – wenn ichs recht seh, hat er ja gar nicht unrecht ...«

Kajetan nickte blöde.

»... das Dumme ist bloß, und so stehts in der Vorschrift, daß dem Haftrichter bloß einer vorgeführt werden kann, der gehn und stehn kann.«

Der Faustschlag traf genau die Stelle, auf die auch Bierkugel gezielt hatte. Kajetan stöhnte auf und ging in die Knie. Entsetzt sah er hoch.

»Wir haben die Rauferei nicht angefangen!« keuchte er. »Für einen Haftbefehl gibts keinen Gru...«

»Da hat er recht. Für einen Haftbefehl langts nicht. Für ein paar Fotzn aber durchaus!«

Nach der ersten Ohrfeige hatte Kajetan schützend die Hände vor sein Gesicht gehalten.

»Seids ihr verrückt geworden!?« schrie er empört.

Auch der zweite Beamte erhob sich. Er faßte seinen Kollegen am Ärmel, zog ihn zur Seite und stellte sich vor Kajetan.

»Was hör ich da?«

Kajetan schüttelte fassungslos den Kopf. Er schnappte nach Luft.

»Die Freilassung muß unverzüglich angeordnet werden ...«, stammelte er, » ... wenn nach einer vorläufigen Festnahme die Per ... Pers ... Persönlichlichkeit des Festgenommenen festgestellt ...«

»Geh weiter!« höhnte der Gendarm und trat zu. Kajetan fiel auf den Rücken. Noch immer begriff er nichts.

»Strafvollzugsgesetz!« schrie er verzweifelt. »Paragraph hundertsiebenundzwanzig!«

Ein Hagel von Tritten und Faustschlägen prasselte auf ihn herab.

»Wenn einer ... so ein Gescheiter ... ist, dann ...«, sagte der Ältere keuchend, ohne seine Schläge zu unterbrechen, »... weiß er gewiß auch, was Widerstand ist ... und Beleidigung ...«

Kajetan wehrte sich sich nicht mehr. Tränen liefen über sein Gesicht. Er schniefte. Zitternd verschmierte er Rotz und Blut in seinem Bart.

Die beiden Gendarmen richteten sich erschöpft auf.

»Des war jetzt eine Lehrstund, gell, Baraber?« sagte der jüngere Beamte. »Aber nicht die, die du dir vorgestellt hast«, ergänzte der andere. Kajetan nickte fassungslos. Sein Magen krampfte sich zusammen. Er begann zu würgen.

»Bring ihn wieder hinter, Max«, befahl der Ältere, »sonst stinkts wieder so da herinn.«

Der Gendarm nickte, packte Kajetan am Ärmel, zog ihn hoch und führte ihn zur Zelle zurück. Kropf-Kare erhob sich entsetzt. Der Beamte schloß das Gitter.

»Was hast denn denen gesagt, du Depp?« fragte Kare mitleidig, nachdem er Kajetan zur Pritsche geführt hatte.

»Nichts ...«, weinte Kajetan. Kropf-Kare schüttelte den Kopf.

»Was – nichts?«

»... ich hab bloß gesagt, daß nach ... Paragraph hundertsiebenundzwanzig Strafvollzugsgesetz ... die Freilassung anzuordnen ist, wenn ...«

Kropf-Kare setzte sich mit einem Ruck gerade.

»Jetzert ...«, sagte er leise.

»... wenn keine Gefahr im Verzug ist und kein Haftbefehl ausgestellt werden kann ...«

Kare starrte ihn mit halbgeöffnetem Mund an.

»Jetzert ...«, wiederholte er.

Kajetan schniefte. Er zog ein Taschentuch aus seinem Mantel und führte es an sein Gesicht.

»Jetzert erkenn ich dich endlich ...«, flüsterte Kare, »du bist ...«

Kajetan versuchte vergeblich, sich aufzustützen. Er sank zurück und nickte unmerklich. »... der Gendarm aus Landshut, ja«, bestätigte er schließlich, »und du warst der Schnellere, Kropf ...« Er hustete und sah zur Zellendecke. »... und deswegen ... weil ich dich nicht angekettet gehabt hab ... hats den allerersten Anschiß gegeben ...« Er versuchte zu lächeln.

Kropf-Kare blieb ernst. Seine Augen wanderten über Kajetans Gesicht, sahen das Blut, das im Bart über der Lippe gestockt war, den hellroten Bluterguß über der rechten Wange, den zerrissenen Kragen, hinter dem die dick hervorgetretene Halsschlagader pulste.

»Und jetzert«, sagte er mit ausdrucksloser Stimme, »hängst mich hin. Damits dich auslassen.«

Kajetan öffnete die Augen und drehte sich zu ihm.

»Genau«, nickte er ärgerlich, »Depp, du.«

»Ich täts wahrscheints auch«, sagte Kare kraftlos.

»Spinn nicht.« Kajetan mußte wieder husten. »... hör zu, Kare«, sagte er, »du hast vorhin recht gehabt, wie du mich einen Deppen ... geheißen hast. Aber einmal darf jeder ein Depp sein – ists nicht so?«

Kare antwortete nicht.

»... vielleicht auch noch ein zweites oder drittes Mal ...« Kajetan dachte nach, »oder gar ein viertes Mal. Aber irgendwann – irgendwann muß Schluß damit sein.«

»Was heißt das ...?«

»Frag nicht so saudumm«, fuhr ihn Kajetan ärgerlich an, »von mir kriegens auf jeden Fall kein Wort heraus! Was dir jetzt noch geschehen könnt, ist, daß die da draußen deine alte Sache ausgraben. Aber das tun sie nicht.«

»Warum meinst?«

»Ganz einfach. Weil das keine Polizisten sind, da draußen.«

»Und du weißt, was ein richtiger Gendarm ist?«

»Jetzt weiß ich grad noch, wer keiner ist. Wie ich überhaupt langsam drauf komm, daß alles ist, wies ist und nicht, wie es sein sollte.«

»Ah naa. Ein Philosoph ist er auch noch«, sagte Kropf-Kare bitter. Schritte hatten sich genähert. Ruckartig hob Kare den Kopf.

Zwei Beamte traten vor das Gitter. Der Beamte schloß die Gittertür auf und winkte.

»Schmied Karl!«

Kare erhob sich langsam. Seine Augen waren weit geöffnet.

»Sagt Ihm der Name ›Dorfner‹ was? Dorfner Karl, gebürtig von Rott?«

Kare schüttelte benommen den Kopf. Tapsend wich er zurück.

»Und zu Landshut warst auch nie, gell? Das hab ich mir schon denkt. Komm mit.«

»Was ... was ...« stotterte Kare gebrochen, während ihm der zweite Beamte die Hände zusammenschloß und ihn wegführte. Der erste Polizist schlug das Gitter wieder zu. »Und du«, rief er in die Zelle, »du darfst noch ein bisserl bei uns bleiben. Des freut dich doch, oder? Erst muß nämlich der Amsrichter gehört werden. Nach Paragraph hundertsiebenundzwanzig, verstehst? Heut sind wir nämlich korrekt.«

Der Polizist drehte den Schlüssel um.

»Ah, des hätt ich glatt vergessen: Des da ist kein Hotel. Da muß ich den Herrn leider enttäuschen. Wenn er biseln muß, kann er in seine Hosen biseln.

Weh dir, wenn ich in der Früh reinkomm und seh eine Lacken!«

»Was ... was geschieht mit dem Kare?«

»Geht dich nichts an.« Der Beamte ging weg.

✳

»Na? Rausch ausgeschlafen!«

Ein Beamter hatte das Gitter geöffnet. Kajetan richtete sich träge auf.

»Ahhh – da stinkts ja wieder wie im Bockstall!« Der Polizist verzog das Gesicht und winkte ungeduldig. »Jetzt steh halt auf! Raus da.«

Kajetan setzte seine Füße auf den Boden und stand steif auf. Seine Glieder schmerzten. Benommen musterte er den Beamten. Er kannte ihn nicht. Die Schicht hatte gewechselt.

»Geh zu, schlaf nicht ein«, drängte der Ältere. »Die Mamma wart gewiß schon.« Er griff Kajetans Ärmel und zog ihn in den Flur.

»Da gehts raus.« Er zeigte zum Ende des Flurs. »Schleich dich. Und laß dich nimmer blicken.«

Mit steifen Gliedern tappte Kajetan durch den Flur. »Da! Durch die Wachstuben gehts raus!« rief ihm der Gendarm nach.

Kajetan betrat die Wachstube. Ein ernst wirkender, blasser junger Polizist sah kurz auf und wies auf die nach außen führende Tür. Kajetan durchquerte den Raum und griff an die Türklinke.

»Halt!«

Der Ruf klang entsetzt. »Halt! ... ah, haltens an!« Der junge Beamte stieß seinen Stuhl mit einer heftigen Bewegung zurück und eilte heran. »Sagens ...«, stammelte er fassungslos, »Herr ... Herr Inspektor ...?«

Kajetan blieben stehen.

»Tatsächlich! Herr ... Inspektor! Sie?« Die Augen des Polizisten waren geweitet. »Kennens mich nimmer? ... Zunhammer, Thadäus ... Thadädl habens mich allweil genannt im Vierer! Erinnerns Ihnen nimmer? Sie san doch in der Kriminalabteilung gewesen?«

Kajetan wandte sich langsam um.

»Zunhammer?«

»Ja! Anwärter im Vierer! Kapuzinerstraß! Wissen Sie es nimmer?«

Er erkannte den Jungen und lächelte gequält. »Der Zunhammer Thadädl ...«

»Akkurat der!«

»Der wo allweil in die Spuren getappt ist?«

Der Polizist bestätigte. »Der wo allweil in die Spuren getappt ist! Akkurat der.«

Kajetan mußte schmunzeln. »Aber der trotzdem der wifste Kopf von allen gewesen ist?«

Zunhammer nickte. Als Kajetan jedoch erfreut auf den jungen Polizisten zugehen wollte und seine Arme hob, versteifte sich Zunhammer plötzlich. Er trat einen halben Schritt zurück.

»Ich hab ghört, daß Sie bei der Polizei, ah, aufhören haben müssen.«

»Man hat mich rausgeschmissen, ja.«

»Aber ... jetzt, wie kommen Sie denn jetzt da herein ... in die Zelle? Und in so einem ... Zustand?« fragte er reserviert.

Ernüchtert ließ Kajetan die Arme sinken. Auch er roch jetzt den Gestank, der von ihm ausging.

»Da fragst am besten die gestrige Schicht, Thadädl«, sagte er bitter.

»Im Schichtbericht steht bloß was von einer Schlägerei in Zusammenhang mit der Straßenprostitution. Sie sind doch nicht ...?«

»Was?«

»Ich mein, Sie haben doch nichts zum tun mit ...?«

»Achso. Ob ich auf den Strich umgestiegen bin?«

»Hab ich nicht gsagt.«

»Aber ich. Nein, soweit ist es noch nicht. Das tät ich wissen, Thadädl.«

»Eh ...Wachtmeister Zunhammer, entschuldigens – ist Vorschrift.«

»Ahso, ja. Entschuldige, Thadäd ...«

»Und mit dem Kaiser oder dem Urban haben Sie doch auch nichts zu schaffen? Was schreiben die Kollegen dann für einen Blödsinn in den Schichtbericht?«

»Wer soll der Kaiser und der Urban sein?«

Zunhammers Augen verengten sich mißtrauisch.

»Der Kaiser ist der, der wo den Strich in der Altstadt unter sich hat. Da gibts dann noch das Revier am Zentralbahnhof und beim Ostbahnhof.«

»Ahso. Des hats zu meiner Zeit noch nicht gegeben.«

»Da waren ja auch noch Bordellhäuser erlaubt. Außerdem haben Sie allweil bloß die Nasen in irgendwelche Kadaver gesteckt.«

»Stecken müssen.«

Zunhammer schmunzelte. Dann wurde er ernst. »Es ist so: Es gibt grad wieder einen Krieg. Zwischen dem Kaiser und dem Urban. Der Kaiser hat den Strich an der Frauen- und der Müllerstraße, der Urban den Bahnhof. Das liegt nah beinander, die Grenze ist der Sendlinger Tor-Platz. Und da gibts immer wieder Reibereien. Und grad jetzt besonders viele. Zwei Huren vom Kaiser liegen schon im Spital. Ein Zuhälter vom Urban ist verschwunden. Dafür ist am Föhringer Wehr was angeschwemmt worden, was wie ein gewesener Mensch ausgeschaut hat. Verstehens mich? Vielleicht haben die Kollegen deswegen ein bisserl ...«

»Das haben sie allerdings.«

»Die Sie da gestern nacht aufgemischt haben, waren

nämlich Leut vom Kaiser. Das müssens schon verstehen, wenn die Kollegen da nervös sind.«

»Das muß ich gar nicht. Genauer gesagt: Ich weigere mich, es zu verstehen.«

Zunhammer hob die Schultern und sah zur Seite. »Was anderes fällt mir nicht ein, wenn ich seh, wie Sie zugerichtet sind. Vielleicht haben Sie auch, seit Sie nicht mehr Polizist sind, den verkehrten Umgang?«

»Kann schon sein. Aber ich hab eher das Gefühl ...«

Unwillkürlich reagierte Zunhammer wie in früheren Zeiten.

»Jetzt wirds interessant!« stieß er neugierig hervor.

»... ich hab eher das Gefühl, daß die Beamten der Nachtschicht den falschen Umgang haben.«

»Das ist ja allerhand! Wie ist das gemeint?«

»Na, mir fällt bloß auf, daß ich und der Kropf-Kare die Nacht da herinn sind und nicht grad höflich behandelt werden. Die vom anderen, vom Kaiser, aber nicht. Ich will nichts gesagt haben. Das ist nur so ein Gefühl.«

»Alles was recht ist«, antwortete der junge Beamte verärgert.

»Depperter Satz.«

»Für Sie vielleicht. Und jetzt, Herr Kajetan, bei allem früheren Respekt, jetzt gehns besser.«

»Du unternimmst also nichts? Thadädl!«

»Das müssens schon mir überlassen«, sagte er verstimmt.«Und ein letztes Mal: Den Thadädl gibts nicht mehr.«

»Dann sag mir bloß noch, was mit dem Kare geschehen wird.«

»Mit dem Dorfner Karl?«

Kajetan nickte beklommen.

»Was wohl. Er ist schon nach Stadelheim geschoben worden. Was ich gehört hab, glaub ich nimmer, daß der so schnell wieder rauskommt«, stellte Zunhammer nüchtern fest und wollte sich zum Gehen wenden. Kajetan hielt ihn bestürzt fest.

»Wie ... «, er schluckte, »wie ist man ihm draufgekommen? Das Archiv ist doch seinerzeit verbrannt?«

Zunhammer sah tadelnd auf seinen Ärmel. Kajetan zog seine Hand zurück. »Stimmt. Aber gleich nach der roten Gaudi ist damit angefangen worden, es wiederherzustellen. Vor drei Wochen ist man endlich soweit gewesen. Außerdem, und das könnens ja nicht mehr wissen, gibts neuerdings einen eigenen Polizeifunk. Der ist Tag und Nacht besetzt, und an den sind schon fast alle Stationen der Landpolizei angeschlossen.«

»Auch die Landshuter ...?«

»Schon lang.« Der junge Polizist nickte ungeduldig. »Die Kollegen dort haben von irgendwoher einen Hinweis bekommen, die Akten von vor dem Krieg durchgeschaut und die Suchmeldung nach München gefunkt. Woher wissens überhaupt, daß das in Landshut gewesen ist?«

»Die Akten von vor dem Krieg ...«, wiederholte Kajetan entsetzt.

Zunhammer sah ihn verständnislos an.

»Wenn Sie gestern auf Nacht nicht so einen Zirkus gemacht hätten, hätt bestimmt keiner nachgesehen.«

Kajetan öffnete den Mund.

»Ich hab jetzt zu tun!« sagte der junge Polizist. Brüsk wandte er sich um und zeigte zur Tür. »Da gehts naus.«

Kajetan verließ die Wache. Einige Schritte gelangen ihm. Ein Passant, der hinter ihm gegangen war und beinahe auf ihn geprallt wäre, überholte ihn schimpfend und eilte kopfschüttelnd weiter. Kajetan hatte die Hände vor sein Gesicht geschlagen. Die wenigen Schritte von der Rumfordstraße zur Isarbrücke, die ein nicht allzu schnell gehender Fußgänger in kaum mehr als fünf Minuten erreichen konnte, schienen ihm endlos.

Er stieg die Ufertreppe hinab und betrat die schmale Kiesbank, an der der schlammbraune Fluß kraftvoll vorüberströmte. Kajetan kniete sich auf die Steine, schöpfte Wasser mit der Hand und versuchte, sich zu waschen. Dann richtete er sich wieder auf. Das Geräusch des Flusses schien schwächer geworden zu sein. Im Ufergeäst zwitscherten Vögel. Eine milchrote Fläche begann, den Horizont zu fluten. Der junge Tag roch wie eine herrliche, frisch aufgeschnittene Frucht.

Kajetan krümmte sich. Er öffnete den Mund, würgte und erbrach sich.

✳

Auf dem Rückweg hatte sich der Nebel bereits wieder verdichtet. Die ersten Tropfen fielen, als Kajetan den Schlüssel mit steifen und fahrigen Bewegungen in das Schloss der Haustür steckte. Die eichene Himmelsleiter des alten Hauses knarzte. Die Hausbesitzerin mußte es gehört haben. Sie schob ihr schnabelnasiges Gesicht durch den Türspalt.

»Grüß Gott! Herr Kajetan! So früh schon auf?«

Kajetan setzte einen Schritt zurück. Die Krausin, die sich schon für die Frühmesse angekleidet hatte, trat näher. Ihr Lächeln erstarb.

»Wie schaun denn Sie aus? Haben Sie sich schon im Spiegel angeschaut?«

Kajetan war erschöpft. Er wollte nur noch schlafen.

»Nein, Frau Kraus«, sagte er ergeben.

»Das tät ich aber machen!« sagte sie angewidert, »... und, was ich Ihnen sagen wollt: Zinstag ist heut, gell? Der Juni steht noch allerweil aus, und für den Juli wirds auch Zeit.«

Kajetan hielt sich am Geländer fest.

»Des gfallt mir allerweil so an ihnen, Frau Kraus ...!«

»Gefallen? An mir? Was?« fragte sie ungehalten.

»Daß Sie allweil so ein empfindsames und verständnisvolls Herz ham.«

Sie stemmte die Arme in die Hüften.

»Jetzt werns fei ned frech, gell?« keifte sie. »Mir gefällt auch was an Ihnen! Sie sind mir überhaupts der Allerliebste in meinem Haus!«

Kajetan verdrehte müde die Augen.

»Was habens denn? Ich hab doch bloß gsagt ...«

Sie ließ ihn nicht ausreden.

»Eine Unverschämtheit ist es des!« kreischte sie. »So was muß ich mir sagen lassen!«

Er schüttelte den Kopf und stieg einige Stufen höher. »Ich versteh Ihnen nicht, Frau Kraus. Ich versteh gar nichts mehr.«

»Sie werden mich schon noch verstehen! Sie Saubär, Sie. Nächste Woch sinds draußen. Ich sag dem Burschi Bescheid, der wird Ihnen schon delogiern.«

Kajetan hatte bereits den nächsten Absatz erreicht. Während er erschöpft stehenblieb und nach dem Zimmerschlüssel kramte, dachte er mit ungutem Gefühl an die Drohung der Alten. Allerdings: Burschi, der Roßknecht beim »Soller« und Pflegesohn der Hausbesitzerin, konnte mehr als lästig werden. Eigentlich ein durchaus umgänglicher Mensch, würde sich Burschi wie immer verständig nickend auf Diskussionen einlassen. Dann aber, wenn das ihm Angetragene über seine Geisteskraft ginge – was, nebenbei bemerkt, jeweils nicht lange dauerte –, würde er einfach zuschlagen, gemütvoll wie ein Metzgersgeselle und unberührt davon, ob dabei etwas vor Schmerz brüllen, brechen und knacken würde. Auch wenn Kajetan ihn, den um fast zwei Köpfe größeren, beim ersten Mal abwehren könnte – Burschi würde immer wieder kommen. Kajetan wußte, daß er eine längere körperliche Auseinandersetzung mit Burschi nicht durchstehen würde. Aber vielleicht konnte er ihn dazu überreden, ihm noch ein paar Tage zu geben?

»Warum ist alles so verdreht und wird immer verdrehter?« dachte er. Man kriegt nicht, was man braucht. Dafür aber das, was man überhaupt nicht brauchen kann.

Eine Kakerlake huschte in das Dunkel hinter der Fußbodenleiste.

＊

Aufseher Bletz sah auf die Uhr, die über der Tür des Wärterzimmers des Ödstädter Zuchthauses befestigt war. Es war kurz vor Mitternacht.

»Daß die Zeit heut gar so dahinkriecht«, klagte er mürrisch. Sein Kollege gähnte.

»Den Leut in deinem Alter kanns doch nicht langsam genug vergehen«, stichelte er boshaft.

»Von mir aus könnt sie sich derrennen, das kannst mir glauben, Feichtl.«

Der Angesprochene maß seinen Kollegen mit einem müden Blick.

»Ein melancholischer Mensch wie du ist falsch da herin, Bletz, laß es dir gesagt sein.«

»Gib eine Ruh«, sagte Bletz, »was weißt denn du, Feichtl? Nichts weißt.«

»Geh zu. Pfeifen doch die Mäus aus den Löchern.«

»Du sollst eine Ruh geben, hab ich gesagt.«

Feichtl hob abwehrend die Hand. »Ich hör ja schon auf«, lenkte er ein.

»... habts denn schon wieder?« brabbelte Wimmer schlaftrunken und richtete sich auf.

»Geht dich nichts an«, knurrte Bletz. »Richt dich lieber zsamm. Es ist Zeit für den Gang.«

»Kann mir eh denken, was dich so fuchst.«

»Laßts mir meine Ruh.« Bletz hatte wieder einen Blick auf die Uhr geworfen. Er stand auf, nahm seinen Uniformrock vom Haken und zog ihn an.

»Ihr seids auf dem Holzweg«, sagte er und griff zu Gürtel und Mütze. Feichtl sah neugierig an ihm hoch.

»Daß dich der Direktor wieder angeschissen hat, stimmts?«

Bletz nickte wütend. »Der Pfarrer hat sich über mich beschwert, weil ich dem auf Achtzehn seinen Antrag verschmissen hätt.«

»Was für einen Antrag nachert?« fragte Wimmer verständnislos.

»Den Antrag auf Freigang zur Beerdigung von seiner Alten.«

»Aber das ist doch schon so lang her, Bletz. So was kann doch einem jeden passieren«, sagte Wimmer. »Ich mag den Kuntn auch nicht. Auf einmal wird der bigott!«

»Eine arme Sau ist es«, warf Feichtl ein. »Außerdem, muß ich schon sagen, ist es wahr, daß der Bletz gern solche Anträge verschmeißt.«

»Ja, einen Unterschied zwischen einem Sanatorium und einem Zuchthaus«, entgegnete Wimmer empört, »muß die Bagasch schon auch noch spüren, was, Bletz? Außerdem – den Bletz beim Pfarrer hinhängen, das bringt sie dann schon noch fertig, die gar so arme Sau.«

»Er selber wars ja gar nicht«, erwiderte Feichtl.

»Wer sonst?«

»Was weiß ich? Vielleicht die Alte, die ihm jetzt ein paarmal besucht hat.«

»Die von Sarzhofen meinst?«

»Ja. Oder der Pfaff. Der kanns auch gwesen sein.«

Feichtl gähnte. Er stand auf und zog seine Uniformjacke über.

»Werdets sehn, den auf Achtzehn tragen wir bald mit

den Füßen voraus aus seinem Loch. Der mag nimmer, besonders, seit seine Alte gestorben ist. Das spür ich.«

Wimmer beugte sich vor. »Hat der je mögen? Ich bin jetzt da herinn, seit der Krieg aus ist. Der auf Achtzehn ist allerweil schon gewesen wie ein leibhaftiges Gespenst.«

»Ich geh jetzt noch einmal herum«, sagte Bletz in beiläufigem Ton. Er schloß seinen Gürtel und und setzte seine Mütze auf. »Dann ist für heut Schluß.«

»Du hast es gut, Bletz. Aber daß du beim Heimfahrn nicht wieder in den Graben fahrst. Hast Dein Radl jetzt schon richten lassen? Was ist denn überhaupt mit dem Licht neulich gewesen? Ist ja kein Wunder, wenn du dich da im Finsteren fast derrennst.«

»Was weiß ich? An der Lampe ist etwas hin. Ich tu Karbid rein, aber zwei Tag später brennt sie schon wieder nicht mehr.«

»Tus halt in die Werkstatt runter.«

»Da ist es doch schon andauernd. Nutzt gar nichts. Jeder stellt sich dumm.« Er grüßte und griff nach der Türklinke. »Bagasch, die.«

✳

In der Schlange der Arbeitssuchenden vor der Städtischen Arbeitsvermittlung hatte Kajetan zwei Männern zugehört, die verärgert von ihren Erlebnissen in den Filmstudios im Münchner Süden sprachen. Sie waren darüber erbost, daß ein aufgeblasener Assistent, der die Komparserie zu einem Historienfilm auszuwählen hatte, sie schon bei der ersten Durchsicht mit der Feststellung, sie hätten nun einmal nichts, aber schon gar nichts von einem römischen Helden, als ungeeignet ausgesondert hatte. Da Kajetan angesichts der beiden ungeschlachten Männer diesem Urteil zustimmen mußte, hatte er sich hoffnungsvoll in das Besetzungsbüro in Geiselgasteig begeben. Er hatte zunächst Glück; man suchte Statisten für einen neuen Film. Pech hatte er allerdings, weil es sich dabei um einen Epos über den heldenhaften Kampf germanischer Recken handelte. Mit der Bemerkung, man würde ihn sich für einen anderen Film notieren, hatte man ihn, der sich schon auf der Leinwand sah, entlassen. Er hatte noch wissen wollen, um welchen Film es sich dabei handeln würde.

Für einen ebenfalls geplanten Sittenfilm, in dem es um die verheerenden Auswirkungen von Wollust und Absinth in den Hafenkaschemmen von Marseille gehen würde, wurde ihm erklärt. Enttäuscht hatte er den Heimweg angetreten.

Bereits auf dem Treppenhaus sah er, daß die Tür zu seiner Kammer offenstand.

»S'Gott, der Herr«, sagte Burschi gemütlich.

Kajetan verbarg sein Entsetzen, als er den mächtigen Brauknecht am Tisch sitzen sah. Er zog die Tür hinter sich zu. »Der Burschi!« erwiderte er mit gezwungener Freundlichkeit.

Der Brauknecht sah sich anerkennend um. »Recht kommod hast es da. Muß schon sagen.«

»Was gibt mir die Ehr?« versuchte Kajetan zu scherzen.

»Zwengn der Kraus-Tant ist es«, erklärte Burschi entschuldigend, »sie sagt, daß sie die Kammer wieder brauchen tät.«

»D i e Kammer?« fragte Kajetan dumm.

»Deine Kammer, ja.« Der Brauknecht rülpste verhalten. »Genau die. Die tät sie brauchen, sagts. Es wär denn, du gäbertst mir soviel, wie der Zins für drei Monat ausmacht.«

»Moment! Bloß zwei stehen aus, hat mir die Tant gsagt.«

Burschi grinste verschlagen.

»Kann schon sein. Aber ich sag: drei. Wohnungen sind gesucht heutzutag. Das sollts einem wert sein.«

»Ahso!« Kajetan verstand. »Ein Geschäft.«

»Schön hast das gesagt. Lieber gesund und reich als arm und krank, heißt es beim Burschi. Der muß auch schaun, wo er bleibt, nedwahr? Also – wirds was damit? Eine Woch tät ich dir Zeit lassen. Ich bin ja kein Unmensch nicht.«

»Drei ... Monatszins?« stammelte Kajetan.

Burschi stand auf und verschränkte seine dicken Arme. Sein breiter Schädel berührte fast den Plafond.

»Drei. Soweit kannst doch zählen? Ich kann sogar noch weiter. Sogar bis vier. Aber der Burschi ruiniert keinen.«

»Burschi ...« Kajetan sah bittend zu ihm hinauf. Burschi ließ die Arme wieder baumeln.

»Was istn da herin von der Tant?« fragte er und zeigte auf den Stuhl. »Der da?« Kajetan nickte.

»Und der Tisch? Die Kommod? Die Waschschüssel?«

»Auch.« Kajetan hatte zu zittern begonnen. Der Schrank, stammelte es in ihm, mein Radio ... er darf nicht in den Schrank ...

»Dann wird der Gewandkasten auch von der Tant sein. Von dir ist überhaupt nichts? Sag an! Was bist denn du für ein Hungerleider?«

Burschi griff nach dem Plumeau. »Aber die Tuchert da – die gehört dir doch.«

Kajetan nickte beklommen. Burschis mächtige Schultermuskeln spannten sich. Mit einem Ruck zerriß er die Decke und warf sie zu Boden. Staub und Federflaum schneiten zu Boden. Fassungslos starrte Kajetan auf den Brauknecht.

»Könnt sein, daß es dich ein bisserl friert heut nacht«, sagte Burschi gelassen. »Aber wennst dran denkst, daß ich dasselbe mit dir machen werd, wenn nächste Woche kein Diridari zum Zeug bracht is, wirds dir schon wieder warm werden.«

Er pflückte mit einer zarten Handbewegung eine winzige Feder von seinem Wams und griff zur Türklinke. Als er die Türe öffnete, wirbelten die Federn erneut auf.

»Zugehn tuts bei dem«, sagte Burschi kopfschüttelnd.

✳

Adi Brettschneider, seit dem Tode seiner Frau alleiniger Inhaber der Pension gleichen Namens an der Ecke Hildegard-Adelgundenstraße im Münchner Stadtteil Lehel, lockerte seinen Hemdkragen und tat harmlos.

»Zigaretten-Ella, sagen Sie? Mir kein Begriff.«

Die junge Frau im grauen Lodenmantel sah ihn streng an. Dann ging sie wortlos um die Theke, hinter der der kleine, rundliche Pensionsbesitzer stand, und schob ihn mit ihrer Schulter beiseite. Brettschneider murrte. Sie blätterte in der Anmeldeliste.

»Ah – da hätten wir sie schon. Zimmer elf. Was für ein Stock ist das?

»Achso!« rief der Alte mit gespieltem Erstaunen, »Sie haben das Fräu'n Bichler gemeint. Was sagens das nicht glei ...«

Die junge Beamtin der städtischen Fürsorge war ungeduldig. »Was für ein Stockwerk, hab ich gefragt.«

»Was wollens den vom Fräu'n Bichler? Das ist ein ganz anständiges Mensch!«

»Hörns auf, scheinheiliger Patron, scheinheiliger! Zum letzten Mal. Wo ist ihr Zimmer? Ich hab nicht die Zeit, daß ich das ganze Haus herausklopf. Na?«

Brettschneider war beleidigt. »Zweite Treppen. Dann rechts durch den Gang und rauf in den Zwischenstock.«

»Warum nicht gleich, Herr Brettschneider.«

Die Beamtin des Wohlfahrtsamtes betrat schwungvoll

die Treppe und ging einige Stufen nach oben. Plötzlich blieb sie stehen.

»Ah – wo gehens denn hin?« fragte sie spitz. Brettschneider stand wie angewurzelt im Rahmen der Tür, die zu einem Raum hinter dem Empfang führte.

»Eh ... zum Biseln, wenns recht ist«, sagte er kleinlaut. Sie zeigte drohend auf ihn.

»Brettschneider, wenn ich hör, daß da einer dreimal an die Wasserleitung haut, dann wird ein Koffer draus. Nämlich der, den du dann packst, weilst deinen Gewerbeschein verloren hast. Hamma uns?

»Ich hab gsagt, ich geh zum Biseln«, brummte der Pensionsbesitzer mißmutig.

»Und ich: keine Warnzeichen.«

»Sie können sich ja hinstellen neben mich.« Er grinste hämisch.

Sie setzte ihren Weg fort. »Ein anders mal gern, Brettschneider«, rief sie nach unten, »aber heut hab ich mein Vergrößerungsglasl nicht dabei.«

Brettschneider wandte sich kopfschüttelnd an den Mann, der grinsend die Szene beobachtet hatte.

»Fällt Ihnen da noch was ein? Daß so was erlaubt ist? Und die will beim Magistrat sein!«

Kajetan stimmte verständnisvoll zu. Der Pensionsbesitzer beugte sich wieder über sein Belegbuch. Er kniff die Augen zusammen. Schließlich schüttelte er bedauernd den Kopf.

»Ja, also. Da kann ich Ihnen leider nicht helfen. Eben hätt ich noch gemeint, daß der Mieter unter dem Dach rauswollt, aber jetzt les ich, daß er verlängert hat. Leider. Aber wenns wollen, setz ich Ihnen auf die Liste, wenn was frei werden sollte. Woll ... Was ist denn ...?«

Ein lauter Schrei, dem Poltern und ein heftiger Wortwechsel folgte, hatte ihn zusammenzucken lassen. Die energische Stimme der Fürsorgebeamtin war deutlich zu hören. Was eine dunkle Männerstimme rief, war nicht zu verstehen. Nach kurzer Zeit kam die Beamtin mit von Zorn und Anstrengung gerötetem Gesicht die Treppe herab. Sie zog ein widerstrebendes weinendes junges Mädchen mit sich.

»Du hast es knapp beinander, Brettschneider!« rief sie scharf. Ohne den Besitzer noch eines Blicks zu würdigen, verließ sie den Raum und schlug die Tür hinter sich zu. Die Scheiben klirrten. Der Pensionsbesitzer fuhr sich mit der Hand über die fettige Stirn.

»Das Fräu'n Ella – also so was ...«, log er.

Kurz danach waren schwere Tritte auf der Treppe zu hören.

»Wo kriag i iatz mei Geld zruck?« schrie der junge Bauer und setzte einen Fluch nach. »Auf der Stell möcht i mei Geld zruck!« Brettschneider musterte ihn verächtlich.

»Da gehst am besten gleich in die Nußbaumstraß. Da gibts eine Stelle, wo so ein Kloiffe wie du sein Geld zurückkriegt!«

Der Bauer stutzte. »Tatsach?« Erleichterung malte sich auf sein gerötetes Gesicht. »Hab ich a Massl! Nußbaumstraß! Wo ist denn des?«

Der Inhaber antwortete nicht. Der Bauer wandte sich an Kajetan.

»Woaßtas du?«

Kajetan nickte. »Nicht weit vom Bahnhof. Das ist die Psychiatrische.«

»Die – wos?«

Brettschneider mischte sich wieder ein.

»Das Narrenhaus, du Aff!«

Das Gesicht des Bauern wurde dunkelrot. Kajetan trat einen Schritt zurück. Der Bauer wollte sich auf Brettschneider stürzen. »Du Halunk, du ausgschaamter!«

Brettschneiders Stimme klang schneidend. »Halt doch

dei dumme Fotzn. Weißt, wie alt die war? Wenn die achtzehn gewesen ist, wars alt. Sei froh, daß du nicht ins Zuchthaus kommst, du Rindviech, du saudummes.«

Der Mann erschrak und dachte nach. Ein boshaftes Leuchten glänzte in seinen Augen. »Kunnt sei«, sagte er schlau, »du aber auch, nedwahr? Also – gib du mirs Geld. Sunst ...« Er beugte sich drohend über die Empfangstheke.

Brettschneider blieb ungerührt. »Wennst meinst. Komm ich halt ins Zuchthaus. Macht mir nichts.«

»Ha?«

»Überhaupt nichts. Weil mir des der Spaß, wenn deine Alte und die ganze Gmoa davon erfahren, wert ist.«

Der Bauer suchte zornig nach Worten. Dann drehte er sich mit einem heftigen Ruck und polterte fluchend aus dem Raum. Brettschneider sandte ihm einen abschätzigen Blick hinterher.

»Blöder Hund«, knurrte er. Er sah zu Kajetan und wies mit dem Daumen nach oben. »Aber noch blöder als die Britschn, die Ella, kann wohl keins sein. Laßt die von ihrem Haberer eine Annonce aufgeben und meint ganz besonders raffiniert zu sein. Ich denk, mich trifft der Schlag, wie es les: ›Zigarettenprobiersalon. Zigaretten-Ella.‹ Und meine Adreß! – Tja. Aber jetzt hamns doch Glück gehabt. So schnell kanns gehen. Zimmer elf ...«, er radierte im Belegbuch, » ... wäre freigeworden.« Er sah nüchtern auf. »Wollens allweil noch einziehen? Ein schönes Zimmer. Und eine Unterhaltung habens auch, wie Sie gesehen haben. Ja? – Dann bräucht ich bloß noch eine Anzahlung.«

Kajetan nickte. Das sei natürlich kein Problem für ihn, sagte er. Es würde ihn freuen, hatte Brettschneider geantwortet, weil Probleme, die hätte er selber genug.

✳

»Was soll das sein?« Der Angestellte des Pfandhauses in Schwabing konnte nichts mit diesem kleinen Kästchen, aus dem ein Draht mit einer Art Kopfhörer hing, anfangen.

»Das ist ein Detektor«, erklärte Kajetan und blickte schmerzvoll auf das Gerät, das er sich von seinem ersten Lohn, den er im Kopierwerk erhalten hatte, gekauft hatte und dessen letzte Rate er erst kurz vor seinem Hinauswurf bezahlen konnte.

»Ein was?«

»Ein Radio halt.«

»Ahso.« Der Angestellte begriff. »Nobel, nobel«, stichelte er boshaft. Abschätzig wiegte er das Gerät in seinen Händen.

Kajetan hob den Zeigefinger. »Aber ein besonderer. Nämlich mit einem neuen Kramolin-Zweikristall und einem Isaria-Kopfhörer.«

»Soso. Und was kost so was – neu?«

»Neu gute dreißig Mark.«

»Dreißig Mark? So ein Haufen Geld? Erzählens mir nichts. Dreißig Mark für das Kasterl! Also ... nein, das kann ich Ihnen nicht abnehmen. Radio! Das interessiert bloß die Spinnerten.« Er schob es zurück. »Habens sonst noch etwas?«

Kajetan klappte den Deckel seines Koffers wieder hoch. Der Angestellte beugte sich vor und runzelte die Stirn.

»Das Gewand da könnens auch gleich drin lassen. Flöh haben wir schon genug da herinn. Nimm ich ned. – Lassens schaun!« Er zog den Koffer zu sich. »Des da schon eher – die Knöpf da, die Manschettenknöpf und den Kragenknopf. Zwei Mark für alle drei.« Kajetan schluckte. Der Angestellte kramte weiter, zog ein Kästchen hervor und öffnete es interessiert. »Na also. Da wär ja der Hausschatz. Eine Deckeluhr, eine Brosche und ein – was ist das?«

»Ein Reliquienumhänger.«

»So was.«

Der Pfandleiher schüttelte den Kopf, griff nach der Uhr, drehte am Aufzug, hielt sie sich ans Ohr und nickte. Dann klappte er den Deckel zurück.

»Passables Stückl«, bemerkte er mit verhohlener Anerkennung, »italienisches Fabrikat.« Er schob die drei Stücke nebeneinander auf die verkratzte Tischplatte und wiegte den Kopf.

»Fünfundzwanzig Mark. Für alles miteinander.«

Kajetan glotzte ihn an. Dann sah er auf den Tisch. Die Uhr hatte ihm sein Vater vermacht. Die Brosche war ein Andenken an seine Mutter, die wiederum hatte es von ihrem Mann geschenkt bekommen. Die Kette, an der ein winziges ovales Metallkästchen mit einer Gravur des Heiligen Sebastian hing, war über Generationen weitervererbt worden. Er schüttelte ungläubig den Kopf.

»Also?« drängte der Pfandleiher. »Sehns nicht, daß da schon andere warten? Fünfundzwanzig Mark.«

Kajetan schüttelte den Kopf und nahm die Schmuckstücke zu sich.

»Für deppert verkaufen kann ich mich selber«, sagte er verärgert. Er klappte den Deckel zu, zog den Koffer von der Tischplatte und wandte sich zur Tür.

»Auf Wiederschaun!«

»Gehns nur zu. Meinst wohl, woanders gibts mehr für das Glump?«

Kajetan griff zur Türklinke.

»Dreißig Mark«, sagte der Angestellte. Kajetan drehte sich überrascht um.

»Dreißig«, wiederholte der Angestellte gnädig, »weils Sie sind. Aber mit dem Radio.«

»Sechzig. Die Sachen sind dann immer noch doppelt soviel wert.«

»Mag schon sein. Aber brauchen Sie ein Geld oder ich? – Sehns. Dreißig Mark und Schluß. Tun Sies her, bevor ichs mir anders überleg.« Er streckte die Hand aus. »Das Graffel bleibt sechs Monate da, danach wirds versteigert.«

Kajetan überlegte. Dreißig Mark ... die Summe würde für die Anzahlung bei Brettschneider und für gute drei Wochen Essen reichen.

»Einverstanden«, sagte er und legte den Koffer wieder auf den Tisch zurück, »fünfzig.«

Der Angestellte wischte mit der Handkante über den Tisch. »Sie sollten einmal zum Doktor gehen«, sagte er kalt.

»Wieso?«

»Weil Sies an den Ohrwascheln haben. Und jetzt schaun wir mal, ob Sies auch an den Augen haben.« Er hob die Hand und streckte den Zeigefinger. »Schauns einmal dahin. Was sehns da? Richtig, die Tür.«

Er winkte. Eine zierliche, sorgfältig frisierte Frau in einem dunklen Mantel, die einen Karton vor ihrer Brust hielt, stand auf.

»Hat der es jetzt endlich?« bemerkte sie bissig in Kajetans Richtung, als sie an den Tisch trat.

Der Angestellte öffnete gleichmütig den Karton. »Mei«, sagte er mild und sah nicht auf, als die Tür knallend zufiel, »der wirds auch noch lernen ...«

Wie er es erwartet hatte, nahm er am Abend des gleichen Tages das Schmuckkästchen und das Radio in Empfang, öffnete gönnerhaft die Schublade und zählte das Geld auf die Tischplatte. »Fünfundzwanzig. Wir sind ja keine Unmenschen, nedwahr.«

Kajetan wußte, daß er den Mund zu halten hatte. Stumm nahm er das Geld in Empfang und verließ das Pfandhaus.

✳

Es hatte gerade noch geklappt. Kajetan atmete erleichtert aus, als er seine Gepäckstücke auf den Boden stellte. Die alte Krausin hatte ihm zwar bereits vor zwei Tagen den Zimmerschlüssel abgenommen, damit er sich nicht, ohne die restliche Miete bezahlt zu haben, davonmachen konnte, jedoch nicht damit gerechnet, daß das Öffnen eines Türschlosses für einen ehemaligen Polizisten ein Leichtes war. Zu achten war lediglich darauf, daß die Hausbesitzerin auch tatsächlich in die Abendandacht gegangen war und der grobe Brauknecht bereits an der Schänke des »Soller« zu tun hatte.

Der Pensionsbesitzer, der den Kopf aus der Tür zu seiner Kammer streckte, machte einen erschöpften Eindruck.

»Ach, Sie«, sagte er mißgelaunt, »habens das Geld dabei?«

Kajetan nickte und griff in seine Tasche.

»Da, schauns.« Er legte die Geldstücke auf den Empfangstresen. Brettschneider sah darauf, hob den Kopf und zog die Oberlippe schniefend hoch.

»Seh ich. Die Anzahlung. Und?«

»Und ... was?«

»Die Miete für den August? Zehn Mark waren ausgemacht!«

Kajetan sah ihn entgeistert an.

»Oder wollens die jetzt schon schuldig bleiben? Hab gemeint, daß ich Ihnen das nicht zu sagen brauch«, sagte der Inhaber eisig.

Kajetan nickte und kramte hastig in seiner Hosentasche. Als er die Münzen auf den Tisch legte, versuchte er zu lächeln.

»Müssens entschuldigen, Herr Brettschneider, aber ein Umzug ... verstehens schon ...?«

Mit geübter Bewegung strich der Inhaber das Geld in seine geöffnete Hand.

»Schon recht«, brummte er. »Nehmen Sies mir nicht übel. Aber heut langts mir grad schon wieder.«

»Was ist denn passiert?«

»Nichts. Gehns nur rauf. Nummero elf. Das Glump vom Madl hab ich schon rausgeschmissen. Der Abort ist einen halben Stock höher.«

»Weiß ich.«

»Worauf wartens dann noch? Auf den Träger?«

Kajetan griff verdattert nach seinen Koffern und betrat die Stiege.

»Achja, Herr ... Herr ...«, der Inhaber sah mürrisch auf.

Kajetan blieb stehen und sah ihn über die Schulter an.

»Herzlich willkommen.« Brettschneider hatte gequält gelächelt, doch bereits bei der vorletzten Silbe war sein Mundwinkel wieder nach unten gefallen.

Die Treppenbohlen des alten Hauses knarzten. Als Kajetan auf dem zweiten Stock anhielt, um etwas Luft zu holen, öffnete jemand hinter seinem Rücken, am Ende des lichtlosen Flurs, eine Tür. Leises Gemurmel war zu hören. Dann wurde die Türe wieder geschlossen. Mit eiligen Schritten löste sich eine Gestalt aus dem dämmerigen Dunkel.

»S'Gott«, grüßte die junge Fürsorgerin gedankenverloren, maß ihn mit einem kurzen Blick und betrat eilig die Treppe nach unten. Ihre Schritte verloren sich. Kajetan erwiderte kopfschüttelnd den Gruß und setzte seinen Weg fort.

Die Zimmertür war nicht verschlossen. Er stellte sein Gepäck ab, setzte sich auf einen der beiden Stühle und sah sich um. Die Kammer war winzig. Neben dem Fenster stand ein schmales eisernes Bettgestell mit dünner Roßhaarmatratze, vor dem ein verwaschener und dünn ausgelaufener Teppich lag. Daneben blieb nur noch Platz für ein kleines Nachtkästchen, auf dem sich eine Schüssel mit einem Wasserkrug befand. Darüber hing ein an den Rändern gefleckter Spiegel. Zwischen Schrank und Bett fand sich gerade noch Platz für einen kleinen Holztisch, doch um den Schrank zu öffnen, würde man bereits die Stühle verrücken müssen. Was die winzigen dunklen Sprenkel an der Wand neben dem Bett bedeuteten, wußte Kajetan sofort: Auch seine Vormieter hatten offenbar einen vergeblichen Kampf gegen die Wanzen geführt.

Eine warmfeuchte Luft drang in die Kammer. Die Fensterflügel waren weit geöffnet. Kajetan beugte sich hinaus und sah in die fleckige, graue Dämmerung über den Dächern der gegenüberliegenden Häuser.

Auf dem Pflaster der engen Gasse näherte sich ein Fuhrwerk. Kajetan stützte sich auf den Sims und sah nach unten. Das Gespann zog einen geschlossenen, kastenähnlichen Wagen. Ein heiserer Ruf ließ die Pferde anhalten. Während der Fuhrmann auf dem Bock sitzen blieb, stiegen seine beiden Begleiter ab. Die Männer im dunklen Anzug hatte die Pension betreten. Wenig später kreischte die Tür erneut in den Angeln. Ein älterer Mann mit einem Arztkoffer in der Hand verließ das Haus, setzte sich seinen Hut auf und ging die leicht abschüssige Gasse hinab.

Nach wenigen Minuten kamen die beiden Männer zurück. Sie trugen einen schmucklosen Holzsarg, stellten ihn neben dem Wagen ab, öffneten dessen Klappe und schoben den Sarg hinein. Die Pferde zogen an. Das Fuhrwerk ächzte, wendete und verschwand hinter der Biegung. Bald war auch das Klappern der Hufe und das Knirschen der eisenbeschlagenen Räder auf dem Pflaster verstummt.

Kajetan schob das Fenster zu. Nachdem er seine Koffer entleert und den Inhalt im Schrank verstaut hatte, griff er in seine Tasche, kramte seine letzten Geldstücke hervor, legte sie auf den Tisch und begann zu rechnen.

Das Geld würde gerade noch für zwei Tage reichen. Er griff nach der Liste, die er vor einiger Zeit aus dem städtischen Berufsbuch notiert hatte. In der Stadt gab es ein knappes Dutzend Detekteien. Etwa die Hälfte von ihnen hatte er bereits vergeblich aufgesucht. Es handelte sich meistens um schwindsüchtige Ein-Mann-Büros, aus denen er sofort wieder hinauskomplimentiert worden war. Sein Finger fuhr über das Papier und deutete auf eine Adresse, die er noch nicht ausgestrichen hatte.

Es würde wieder nichts werden.

✳

Pius Fleischhauer, Inhaber der Auskunftei gleichen Namens, hatte seine Enttäuschung darüber, daß der Besucher nicht mit einem Auftrag zu ihm kam, bereits überwunden. Er schüttelte seinen kahlen Kopf und senkte seinen Blick wieder auf ein Blatt Papier, das vor ihm auf dem Schreibtisch lag.

»Ich hab meine Leut bereits. Kosten mich genug«, sagte er in geschäftsmäßigem Ton. »Auf Wiederschaun.«

Kajetan bemühte sich, seine Bestürzung nicht zu verraten. Er stand auf, strich seinen Mantel glatt und ging zur Tür. Dort drehte er sich noch einmal um und zwang sich zu einem überlegenen Lächeln.

»Da wünsch ich Ihnen, daß Sie auch gute ham.«

Die lederige Stirn des alten Detektivs runzelte sich. »Was?«

»Gute Leut.«

»Tuts schon«, antwortete der Detektiv unwillig. »Ein Angeber zu sein, langt auf jeden Fall noch nicht.«

»Ich weiß bloß, was ich wert bin.«

»Ah? Und das wär jetzt was?« Fleischhauer wunderte

sich, daß er sich auf dieses Gespräch einließ. »Mit Berufserfahrung schauts doch bei Ihnen aus wie im Badwanndl ohne Wasser. Solche wie Sie wehts alle daumlang zu mir herein. Da werden ein paar Kriminalhefterl gelesen und schon meint ein jeder, er könnt bei mir den Pinkerton abgeben. Und daß Sie so herumgetan haben, wie ich Sie nach Ihrer früheren Arbeit gefragt hab, hat mir auch nicht gefallen. Also – wieso meinens, daß ich einen wie Sie unbedingt brauchen tät?«

»Weil ich ...«, Kajetan räusperte sich, »... bei der Polizei gewesen bin.«

Fleischhauer stutzte. Er tippte sich an die Stirn. »Ausgerechnet das soll eine Referenz sein?« Er verzog das Gesicht zu einem verächtlichen Grinsen. »Sehr spaßig!«

Kajetan setzte seinen Hut auf, drückte die Klinke nach unten und wollte wortlos gehen.

»Hab ja gsagt, daß Sie nichts taugen!«

Kajetan wandte sich fragend um.

»Ein guter Detektiv darf nicht so schnell eingeschnappt sein«, tadelte Fleischhauer. »Schauns nicht wie der Spatz, wenns blitzt. Tuns mir Ihre Adresse her. Aber – verlassens Ihnen nicht drauf! Habens gehört?«

Kajetan starrte ihn noch immer an.

»Sie sollen nicht so deppert schauen. Sie derbarmen mich halt.«

»Was ... tu ich Ihnen?« fragte Kajetan ungläubig.

Der Detektiv stöhnte auf. »Nicht einmal einen Spaß versteht er! Armes Vaterland! Ein Kreuz ist das heutzutag«, sagte er mit gespielter Verzweiflung. Er wurde ernst. »Hörens zu: Wieso Sie aufgehört haben oder wieso man Sie rausgeschmissen hat, ist mir egal. Wie ein Verbrecher schauns schließlich nicht aus, und ich selbst täts, unter uns gesagt, keine halbe Stund bei der Bagage aushalten. Nein – vielleicht kann ich Sie tatsächlich einmal brauchen. Aber nicht heut, und gewiß auch noch nicht morgen. Wann und ob überhaupt, weiß ich erst recht nicht. Unterstehens Ihnen also, noch einmal bei mir aufzukreuzen, bevor ich es Ihnen ausdrücklich angeschafft hab. Und jetzt – her mit der Adreß! Bevor ichs mir anders überleg. Ich mag Leut nicht, die mir die Zeit stehlen.«

Kajetan befand sich bereits auf der Straße, als der Detektiv seine Notizen beendet hatte und sich auf seinem Sessel zurücklehnte. Mit ärgerlicher Miene dachte er an das Treffen, das er an diesem Morgen gehabt hatte: Er hätte ablehnen müssen.

Der Zug aus Ödstadt war kaum mit durchdringendem Kreischen zum Stehen gekommen, da hatten sich die Türen der Passagierwaggons schon geöffnet und Knäuel von Reisenden ausgespien. Auf dem Bahnsteig des Ostbahnhofs löste sich die Menge und floß durch den Wartesaal auf den Vorplatz. Parapluies öffneten sich, Droschkentüren flogen krachend zu, Tauben flatterten gurrend hoch.

Nach einigen Minuten war der Bahnsteig wieder nahezu menschenleer. Bis auf zwei Menschen, die sich gegenüberstanden und nach Worten rangen. Der Detektiv hob grüßend den Hut. Verärgert bemerkte er, daß seine Hand zitterte. Was sollte er sagen? Nach all den Jahren? Wie viele mochten es sein? Dreißig, vierzig?

Er wisse schon, begann er, daß sich das saudumm anhöre, aber etwas anderes fiele ihm nicht ein und, bei seiner Seel, es würde stimmen: Sie sei immer noch ein schönes Weib.

Ein strafender Blick traf ihn. Das sei, sagte die bäuerisch gekleidete Frau, wohl eine rechte Lüge, aber für ihn, da träfe es wohl zu. Noch immer sei er das stattliche Mannsbild, beinah so, wie sie ihn in Erinnerung habe.

Fleischhauer wehrte verlegen ab. Eine unbehagliche Pause entstand.

Er faßte an ihren Arm und umarmte sie behutsam. Wir zwei alten Rindviecher, lächelte er gerührt. Sie wäre allerdings alt geworden, flüsterte sie an seine Wange, er nicht.

Sein Herz pochte plötzlich heftiger. Jäh drückte er sie an sich und raunte ihren Namen. Sie schob ihn zurück. »Geh«, sagte sie verlegen, »ich stink doch schon nach altem Weiberleut.«

Sie solle keinen Blödsinn reden, befahl er mit gespieltem Ärger und führte sie in das Bahnhofscafé. Sie fanden einen leeren Tisch, nahmen am Fenster Platz und winkten der Kellnerin.

Verstohlen betrachteten sie einander und stellten erschrocken fest, daß sie sich fremd geworden waren. Eine bittere Pause entstand.

Die Kellnerin trat an den Tisch. »Was darfs sein?«

»Zwei Tassen Melange und zwei Stückerl vom Apfelkuchen!« befahl Fleischhauer.

»Pius – nein«, sagte die Frau unbehaglich.

»Was – nein?«

Die Kellnerin sah verärgert auf die beiden Gäste herab. »Haben Sies bald?«

»Ich mag kein Süßzeug«, beharrte die Frau.

»Aber der Kuchen da herinn ist gut!« drängte er.

»Ich mag ihn trotzdem nicht!«

»Aber einen Kaffee – den magst schon?« fragte er gereizt.

Sie nickte zögernd. Die Kellnerin ging zurück. Der Mann sah betreten auf die Tischplatte und fingerte eine Zigarette aus seiner Manteltasche. »Entschuldige ...«, murmelte er.

»Hör auf«, flüsterte sie gepeinigt. Er sah überrascht auf. Sie lächelte unglücklich. »Es tut wieder weh mit dir. Wie früher ...«

Sie erkannten sich wieder. Als wenig später das Bestellte gebracht wurde, sprachen sie längst vertraut über Vergangenes. Am Schluß redete nur noch sie, während er gebannt zuhörte und nur hin und wieder ungläubig den Kopf schüttelte.

»Und deswegen«, schloß sie, »bin ich zu dir gekommen.«

Er schwieg eine geraume Zeit und sah nachdenklich aus dem Fenster.

»Es ist schon seltsam mit dir.« Er wandte ihr wieder sein Gesicht zu. »Wo du hinlangst, ist es richtig.«

»Wie?« wunderte sie sich.

»Schau«, erklärte er sachlich, »damals bist du mit dem anderen weggegangen. Es hat weh getan. Aber es war richtig. Ich wär nichts gewesen für dich. Ich, mit meiner Unrast wie eine überdrehte Uhr.«

Sie antwortete nicht.

»Es wär nicht gutgegangen«, fuhr er fort, »da hätten wir uns liebhaben können, wie wir gewollt hätten – es hätt kein gut getan. Is nicht wahr?«

»Ja«, log sie.

Der Detektiv beugte sich vor. » ... ich hab doch noch alles sehen müssen, ich hab nichts als einen Hunger gehabt wie alle, die aufgewachsen sind hinten im Wald. Ich hab dich lieb gehabt, aber bis ans End meiner Tag wär ich unglücklich geworden, wenn ich nicht getan hätt, was ich hab tun müssen. Und was war das nicht alles: Ich bin danach auf Hamburg hinauf, auf Amerika rüber, nach Afrika runter. Ich konnt nichts auslassen. Nein«, er bestätigte sich mit einem Nicken, »mit mir wärst du eingegangen. Irgendwann hätte ich zu schreien angefangen, wäre böse geworden und eines Tages ausgebrochen.«

Sie sah ihn aufmerksam an.

»Hast recht«, stimmte sie nüchtern zu. »Deshalb bin ich damals mit dem Hans nach Sarzhofen gegangen. Er ist kein Feiner gewesen, und wenn ich ihn nach der Arbeit getroffen hab, hat er gestunken wie ein Sauknecht. Und das Gewandte von dir, das hat er auch nicht gehabt. Viel geredet, wie du, der einen einwickeln hat können, bis einem ganz zweierlei geworden ist, hat er nie. Aber wenn er gesagt hat: Gut is! oder: Schlecht is! oder: Schief is! oder: Grad is! – dann war es gut oder schlecht, schief oder grad. Und wie er dann gesagt hat: Geh mit!, da wußt ich, daß er ernst mit mir sein wollte. An einem festen Platz, wo ein Dach war über mir. Wo hätt ich hinsollen? Die Fabrik in Schwabing, wo ich zu deiner Zeit gearbeitet hab – das war nicht meins. Ich bin eine Einfache. Wenn ich ja sag, sag ich ja. Ich habs nie bereut.«

»Ich bin dir nicht bös«, log er und machte eine wegwerfende Handbewegung. »Ich klag nicht. Ich hab ein gutes Leben gehabt. Nein – was ich mein, ist, auch jetzt wieder langst du dorthin, wo es richtig ist. Denn wenn einer dir bei der Geschicht, die du mir da grad erzählt hast, helfen kann, dann bin ich das.« Eitel legte er seine Hand auf seine Brust.

»Weiß ich«, sagte sie. Er nickte zufrieden.

»Aber ...«, er sah erstaunt auf ihre Tasse, »du hast ja gar nicht getrunken?«

»Ich mag gar keinen Kaffee. Ich ... vertrag ihn nicht.«

Fleischhauer brauste auf. Wieso sie das nicht gesagt hätte!

»Was hast denn?« fragte sie tonlos.

Was-denn-was-denn-was-denn?! Es würd ihn an etwas erinnern, jawohl! An das nämlich: Ein Stück Wegs mitgehen, dann bocken! Schon damals hätte es ihn zur Weißglut gebracht! Und überhaupt: Kaum sei er weg gewesen, hätte sie sich mit dem anderen eingelassen!

Was?! schnappte sie, zwei Jahre, Pius! Zwei Jahre sei er fortgewesen!

Was meinte sie denn? Ob das so schnell gehen würde,

sich nach Land in Amerika drüben umzuschauen? Wäre sie halt mitgekommen! Sie wären nicht die ersten und nicht die einzigen gewesen!

Ihre Augen funkelten jung: »Du? Du – und ein Bauer? Ha!«

Die anderen Gäste wandten sich neugierig um.

Grau vor Unglück nahmen beide voneinander Abschied.

Ja, nickte er verstimmt, als er sie auf den Bahnsteig begleitete. Natürlich würde er sie nicht im Stich lassen.

Der Zug fuhr ab. Bald flirrte nur noch die heiße, mittägliche Luft über den Gleisen.

Verdammt, dachte der Detektiv.

Es war ja noch alles da! Als wären nicht Jahrzehnte vergangen seit jenem Tag, als er, erschöpft und ohne einen Pfennig in der Tasche, nach München zurückgekehrt war und erfahren mußte, daß seine Geliebte vor einem halben Jahr geheiratet hatte und längst in irgendeinem Nest am unteren Inn – niemand wußte, wo genau – lebte.

Es war noch alles da. Der Zorn. Die Bitterkeit. Die Verzweiflung.

Und die Liebe. Er fluchte laut.

Dann dachte er daran, worum sie ihn gebeten hatte. Es würde nicht nur der am schlechtesten bezahlte (gut gesagt, dachte er grimmig, ich kann doch nichts von ihr verlangen), sondern auch der gefährlichste Auftrag werden, den er jemals übernommen hatte.

Er seufzte.

*

Die Gaslampen vor dem Zentralbahnhof schimmerten matt durch den dichten Nebel. In ihren Lichthöfen wandelten sich die Fußgänger zu gespenstischen Figuren, flatterten aus der Dämmerung, klumpten sich mit anderen Schatten zu bizarren Gebilden und lösten sich, nur begleitet vom Tuckern der Droschkenmotoren und einem Chor Tausender, wie Herbstlaub raschelnder Tritte, nach wenigen Schritten wieder ins Nichts.

Den ganzen Tag über hatte Kajetan unter einer schmerzhaften Unruhe gelitten. Obwohl er an diesem Tag kein Ziel mehr hatte, als sich irgendwann in seine Kammer zu begeben und sich dort ins Bett zu legen, bewegte er sich noch immer mit kurzen, hastigen Schritten. Er blieb nur stehen und holte Atem, wenn die Schmerzen in Oberschenkel und Rücken wieder zugenommen hatten.

Kajetan betrat den Wartesaal des Bahnhofs, setzte sich erschöpft auf eine Bank, schloß die Augen und legte den Kopf zurück.

»Aufwachen!« befahl eine Stimme. Kajetan fuhr erschrocken hoch. Der Bahnbeamte machte eine ungeduldige Handbewegung.

»Da herinn wird nicht übernachtet. Verstanden? Also, wenns so nett sein mögen?«

»Ich ... ich ...«, stammelte er.

»Hams epper Ihren Zug verschlafen? Pech ghabt. Heut fahrt nichts mehr. Der Bahnhof wird gleich zugemacht.«

Kajetan schüttelte sich schlaftrunken.

»Oder wartens auf den Zug von Budapest? Nicht? Dann gehns zu.«

Kajetan erhob sich steif. Die Bahnsteige hinter den hohen Glastüren lagen bereits in dämmerigem Dunkel.

»Ein wengerl Tempo wär ganz recht, gell?«

Das große Tor wurde hinter ihm zugeschlagen, ein Schlüssel drehte sich klappernd.

Es war bereits über Mitternacht. Ein feuchtkalter Wind fegte über den menschenleeren Bahnhofsplatz und trieb den Nebel vor sich her. Kajetan trottete benommen über das Pflaster. Beinahe hätte er eines der Autos übersehen, die in hohem Tempo vorbeifuhren und in die Schützenstraße einbogen. Er war aufgewacht, verschränkte frierend die Arme vor der Brust und ging mit eiligem Schritt in Richtung Stachus.

»Geh her zu mir, Burschl!« hörte er eine verhaltene Stimme aus dem Dunkel eines Hauseingangs. Kajetan blieb stehen. Wieder lockte die Stimme. Kajetan trat näher.

Die Hure ging ihm einen Schritt entgegen. Ein matter Lichtschein zeigte ein weißes Gesicht, dessen Nase vor Kälte dunkel gerötet war. Die Hure war groß. Sie trug einen langen Rock und ein wollenes Mieder, dessen obere Knöpfe geöffnet waren. Kajetans Körper, der plötzlich keine Kälte mehr verspürte, hatte eher begriffen. Kajetan murmelte etwas und wollte weitergehen.

»Aah!« sah sie enttäuscht auf ihn herab. »Wosch ma aso gfalla dädsch! Warum denn it?«

Er hob bedauernd die Schultern. »Geht nicht.«

Sie lächelte, wiegte sich leicht in den Hüften und gurrte mütterlich. »Bei mir schtänd er glei, Burschl.«

Er kratzte sich am Nacken.

»So? Aber obs so ging, wies ich gern hätt?«

Sie kam neugierig näher. »Du wärst des erschta Mannsbild, dem was neues einfallert. Wie hädsch es denn gern?«

»Das sag ich nicht.« Er grinste albern. »Weils du das bestimmt nicht kannst.«

Sie sah ihn prüfend an und überlegte einen Augenblick.

»Oh mei«, seufzte sie schließlich mitleidig und verdrehte die Augen, »scho wieder ein Komiker ... Geh zu! Du schtiehlsch mir mei Zeit!«

Kajetan spielte den Ahnungslosen. »Wie kommst auf Komiker?«

»Geh zu«, wiederholte sie gelangweilt, »i weiß scho, wie dus möchsch: Umsonsch. Du hasch wirkli gmeint, daß der Schpaß a nagelneuer is? Den hör i zwanzg Mal am Tag.«

Kajetan fühlte sich ertapppt. Ihre Stimme wurde laut.

»Und etzla packsch di, sonsch gschieht was!«

Er ging schnell weiter. Am Karlsplatz, der bereits am Ende der Straße zu sehen war, kreuzten zwei Trambahnen; auch in der Schützenstraße, die den Platz vor dem Zentralbahnhof mit dem Karlsplatz verband, herrschte noch reger Betrieb. Plötzlich bemerkte er, wie sich sein Magen zu krampfen begann. Er hatte heute noch nichts gegessen. Nun roch er den Dunst fetter Speisen. Unwillkürlich griff er in seine Hosentasche, wußte aber im gleichen Augenblick, daß die wenigen Münzen nur noch für eine Tasse Kaffee und ein kleines Gebäck reichen würden.

Das ordinäre Gelächter, das von der Gaststätte »Steyrer« auf die Straße kreischte, hatte Kajetan unangenehm berührt. Dennoch brachte ihn die Neugier dazu, vor dem Lokal stehenzubleiben, neben dessen sich immer wieder von aus- und eintretenden Gästen öffnender Eingangstür sich ein Paar küßte. Er trat einen Schritt näher und versuchte, durch die bedampften Glasscheiben in das Innere des Lokals zu sehen.

Der »Steyrer« war in der Stadt als Ort halbseidenen Amüsements bekannt und berüchtigt. Während des Kriegs trafen sich hier vor allem jene, die auch in diesen Notjahren offenbar über ausreichend Geld verfügten. Bereits damals hatte sich die in der Prinzregentenzeit beliebte Volkssängerbühne, die in einem Saal hinter den Gasträumen untergebracht war, zu einem zweifelhaften Varieté gewandelt, das ein anständiger Bürger nicht mehr zu betreten hatte – zumindest nicht zu den Zeiten, wo man ihn dabei hätte beobachten können.

Wieder dröhnte grölendes Gelächter ins Freie. Es übertönte die Ankunft eines Wagens. Kajetan sah sich nicht um. Ausgelassene Stimmen waren zu hören, als sich die Wagentür öffnete. Kajetan zog seine Schultern hoch und wollte seinen Weg fortsetzen.

»Ist des ned ...?« Die Stimme klang ungläubig.

Kajetan drehte sich ruckartig um. Im dämmrigen Hof des aus der Gaststätte fallenden Lichtscheins erkannte er eine Gruppe Männer und Frauen, von der sich einige schon auf dem Weg zur Eingangstür des »Steyrer« gemacht hatten, nun aber mißtrauisch stehengeblieben waren.

»Ja! Er is es!« rief Mia und griff nach dem Ellbogen des Mannes, mit dem sie den Wagen verlassen hatte. Er trug einen eleganten Bowler, einen über das Knie reichenden, am Kragen pelzbesetzten Paletot. Um den Hals hatte er einen dünnstoffigen, hellen Schal geschlungen. Mit leichtem Unwillen wandte er sich ihr zu und blieb stehen.

»Fritz! Des is der Mann!«

Mias Begleiter schien es eilig zu haben. Er nahm die Zigarette aus dem Mund.

»Was für ein Mann?« fragte er.

Sie hielt ihn zurück. »Hab ich dir doch erzählt! Der vom Markt!«

»Sie waren das?« Der Gutgekleidete musterte Kajetan neugierig. Sein lippenloser Mund unter dem dünn ausrasierten Bärtchen formte sich zu einem Lächeln. »Der den Messer und den Bierkugel umgehauen hat? Tatsach?«

Kajetan nickte unsicher und sah zur Seite.

»Wenn ichs sag, Fritz!« Mia strahlte. »Mein edler Retter!« scherzte sie. Ihr Begleiter warf ihr einen amüsierten Blick zu.

»Na dann!« rief er aufgeräumt. »Soll hereinkommen, dein Retter!« Er winkte jovial und zog das Mädchen mit sich. Kajetan war unschlüssig. Er dachte daran, wieviel Geld er noch besaß.

Mia wandte sich aus dem Griff des Mannes, den sie »Fritzi« genannt hatte. »Jetzt stehns ned umeinand«, lockte sie und lächelte ihm aufmunternd zu, »der Fritz ladt Sie ein! Das ists ihm wert, gell, Fritz?«

Der Mann mit dem Bowler bestätigte großzügig. »Aber wenn er sich noch länger so anstellt, kann ers auch bleiben lassen.«

Mia griff energisch zu und zog Kajetan mit sich.

Als sie durch den Gastraum zum Varieté gingen, wurde die Gruppe von allen Seiten lautstark begrüßt. Fritz winkte mit lässiger Handbewegung zurück. Im Vorbeigehen bestellte er. Der Kellner eilte beflissen zum Schanktisch.

Vor einem Perlvorhang, der den Theaterraum zum Flur abtrennte, stand ein kräftiger, großgewachsener Mann. Er hob die Hand.

»Servus, Patron.«

»Red deinen Chef nicht so verwandt an, Schoos. Wie schauts heut aus?«

Der über einen leichten Überbiß fransig hängende Schnauzbart bog sich. »Gut, Fritz«, grinste Schoos. »Hinten sind die gleichen Saubären wie allweil und ein Schwung Fremder. Vorn haben wir heut den Vorstand vom Sendlinger Konsumverein, der seinem Namen alle Ehr macht. Die Niederbergerin liegt schon wieder unterm Tisch.«

»Die Stadträtin? Und wer liegt auf ihr?«

Schoos grinste breit.

»Hab noch nicht nachgeschaut. Soll ich?«

»Nein. Schön, daß sie so eine Freud haben, nachdems letzte Woch mit dem Geld von ihren Einzahlern einen Konkurs gebaut haben, der das halbe Viertel ruiniert hat.«

»Ein bissel was ist scheints noch übriggeblieben.«

»Na wunderbar. Jaja, Schoos, die Welt ist ein Wirtshaus. Vorn die Politik, hinten die Geilheit.« Er gab der Gruppe ein Zeichen und betrat das spärlich beleuchtete Varieté.

Der Zuschauerraum war dicht besetzt, der rotsamtene Bühnenvorhang geschlossen und unbeleuchtet. Auf der linken Seite der Bühne standen einige Instrumente. Die Kapelle machte Pause. Aus gedämpftem Stimmengewirr drang vereinzelt Gelächter. Dichter Rauch hing über den Tischen. Es war stickig warm.

Der Inhaber steuerte einen runden Tisch an, der auf einer halbmeterhohen Empore im hinteren Teil des Raumes stand und an dem bereits zwei Männer und eine junge Frau in tief ausgeschnittenem Kleid saßen. Ein Kellner eilte devot heran, nahm dem Inhaber Mantel und Hut ab und entfernte sich mit einem Bückling.

»Hockens Ihnen zu uns her!« Der Besitzer winkte befehlend. Kajetan setzte sich. Er sah aus den Augenwinkeln, daß er mit einer Mischung aus Argwohn und Neugierde beobachtet wurde.

»An dem seiner Schneid nehmts euch ein Beispiel«, sagte der Besitzer gutgelaunt und ließ sich auf den Stuhl fallen. »Der hat den Messer und den Bierkugel ganz alleinig aufgemischt. Auch wenn mans ihm nicht ansieht.«

Die beiden Männer grüßten reserviert. Das dekolletierte Mädchen hob seine schweren Lider und wandte sich an Mia. »Echt wahr? Der? Das glaub ich nicht.«

»Dann läßt es halt bleiben, Gotti«, gab Mia spitz zurück.

»Dabei wissen wir noch nicht einmal, wie er heißt!« stellte der Inhaber fest.

Kajetan nannte seinen Namen.

Die Getränke wurden serviert. Der Besitzer hob das Glas. »Prost, Herr Kajetan! Wer dem Urban einen Gefallen tut, dem solls nicht schlecht gehen!« Er trank, setzte das Glas ab und strich über sein Menjou-Bärtchen. »Respekt, kann man da bloß sagen, Respekt! Woher hat er denn soviel Schmalz, daß er die zwei grimmigsten Schläger vom Kaiser niedermacht?«

Kajetan lächelte geschmeichelt. »Schmalz ist nicht alles.«

Fritz Urban hob anerkennend die Brauen. »Stimmt.« Er tippte sich an die Stirn. »Ein Hirn brauchts vor allem!« Er warf einen abschätzigen Blick auf einen der beiden Männer. »Gell, Kandl?«

Die Lippen im gelben und brauenlosen Gesicht des kleinen, stämmigen Mannes zuckten getroffen. Sein Blick duckte sich.

Gotti spitzte ihren Mund. »Was tuns denn sonst so, Herr Kajetan?« wollte sie wissen. Kajetan zögerte mit einer Antwort. »Unterschiedlich ...«

»Aha?« Sie senkte den Kopf und suchte seine Augen. Er wich verlegen aus.

»Also, im Moment, da bin ich, ehrlich gsagt, grad wieder auf der Suche nach einer Arbeit.«

»So ein tüchtigs Mannsbild wie Sie!« gurrte sie und beugte sich vor. »Das wird doch leicht was finden.« Kajetans Blick flüchtete in ihr Gesicht. Zweifelnd wiegte er den Kopf.

Mia hatte das Gespräch verfolgt. »Fragens doch den Fritz!« mischte sie sich mit leichtem Ärger in der Stimme ein. Noch bevor Kajetan antworten konnte, berührte sie Urban mit ihrer Schulter und näherte sich mit ihrem Mund dessen Ohr.

In diesem Augenblick setzte die aus einem Violinspieler, einem Pianisten und einem Kontrabassisten bestehende Kapelle ein. Vom Bühnenrand trat, mit pfauenhaften Bewegungen und von einem fahrig geführten Lichtkreis begleitet, ein Mann in dunklem Anzug vor das Publikum. Die Lautstärke der Gespräche nahm nur unmerklich ab.

»Hochverehrte Gäste, Mesdames, Messieurs! Ladies und Gentlemen! Wir setzen unser Programm fort! Sie sehen nun das lebende Bild ›Cleopatra und Antonius‹! Vorhang!« Durch den spärlichen Beifall drangen unverständliche, erwartungsfrohe Rufe und abschätzig klingendes Gelächter. Während der Conferencier abtrat, schwebte der Vorhang langsam zu den Seiten und gab einen abgedunkelten Bühnenraum frei. Die Musik änderte sich und wurde lauter. Ein arabisches Motiv erklang. Auf dem Hintergrund der kleinen Bühne glühte die Projektion einer ägyptischen Szene auf und umriß eine malerisch drapierte Gruppe leichtbekleideter Darsteller in bacchantischer Pose. Dann fiel ein Lichtkegel auf die beiden Figuren, die an der Spitze der angedeuteten Pyramide saßen. Das maskenhaft geschminkte Mädchen war bis auf einen um die Hüfte geschlungenen durchsichtigen Schleier nackt, den Mann umhüllte eine blaue Toga. Die Nackte erhob sich mit gezierter Feierlichkeit und begann zu tanzen.

An einem Tisch in der Nähe der Bühne entstand Unruhe. Mia hatte nicht zugesehen und leise mit Urban gesprochen. Der Inhaber schüttelte unwillig den Kopf.

»Geh!« wehrte er halblaut ab.

»Fritzi!« Sie spitzte den Mund und tat flehend.

»Hab ichs Geld grad aso? Der Herr da«, Urban zeigte auf Kajetan, » ... der Herr da is was wert, nedwahr? Den kann ich gar nicht derzahlen!«

»Fritzi ...!« Sie berührte seine Schulter. »Eine ganze Nacht hams ihn eingesperrt!«

Urban maß sie zweifelnd. »Eingesperrt? Woher weißt das?«

»Es is geredet worden.«

Der Inhaber stellte sein Glas ab und beugte sich zu Kajetan. »Und wo? In der Zweier-Wach gar? Wegen was des?«

»Was meinst du denn, Fritzi? Weils halt gemeint haben, er gehört zu dir!«

Urban lehnte sich wieder zurück und sah Kajetan nachdenklich an. Mia stieß ihn sanft.

»Fritzi ...«, schmollte sie. »Und so was möcht mein Impresario sein?«

Fritz Urban schüttelte ärgerlich den Kopf. »Gib eine Ruh, Mia.« Er hob das Glas gegen Kajetan und schlug ihm mit der anderen Hand gönnerhaft auf die Schulter. »Kopf hoch! Sie bringens schon noch zu was! Heut sinds auf jeden Fall mein Gast! Der Urban laßt sich ned lumpen!« Er führte das Glas an seinen Mund. Mia lehnte sich zurück.

Es war lauter geworden. Vom Bühnenrand drang Gelächter. Urban runzelte die Stirn. »Was ist denn das? Schoos? Kandl?« Er stellte das Glas ab. Die Angesprochenen folgten seinem Blick und hoben ratlos die Schultern.

Urban kniff die Augen zusammen.

»Was ist denn heut los?« zischte er ungehalten und zeigte zur Bühne. »Seit wann spielt denn die da die Cleopatra?« Herrisch hob Urban die Hand. »Gustl! Her da!«

Der Conferencier hastete durch die Tischgruppen und trat an den Tisch.

»Was soll das, Gustl? Magst mich ruinieren? Ist des wieder eine deiner künstlerischen Interpretationen? Das soll eine Cleopatra sein? Die Mary? Mit ihren Hühnerduttn? Da hat ja der Antonius mehr Holz vor der Hütten. Das ist doch keine Kultur ned! Die Leut wollen Brust, Gustl. Bretter kriegens beim Zimmerer. Eine Blamage ist das!«

Der Conferencier machte eine beschwichtigende Handbewegung, beugte sich zu Urban und flüsterte in dessen Ohr. Der Inhaber hörte ärgerlich zu.

»Abgeholt? Die Fürsorg schon wieder?« fuhr er auf. »Hast du epper ...?«

»Was soll ich denn tun?« verteidigte sich der eingeschüchterte Gustl. »Die Weiber lügen ja allweil, wenn ich sie nach dem Alter frag.«

»Eine Blamage ist das«, wiederholte Urban, »schauns, da vorn! Die Leut lachen mich ja aus! Was ist des denn überhaupt für ein Haufen da vorne?«

»Eine Reisegruppe von Wien.«

»Und was krähen die grad aso?«

»Gemein ist des!« pflichtete Mia bei. Die beiden Männer und das Mädchen nickten.

Gustl hob die Schultern. »Weiß ned!«

Schoos erhob sich. »Soll ich denen beibringen, was sich bei uns gehört, Fritz?«

Urban überlegte. »Wart! Gustl, saufens denn gescheit?«

Der Conferencier nickte. »Allerdings.«

Das kreischende Gelächter an den Tischen vor der Bühne hatte zugenommen. Obwohl die Musikanten lauter spielten, konnten sie den Lärm nun nicht mehr übertönen. Ein Name wurde gerufen. Kajetan sah, daß die Tänzerin zu zittern begonnen hatte. Plötzlich schlug sie die Hände vor ihr Gesicht und lief aufschluchzend von der Bühne. Gustl eilte entsetzt nach vorne. »Vorhang!« schrie er mit sich überschlagender Stimme.

Urban machte eine Handbewegung zu Schoos, der sich daraufhin wieder auf seinen Stuhl zurückfallen ließ. Er stand auf und ging gemessenen Schrittes nach vorne.

»Meine Herrschaften, ich darf Sie drauf aufmerksam machen, daß Sie sich hier nicht in einem Ottakringer Stehbeisl befinden. Wenn Sie für Kultur kein Verständnis haben, ist das Ihre Sache. Aber in meinem Lokal wird sich anständig benommen.«

Die Sitzenden starrten ihn verblüfft an. Das Gelächter war in ein verdrücktes Prusten übergegangen. Einer der Gäste drehte seinen Kopf im wulstigen Hals. Er wischte sich die Lachtränen aus den Augen.

»Nichts für ungut«, gluckste er. »Sie sind der Inhaber, hab ich recht?«

Urban nickte streng.

»Nichts für ungut, Herr Inhaber, aber ...«, er kicherte wieder, » ... das dürfens uns nicht übelnehmen. Die da ihr mageres Gerüst hin und her geschmissen hat, das war nämlich die Walli Turek aus dem Siebzehnten! Verstehens?«

»Nein!«

»Aus dem siebzehnten Bezirk in Wien kommt sie, die Cleopatra!«

»Das Fräulein Mary ist aus Wien gebürtig, stimmt«, gab Urban zu.

»Mary!« kreischte ein anderer außer sich. »Mary heißts!! Die Walli!«

Der Dicke faßte Urban am Saum. »Eben! Aus Wien! Da sind wir auch her! Was glaubens, von was der ganze Siebzehnte seit Wochen nur noch redet, seit per Zufall bekannt geworden ist, wo dem blahden Turek sein feins Töchterl blieben ist? Und da, hihi, ham wir uns gsagt, das müssen wir uns anschauen ...«

Urban begann zu verstehen.

» ... sinds uns ned bös, Herr Inhaber! Die Wiedersehensfreud lassen wir uns auch was kosten.« Der Dicke hob die Stimme. »Herr Ober! Bitte sehr!«

Schmunzelnd hatte sich Urban wieder zurückgezogen und an seinem Tisch Platz genommen. Er beobachtete, wie der Conferencier das Publikum um einen Moment Geduld bat. Die nächste Attraktion sei bereits in Vorbereitung.

»Ich weiß ned, ob ich den altmodischen Käs nicht sein lassen sollt«, grübelte Urban, »lebende Bilder! Ich habs ja bloß, weil ichs nicht übers Herz bring, den Gustl nauszuhauen. Wo gibts denn das fade Zeugs noch? Nirgendwo. Gut, eine andere Möglichkeit, eine Nackerte auszustellen, hast heutzutag nicht. Trotzdem. Was meinen Sie, Herr ..., Herrschaft, jetzt hab ich seinen Namen schon wieder vergessen!«

»Kajetan. Langsam wirst alt, Fritzi.« Mia verdrehte die Augen. Urban beachtete sie nicht.

»Was meins, ob ich mir nicht einmal eine von den neuen Kapellen da holen sollt, die da diese amerikanische Musi spielen? Wie heißts gleich wieder?«

»Jazz, Fritz, meinst?«

»Genau, Mia. Eine Jazz-Kappelln mein ich.«

»Ist doch bloß eine Mod, Fritz«, warf Kandl abschätzig ein.

»Hab ich dich gefragt oder den Herrn Kajetan?«

»Da wirst in ganz München keinen finden, der wo sich das freiwillig anhört!«

»Ich hab dich allerweil noch nicht gefragt, Kandl«, sagte Urban scharf. »Ich möchte nämlich nicht deine Meinung hören, sondern die von einem intelligenten Menschen. Also, was meins, Herr Kajetan?«

»Ich selber bin da eher ein Altmodischer«, gab Kajetan zögernd zu, »aber was Neues ist halt erst einmal was Neues.« Er hatte das Gefühl, etwas unendlich Dummes gesagt zu haben. Doch Urban schien anderer Meinung zu sein. Er lehnte sich zufrieden zurück.

»Genauso ist es!« sagte er anerkennend. »Sie sind nicht blöd.«

»Ha?« Kandl verstand nicht. Urban stöhnte gespielt auf.

»Das Gesetz der Moderne, mein lieber Kandl! Der Herr Kajetan hat grad in einem Satz das Gesetz der Moderne erzählt.«

»Gsetzer? Das Wort kennt der gar nicht«, lachte Schoos und steckte die anderen damit an. »Prost beieinander!«

Auch Mia hob das Glas. Sie wandte den Kopf leicht zu

Kajetan und sah ihn durch das Weinglas an. Er wurde ruhig.

»Singens heut noch, Fräu'n Mia?« erkundigte er sich.

Sie schüttelte den Kopf. »Bloß am Freitag.«

»Schad.«

»Gefallts Ihnen eigentlich da herinnen?«

Kajetan nickte zögernd.

»Nicht?« Sie musterte ihn mit einem raschen, argwöhnischen Blick. »Ist Ihnen nicht fein genug, gell? Sinds vielleicht was Besseres?«

»Was Be...« Kajetan war verdattert. Sie unterbrach ihn.

»Sie brauchen sich gar nichts einzubilden!«

»Aber ich ...«

»Sei nicht so ekelhaft, Mia«, verteidigte ihn Gotti, die das Gespräch verfolgt hatte. »Er ist wahrscheinlich eher ein Gschamiger. Kann nicht jeder so einen geschliffenen Schnabel haben wie du.«

»Wenn einer ein Gschamiger ist, heißt das noch lang nicht, daß er sich nichts einbildet«, erwiderte Mia spitz.

»Aber ich bild mir nichts ein«, protestierte Kajetan dünn.

Sie sah ihn prüfend an. Dann lächelte sie. »Lügens mich nicht an. Gebens ruhig zu, daß es nicht das Ihrige ist da herinnen. – Schad. Und schad auch, daß der Fritz Ihnen nicht helfen will.«

»Das brauchts doch auch nicht.«

»Ich frag ihn noch einmal!« sagte sie entschlossen.

»Nein!« Kajetan schüttelte bestimmt den Kopf. »Das möcht ich nicht, daß Sie ...«

»Wies meinen. Sie ham ihren Stolz, stimmts?«

Er lächelte unbeholfen.

»Wer ihn sich leisten kann ...« Es hätte scherzhaft klingen sollen.

»Hams recht.« Sie betrachtete ihn wissend. Ihr Blick wurde dunkel.

»Sagts«, rief Urban mit launischer Ungeduld, »wo bleibt denn eigentlich der Peter? Was glaubts ihr, warum ich herkomm? Wegen dem Gustl seine lebenden Kunstwerke vielleicht?«

»Der Peter ist schon dagewesen«, erklärte Schoos.

»Ihr seid mir vielleicht Deppen!« brauste Urban auf. »Das erfahr ich erst jetzt? Und? Hat er nichts gesagt? Kommt er noch mal?«

»Glaub nicht. Aber er laßt ausrichten ...«, Schoos bemerkte Kajetans fragenden Blick, »... daß er wieder ein paar Kartoffeln und einen Bordeaux hätt.«

»Einen Bordeaux? Bloß einen?«

Schoos nickte grinsend.

»Naja«, wiegte Urban den Kopf, »ist auch recht. Weiß eh bald nimmer, wohin damit. Langsam wirds eng.« Er nahm wieder einen Schluck. »Hat er noch was gesagt?«

»Du solltest deinen Keller endlich ausräumen, hat er gemeint.«

»Wann?«

»Sagt er dir noch. In zwei Wochen, vielleicht schon eher.«

Urban überlegte. »In zwei Wochen erst? Na, von mir aus.«

Zufrieden griff er nach seinem Glas und trank. »Gehns, Herr ... jetzt hab ich Ihren Namen schon wieder nimmer parat ...«

»Kajetan.«

»Herr Kajetan – Sie haben ja gar nichts mehr zum Trinken.«

Kajetan hob abwehrend die Hand.

»Gehns weiter! Sie sind mir ja billig gekommen.«

»Ich bin saumüd«, bekannte Kajetan und erhob sich. Mia sah auf. Urban nickte ihm abwesend zu. Plötzlich schien ihm ein Gedanke gekommen zu sein.

»Wartens ..., hockens Ihnen noch mal her«, befahl er. Kajetan gehorchte erstaunt. Urban senkte seine Stimme.

»Gehns, sagens mir doch den Vornamen, da redt sichs leichter! Ich wär der Fritz. – Paul? – Also, Paul, vielleicht könnt ich dich doch brauchen. Hast Zeit die Tag?«

»Glaub schon«, antwortete Kajetan zögernd. Urban sah sich mit einer leichten Kopfbewegung um und beugte sich näher. »Grad ist mir eingefallen: Ich könnt durchaus jemanden brauchen, der nicht ganz aufs Hirn gefallen ist ...«

Er wurde abgelenkt. »Was willst denn du?« fuhr er die ärmlich gekleidete Alte an, die an den Tisch gekommen war. »Wer hat dich denn überhaupt reingelassen?«

»Eine milde Gab für die Armen, bittschön, die Herrschaften.« Eine brüchige Stimme drang unter dem Schatten eines tief über die Stirn gezogenen Kopftuches hervor. Zwischen Urbans Augenbrauen bildete sich eine Falte.

»Gib ihr was«, sagte Mia schnell.

»Des ist nicht die Volksküchen da herinn!« brummte Urban ärgerlich.

»Fritzi ...!«

»Na gut. Weils Glück bringt.« Er griff unter sein Revers, zog seinen Geldbeutel und drückte ihr gönnerhaft eine Münze in die Hand. »Da, Mutterl.« Er schüttelte in gespielter Verzweiflung den Kopf. »Jetzt werd ich auch noch zum Kommunisten. Mir bleibt ja gar nichts erspart. Hoffentlich hats keiner gesehen.«

»Vergelts Gott«, flüsterte die Alte und bückte sich unterwürfig. Für einen Moment hatte Urban den Eindruck, sie irgendwo schon einmal gesehen zu haben.

Er winkte. »Kandl! Brings in die Küch und laß ihr eine Suppen geben. Aber dann soll sie sich schleichen. Und sorg dafür, daß besser aufpaßt wird.«

*

Der Varieté-Besitzer schien es sich anders überlegt zu haben. Zwei Wochen waren bereits vergangen, ohne daß er von sich hören hatte lassen.

Kajetan fühlte sich krank. Eine eigenartige Lähmung hatte ihn erfaßt. Erstaunt hatte er festgestellt, daß ihn die wiederholten Ablehnungen nicht mehr berührten. Er hatte jedoch den Eindruck, als wären diese von Mal zu Mal mit wachsender Unhöflichkeit ausgesprochen worden, fast, als hätte er sich in der betreffenden Firma schon des öfteren vorgestellt. Er gewöhnte sich daran, sich am frühen Morgen in die Schlange der Arbeitssuchenden vor der Städtischen Vermittlung einzureihen und sich, wenn hin und wieder ein offener Lastwagen anhielt und Hilfsarbeiter für den Markt gebraucht wurden, für ein paar Pfennige zu verdingen. Was er dabei verdiente, würde jedoch nicht mehr für die Miete reichen. In zwei Wochen würde ihn Brettschneider vor die Tür setzen; er würde sich im Asyl anmelden oder im Freien übernachten.

Noch einmal wollte er den Versuch machen, eine Anstellung zu erhalten. In der »Münchner Zeitung« hatte er die Annonce einer neuen Detektei entdeckt, deren Büro sich in der Nähe des Zentralbahnhofs befand. Doch kaum hatte er dort sein Anliegen vorgebracht, war er vor die Tür komplimentiert worden. Beim Hinausgehen aber entdeckte er das Schild eines zweiten Auskunftsbüros. Man ließ ihn ein und bat ihn in ein nobel eingerichtetes Büro.

»Sie werden von uns auch keine Annonce finden«, klärte ihn ein junger Mann mit blasiertem Lächeln auf, »unser Büro besteht erst seit kurzem. Außerdem haben wir es nicht nötig, Kunden von der Straße anzuwerben. Wir sind aber immer an Mitarbeitern interessiert. Da ist natürlich nicht unbedeutend, welche Referenzen sie vorzuweisen haben.«

»Hochinteressant«, sagte der Agent, nachdem Kajetan davon erzählt hatte, daß er Polizeibeamter gewesen sei. »Das ist natürlich eine ausgezeichnete Referenz. Aber warum, wenn ich fragen darf, haben Sie den Dienst quittiert?«

»Eh ...« Kajetan räusperte sich, »Differenzen, ich ...«

»Welcher Art?«

Hatte sich die herablassende Höflichkeit des jungen Mannes geändert? Sein Interesse schien ehrlich zu sein. »Nun?«

»Eine lange Geschichte«, wand sich Kajetan.

»Ich kenne keine, die man nicht in fünf Sätzen erzählen könnte. Also? Welcherart waren die Differenzen?«

»Ich ... ich habe den Dienst nicht quittiert, ich bin ...«

»Entlassen worden.«

Kajetan nickte erleichtert.

»Jawohl.«

»Unehrenhaft?«

Kajetan wiederholte bestätigend. Erneut fühlte er sich unwohl. Der Blick des jungen Mannes ruhte kalt auf ihm.

»Nun ja«, der Agent faltete die Hände, »da wäre dann von Bedeutung, weshalb, nicht wahr? Sie können offen sprechen. Ich bin zwar nicht der Inhaber, aber ich werde unserem Vorgesetzten Bericht erstatten. – Ja?!«

Es hatte geklopft. Ein junger Mann stand im Türrahmen. »Herr Leutnant ...«

»Was ist?!« Gereizt wandte sich Kajetans Gesprächspartner um. »Was ist? Sie sehen doch«, bellte er, »daß ich im Gespräch bin. Ich komme sofort!«

Der Besucher schloß die Tür hinter sich.

Überrascht hatte Kajetan die Szene verfolgt. Eine Auskunftei, in der sich die Angestellten mit militärischen Rängen ansprachen? Er sah sich um. Das Büro war neu eingerichtet, das Mobiliar wirkte teuer. An den Wänden hingen Portraits soldatisch dreinblickender Männer, aber auch die Grafik eines eigenartig verzweigten Baumes. Kajetan hatte begriffen, als ihn die Stimme des jungen Mannes aus seinen Gedanken riß.

»Sie kennen die Darstellung?«

»Kommt mir bekannt vor.«

Der junge Mann lächelte wissend. »Es ist die Weltesche. – Doch zurück zu Ihnen. Wieso hat man Sie entlassen? Sie sehen nicht wie ein Verbrecher aus. Also nehme ich an, daß Sie aus politischen Gründen gehen mußten. In unseren Tagen kann dies, muß dies aber keine Schande sein. Viele ehrenhafte Beamte wurden in den letzten Monaten entlassen, weil sie nichts anderes taten, als sich für ihr Vaterland ...«

Kajetan ließ ihn nicht ausreden, stand auf und schloß seinen Mantel.

»Ich weiß«, sagte er nüchtern, »weil sie sich beim Putschversuch im vergangenen Jahr zu frühzeitig auf die Seite der Hitlerischen gestellt haben.«

Das Lächeln des jungen Agenten gefror.

»Habe ich das gesagt?«

»Natürlich nicht. Aber ich täusche mich vermutlich nicht, wenn ich vermute, daß das hier keine Auskunftei ist.«

»Sondern was? Etwa eines der geheimnisvollen Tarnbüros der verbotenen Nationalsozialistischen Partei? Sie sollten weniger in der von der Linken verseuchten Presse lesen. Machen Sie sich also nicht lächerlich.«

»Eben. Das werde ich auch nicht tun, Herr Leutnant«, sagte Kajetan und verließ grußlos das Büro.

Nachdem seine Enttäuschung verraucht war, meldete sich der Hunger wieder. Er kramte vergeblich in seiner Tasche.

An der Tür des Klosters beim südlichen Friedhof verwies man ihn darauf, daß die Mittagsspeisung längst zu Ende sei und er morgen wiederkommen könne. Wo käme man hin, wenn man Ausnahmen machen würde.

Kajetans Magen krampfte sich. Er lief mit schnellen Schritten zu seiner Kammer und wühlte in abgelegten Kleidungsstücken nach vergessenen Münzen. Nichts. Plötzlich hatte er eine Idee. Er zog seinen Koffer unter dem Bett hervor, umband ihn mit einer Kordel und verließ das Haus.

Bald hatte er die Isarbrücke erreicht. Er überquerte sie, stieg einige Meter den Gasteigberg hinan und blieb vor einer kleinen, sich geduckt unter die oberen Geschosse des alten Hauses drängenden Gastwirtschaft stehen. Er zögerte einen Augenblick und sah nachdenklich in den bewölkten Himmel. Dann betrat er entschlossen die übelriechende, von Rauch dunkel gebeizte Gaststätte und setzte sich an einen Tisch in der Nähe der Schanktheke.

Der Raum war fast leer. In seinem hinteren Teil saßen einige Männer, deren Gesicht im Dämmerlicht nicht zu erkennen war.

Eine großgewachsene Frau, deren Alter irgendwo zwischen fünfzig und sechzig Jahren liegen mochte, kam an Kajetans Tisch und wischte sich die Hände an der Schürze. Sie warf einen Blick auf seinen Koffer.

»Stadelheim?«

Kajetan nickte arm. Sie verschwand und kam nach wenigen Minuten mit einem Teller dampfender Suppe zurück. Sie roch köstlich. Kajetan lächelte dankbar und griff gierig nach dem Löffel. Er hatte ihn noch nicht zum Mund geführt, als er gestört wurde.

»Ja! Da schau her!« krächzte es aus dem Dunkel.

Kajetan sah ahnungsvoll auf. Der Mann, dem diese Stimme gehörte, wankte mit höhnischem Grinsen auf ihn zu und stützte sich vor ihm auf den Tisch.

»Der Herr Inspektor! Samma entlassen, ha? Herr Inspektor! Haha! Kennens mich nimmer?«

»Laß mich in Ruh«, entgegnete Kajetan müde. »Ich bin kein ...«

»Jetzt kennt er mich nimmer, der Herr Inspektor! Allerweil stolz, ha? Ich bins! Der Hölzl, den wo Er damals angezeigt hat!«

Die Wirtin hatte aufgehorcht und kam argwöhnisch näher.

»Was sagst, alter Saufbruder? Einen Inspektor nennst du den?« Sie musterte Kajetan mit einem mißtrauischen Blick.

»Stimmt gar nicht«, sagte Kajetan hilflos. Noch immer hielt er den Suppenlöffel in der Hand.

»Der Herr Inspektor! Hahaha! Ha?« kreischte Hölzl außer sich vor Vergnügen und schlug auf den Tisch. Die Wirtin baute sich vor Kajetan auf. »Was is? Bist entlassen worden oder ned?« fragte sie drohend.

Kajetan nickte gepeinigt.

»Und von wo?« dröhnte sie plötzlich. »Tu einmal den Schein raus!«

»Den ... den hab ich nicht ...«

»Des ist doch selber ein Wachtel!« schrie Hölzl höhnisch. »Des is der Inschpekta Kajetan! Der wo mi seinerzeit angezeigt hat! Aber ...«, er schlug sich stolz auf die Brust, »... er hat ihn ned erwischt, den Hölzl!« Die Wirtin sandte einen scharfen Blick zu Hölzl, dann zu Kajetan.

»Ahso ist des«, sagte sie nüchtern, wand ihm den Löffel aus der Hand und zog den Teller vom Tisch.

»Ausse«, sagte sie knapp, und Kajetan hörte am Klang ihrer Stimme, daß er keine Sekunde mehr vertrödeln durfte. Die anderen Besucher hatten sich bereits erhoben. Er floh rumpelnd und stürzte in den Wolkenbruch, der kurz zuvor begonnen hatte.

Seine Laune besserte sich erst, als ihm Brettschneider mit sonderbarem Gesichtsausdruck einen Briefumschlag übergab, die ein Bote, »in einem nagelneuen ›Selve‹«, wie der Pensionsbesitzer anerkennend hinzufügte, abgeliefert hatte.

Kajetan werde gebraucht, stand geschrieben, man erwarte ihn übermorgen um sechs Uhr abends in Urbans Büro über dem Varieté.

✳

Es kam selten vor, daß der Leiter des Ödstädter Zuchthauses zusätzliche Kontrollgänge anordnete. Das Los, den Gefangenen in Zelle Achtzehn ein weiteres Mal aufzusuchen, war auf Bletz gefallen. Mürrisch hatte der Aufseher sich gefügt und um Mitternacht den Wachraum verlassen – nicht ohne zu bemerken, daß er dem Gefangenen, der dem Anstaltsgeistlichen gegenüber Selbstmordabsichten geäußert haben sollte, keine Träne nachweinen würde, wenn dessen Absicht gelänge.

Eine geraume Zeit war seither vergangen. Aufseher Wimmer mischte das zweite Spiel.

»Sollen wir auf den Bletz warten?« Er sah zur Uhr. »Heute scheint er's ja besonders akkurat zu nehmen.«

Feichtl war seinem Blick gefolgt. Er überlegte.

»Hast recht. Aber wenn was gewesen wär mit dem auf Achtzehn, hätt er uns längst gerufen.«

Wimmer kam nicht mehr dazu, eine Antwort zu geben. Das Licht erlosch. Im selben Augenblick erschütterte eine Detonation das Gebäude. Die beiden Aufseher, die nach einer Sekunde der Erstarrung aufgesprungen waren, suchten den Ausgang, stolperten über die umgefallenen Stühle und fielen zu Boden. Wimmer winselte in hysterischem Diskant. Aus dem Zellentrakt drang Gebrüll.

»Es muß drüben sein!« keuchte Feichtl. »Wo ist die Lampe? Kruzifix noch einmal! Wimmer!«

Die Feuersirene heulte auf. Der Brandgeruch verstärkte sich. Rosafarbener Schein erhellte nun das Wärterzimmer. Feichtl tappte nach der Tür und riß sie auf. Erleichtert sah er, daß sich auf dem Flur schwankende Lichter näherten. Der Rauch nahm zu.

»Daher!« brüllte Feichtl. Er spürte, wie er von hinten angestoßen wurde. Ein Uniformierter rannte taumelnd an ihm vorbei.

»Bletz!« schrie Feichtl und hustete bellend. »Was is geschehen? – Bletz?!«

Feichtl lief zurück, packte den panisch um sich schlagenden Wimmer und riß ihn aus dem Zimmer, den Lampenträgern entgegen.

Während die Mannschaft des zweiten Trakts bereits damit begonnen hatte, die Feuerspritze aus dem Kellerdepot zu zerren, und fieberhaft versuchte, ihr Ende am Löschhydranten zu befestigen, taumelte einer der Beamten in blinder Panik zur Pforte. Sein Gesicht war rauchgeschwärzt. Röhrend rang er nach Atem.

»Die Stadtfeuerwehr!« schrie er auf den entsetzten Pförtner ein. »... Alles brennt ... Ich muß die Stadtfeuerwehr holen ... Schnell!«

Zitternd öffnete der Beamte das Tor.

Noch immer heulte die Sirene. Von fern waren bereits die Feuerglocken der Ödstädter Pfarrkirche zu hören.

In der Abenddämmerung hatte der Buick die Stadtgrenze Münchens bereits hinter sich gelassen. Je weiter sie sich von ihr entfernten, desto schwächer wurde der Regen. Selten begegnete ihnen auf der nach Osten führenden Chaussee ein Wagen. Es war dunkel geworden. Die

Nacht war sternenklar. Neben Kandl, der den Wagen steuerte, saß Schoos und zog an seiner Orient.

»Schoos, wennst mir mit deiner Zigaretten ein Loch in den Sitz brennst, schmier ich dir eine«, drohte Urban launig. Er hatte mit Kajetan auf dem Rücksitz Platz genommen.

Der Beifahrer brummte eine unverständliche Antwort und wechselte einen Blick mit dem Fahrer.

»Schauts«, sagte Urban und wies nach draußen, »je weiter wir hinausfahren, desto weniger Wolken hats. Ich sollt mir doch ein Häusl da heraußen zulegen.«

»Und ein Bauer werden, was, Fritz?« sagte Schoos spöttisch.

»Lach nicht«, antwortete Urban, »manchmal überleg ichs mir sogar ...«

Kandl streifte ihn mit einem ungläubigen Blick.

»Schau auf die Straß, Aff!«

»So redet bloß einer, der das Bauernleben nicht kennt«, sagte Kandl nüchtern.

»Magst recht haben«, gab Urban zu. »Aber manchmal träumt man halt. Was wär das Leben, wenn man nichts mehr zum Träumen hätt? Ich weiß schon, daß dem Urban keiner zutraut, daß er auch eine schöne Seel haben kann.«

Die beiden Männer auf den Vordersitzen lachten leise. Kandl wechselte den Gang. Sie hatten das Hügelland erreicht. Urban neigte sich zu Kajetan, ohne ihn anzusehen.

»Also, Paul, hast du es noch im Kopf, was ich dir gesagt hab? Wir halten im Wald oberhalb des Klosters. Du gehst zur Pforte, verlangst den Pater Wolfgang und sagst dem ... was?«

»Habs mir gemerkt, Fritz.«

»Du sagst was, Paul?« wiederholte Urban ungerührt.

»Ich hol den Schlüssel ...«

»Nein! Du sagst, Paul: ›Gelobt sei Jesus Christus. Die

Mäus sind im Dachstuhl.‹ Er wird dir antworten: ›Dann holst dir die Katz.‹ Drauf sagst du: ›Die fangt nimmer.‹ Hast mich verstanden?«

Kajetan versuchte, sich seine Verärgerung über Urbans belehrenden Ton nicht anmerken zu lassen. »Hab ich. Aber wozu brauchts denn den ganzen Zinnober? Du hast doch gesagt, es tät um eine ganz normale geschäftliche Transaktion gehen.«

»Eine heutzutag völlig normale hab ich gesagt, Paul.«

»Und zu was brauchts dann das Indianerspielen?«

»Der kann vielleicht fragen.« Kandl schüttelte seinen dünnen Schopf.

»Du paß auf die Straß auf! – Wozu wohl, Paul?« fragte Urban geduldig. »Denk nach.«

»Wohl, weil keiner wissen soll, daß der Bierkeller vom Kloster dein Lager ist?«

»Erraten. Vom Versailler Vertrag hast schon mal was gehört? Und davon, daß es Handelsbeschränkungen für eine ganze Reih von reichsdeutschen Erzeugnissen gibt?«

Er würde ja gelegentlich Zeitung lesen, erwiderte Kajetan.

»Und du meinst tatsächlich, daß sich da irgendwer dran hält?« bemerkte Urban herablassend. »Aber wirklich nicht! Das wird genausowenig eingehalten wie fast alles, was in dem Vertrag steht. Weder von den unseren, noch von den Franzosen, den Österreichern und den Engländern. Aber trotzdem darf keiner draufkommen, wenn mans tut. Kapierst endlich?«

Kajetan nickte zögernd.

»So? Dann bist gescheiter als ich. Ich kapiers nämlich nicht. Aber es ist mir auch wurscht.«

Schoos beugte sich zur Seite und grinste boshaft. »Paß auf, Paul. Das mag er gar nicht, wenn einer gescheiter ist als er.«

»Schauts auf die Straß, ihr da vorne! Wir haben nicht mehr lang hin!«

»War ein Gspaß, Fritz.«

»Wissen wir schon, daß du ein Komiker bist, Schoos.« Urban lehnte sich zurück. Er sah aus dem Fenster und befingerte sein Bärtchen. Kajetan sah ihn aus den Augenwinkeln an.

»Und, ah, was ist es eigentlich, was heut verkauft werden soll?«

»Tss.« Urban atmete hörbar aus. »Rat einmal.«

Kajetan zuckte mit den Schultern. »Weiß nicht. Ich hab dich bloß neulich von Kartoffeln und von Wein reden hören.«

Urban lachte lauthals auf. »Kartoffeln und Bordeaux, meinst? Da hast richtig gehört. Habts gehört, was er gesagt hat? Schoos? Kandl?«

Kajetan war verärgert. »Was wär jetzt dran so lustig?« fragte er gereizt. Urban legte ihm seine Hand auf den Oberschenkel.

»Jetzt horch einmal zu, Paul! Ich hab dich engagiert, damit du mir zur Hand gehst. Und nicht dafür, daß du mir ein Loch in den Bauch fragst. Das geht dich alles nichts an. Schluß mit der Fragerei. Wenn dir des nicht paßt, kannst gern aussteigen.« Er kniff plötzlich die Augen zusammen. »Kandl! Obacht!«

Der Fahrer trat auf die Bremse. Er sah nach hinten. »Ist es da?«

Urban bejahte und lotste den Fahrer auf einen Waldweg. »Halt an, Schoos. Licht aus.«

Er faßte an Pauls Schulter. »Siehst die Lichter da vorne? Die gehören zum Kloster. Geh, und vergiß den Spruch nicht! Wenn du ohne den Schlüssel zurückkommst, werd ich grantig.«

Kajetan stieg aus. Nach wenigen Schritten hatte er die grau schimmernde Piste erreicht. In der Ferne schlug ein

Hund an. Noch verbarg sich der Mond unter den schwarzen Hügeln.

Nach einigen hundert Metern stand er im Lichtkegel der Pfortenlampe und schlug an das Tor. Ein alter, vollbärtiger Mönch öffnete nach einer Weile die Sichtklappe des mächtigen Tores. Kajetan bat, Pater Wolfgang zu holen. Er müsse mit ihm sprechen. Die Klappe schloß sich, die Schritte des Alten entfernten sich. Wieder vergingen einige Minuten, bis der Riegel zurückgeschoben wurde.

»Gelobt sei Jesus Christus, mein Sohn. Was willst du?« Ein rundes, vollbärtiges Gesicht hatte sich aus dem Spalt zwischen beiden Torflügeln geschoben, sah ihn erwartungsvoll an und atmetete in kurzen, asthmatischen Stößen, als Kajetan seinen Text vortrug. Der Mönch bestätigte den Code, senkte die Stimme und sah um sich.

»Ich komm gleich«, flüsterte er und verschwand wieder hinter dem Tor. Kurz danach kehrte er zurück und übergab Kajetan einen schweren Schlüssel. »Aber kein Aufsehen!« warnte er keuchend, »und schickens Ihnen!«

»Gut gemacht, Paul«, sagte Urban zufrieden und wog den Schlüssel in der Hand. Er wies Kandl an, wieder auf die Straße zurückzukehren; sie fuhren eine Senke hinab. Vor ihnen lag das Inntal. Der Mond hatte begonnen, sich aus dem buckligen Horizont zu befreien.

Auf der Höhe des Klosters bogen sie in einen Feldweg ein und hielten neben einer Hecke an. Kandl machte den Motor aus.

»Also, Manner, alles wie ausgemacht!« flüsterte Urban. Er wies mit dem Zeigefinger auf einen Baum.

»Es ist alles nur für den Fall, daß die anderen eine krumme Sach probieren! Horchts zu: Der Paul versteckt sich hinter der Linde da vorn. Siehst du sie, Paul? Von da aus hast du die alte Innlände im Aug. Der Kandl bleibt beim Wagen, und du, Schoos, gehst mit mir zum Keller.

Der Posch wird schon da sein. Erst zeigt er uns, daß er nicht bewaffnet ist. Dann, daß er das Geld dabei hat.«

»Und wenn ers nicht hat?« wollte Kandl wissen. Seine weiße Stirn schimmerte feucht.

»Dann weinen wir und fahren wieder heim!« fuhr ihn Urban ungeduldig an. »Er hat es, verlaß dich drauf! – Hörts jetzt weiter zu: Wichtiger ist, was hernach passiert, wenn ich mit dem Posch im Keller bin. Ausgemacht war, daß der Posch bei der alten Furt übersetzt und das Zeug vom Keller mit drei von seinen Leuten auf einen Karren lädt. Und jetzt ...« er hob den Finger » ... kommts drauf an! Der Schoos bleibt im vorderen Keller stehen, derweil ich mit dem Posch in den hinteren geh und die geschäftlichen Sachen erledig. Sobald der Paul draußen sieht, daß von der Innseite mehr als drei Leute – hast gehört, Paul? Mehr als drei! – auftauchen, rennt er sofort zum Kandl! Verstanden, Paul?«

»Ja. Und dann?«

Urban zog ein Stoffbündel unter dem Sitz hervor und schlug das Tuch zurück, unter dem zwei chromglänzende FN 1900 blinkten. » ... nimmt sich jeder eine Pistole. Dann schleichts ihr euch, so schnell ihr könnt, von zwei Seiten durchs Feld an den Keller. Sobald die von der Lände dann in den Keller gehen wollen, heißts: ›Händ in d' Höh!‹ Der Paul paßt auf, daß sich keiner rührt, der andere geht zu mir in den Keller. Alles klar? Paul? Was stierst mich so an?« Er schlug das Tuch wieder zu und schob die Waffen in das Versteck zurück.

Kajetan stotterte leicht. »Von ... von Pistolen war aber nie die Red, Fritz.«

»Des gibts doch nicht!« zischte Urban. »Natürlich war davon nicht die Rede, du Depp! Hörst nicht, was ich sag? Es ist nur für den Fall, daß uns einer aufs Kreuz legen will. Aber von mir aus kannst ja auch deinen Finger nehmen, wenn du über den Haufen geschossen werden willst.«

»Die sind bewaffnet?«

»Nein. Die schmeißen mit Roßbollen! Herrgottnochmal! Also weiter: Der Kandl geht zu mir in den Keller.«

»Und dann?« Schoos war skeptisch.

»Na was? Dann wird uns der Posch das Geld geben müssen, ohne daß er was dafür kriegt. Wär mir eigentlich am liebsten. Also – auf jetzt, Paul. Schoos, komm mit. Wir gehen.« Urban verließ den Wagen. Auch die anderen stiegen aus.

Im Mondlicht schimmerte, hinter einer Gruppe hoher, alter Kastanien, das Gemäuer eines kleines zweistöckigen Gebäudes. Der Bierkeller des Klosters lag an einer Schwemmböschung des Inn. Das Gewölbe war vom Erdgeschoß des Hauses in den Hang getrieben worden.

Kajetan, der schon seinen Beobachtungsposten eingenommen hatte, sah Urban und Schoos über der Hangkante verschwinden und kurz vor dem Haus wieder auftauchen.

Eine Gestalt löste sich aus dem Schatten des Gebäudes und bewegte sich auf die beiden Ankömmlinge zu. Wortfetzen flogen herüber; eine kurze Begrüßung schien stattzufinden. Die drei Männer verschwanden wieder im Dunkel der Bäume.

Ein feuchtwarmer Luftzug kräuselte das niedrige Gras. Auf der anderen Seite des Flusses mußte sich Altwasser befinden; Frösche gaben ein fernes Konzert.

Kajetan starrte auf die Schotterstraße, die, vom Kloster kommend, zur alten Fährlände führte. Nichts bewegte sich. Auch aus dem Gebäude drang kein Laut. Er fühlte sich unwohl. Plötzlich fühlte er einen heißen Stich unter seinem Haaransatz. Er patschte ärgerlich danach. Erst jetzt hörte er, daß die Luft vom feinen Summen der Schnaken erfüllt war.

Er duckte sich tiefer. Was geschah im Keller?

Ein Ast knackte. Leise schwirrte ein Nachtvogel über ihn hinweg und verlor sich in der Finsternis.

*

Eine Ölfackel beleuchtete den hinteren Keller. Leutnant Posch hatte einige der Kisten geöffnet, die in Ölpapier gewickelten Gewehre entnommen und geprüft. Er nickte zufrieden.

»Der Preis gefällt der Österreichischen Heimwehr zwar nicht unbedingt, aber ...«

»Posch, ich bitt Ihnen«, sagte Urban milde, »Sie werden doch jetzt nicht damit anfangen.«

»Gar kein Bewegen? Zu was brauchts ihr im Reich denn das Zeug noch? Euer Führer sitzt auf Festung, die Partei ist verboten, und es schaut nicht so aus, als ob die nach der Gaudi bei der Feldherrnhalle jemals wieder auf die Füß kommt. Aber bei uns in Österreich, da schaut das anders aus. Da fällt die Bewegung nicht gleich zusammen, wenns mit der Wirtschaft ein bisserl aufwärtsgeht. Wir haben noch Ideale!«

»Freut uns.« Urban verzog seinen Mund. »Aber ausgemacht ist ausgemacht.«

Der Offizier tat einen Schritt auf Urban zu.

»Was wollt ihr denn noch mit den Waffen, die ihr für den Marsch auf Berlin gesammelt habt? Die verrosten euch doch! Dann hat doch keiner mehr was davon. Wer braucht die denn noch? Sag? Die in Ungarn drunt vielleicht?«

»Vielleicht. Da hab aber keine Sorg.« Urbans Stimme klang kühl. Er zeigte auf die Kisten. »Posch – da ist die Ware. Ich krieg achtzigtausend. Wie ausgemacht. Entweder zahlens, oder wir lassen es in Zukunft bleiben.«

Der Offizier lenkte ein. Er griff in die Innentasche seiner Jacke und zog ein Bündel Banknoten heraus. »Zählens nach.«

Urban war schnell damit fertig. Er steckte das Bündel ein. »In Ordnung. Und?«

»Was und?«

»Wie schauts jetzt mit der Provision aus?«

»Haha! Immer gut aufgelegt, der Herr Urban, was?«

»Was mit der Provision ist, hab ich gefragt.«

»Redens keinen Stiefel. Davon war nie die Red.«

»Posch, wenn ich eins nicht mag, dann das, wenn mich einer für deppert verkaufen will. Eine Provision ist selbstverständlich. Ebenso selbstverständlich ist, daß die nicht im Angebot auftaucht.«

Das Gesicht des Offiziers wurde dunkel. Er ging einen Schritt auf Urban zu.

»Meinst du!« zischte er.

»Mein ich«, bestätigte Urban ungerührt.

»Dann sperr einmal deine Löffel auf, du Windbeutel. Da draus wird nichts. Und ich weiß nicht, ob auch der Kommerzienrat Dandl, in dem sein Auftrag du die Waffen eurer ehemaligen Freicorps-Helden verscherbelst, so begeistert ist, wenn er von solchen Geschäfterln hört.«

Urban lachte höhnisch. »Oh! Der Kommerzienrat Dandl ...! Ich scheiß mir gleich in die Hosen!«

»Ist vielleicht gar nimmer so lang hin, bis das passiert.«

Kajetan hielt den Atem an. Er hatte Poschs Männer entdeckt. Zwei Gestalten hatten sich aus dem schwarzen Dickicht des Flußufers gelöst und bewegten sich in schnellem Schritt auf das Kellerhaus zu. Kajetan kniff die Augen zusammen und atmete erleichtert auf. Was hatte Urban gesagt? Er solle nur dann Alarm schlagen, wenn sich mehr als drei Männer auf das Haus zubewegen würden.

Es waren jedoch nur zwei. Kajetan atmete erleichtert auf. Er konnte auf seinem Platz bleiben.

Plötzlich hörte er ein Geräusch, das sich rasch näherte. Es kam aus der entgegengesetzten Richtung, in der sich das Kloster befand. Kajetan warf sich hinter den Baum. Eine kleine, rundliche Gestalt in wehender Kutte hob sich gegen den hellen Nachthimmel ab, passierte Kajetans Versteck und eilte auf die Wiese über dem Keller zu. Kajetan hatte den Pater wiedererkannt. Was suchte der Mönch um Mitternacht vor dem Kloster? Warum hatte er nicht den Pfad genommen, der zum Eingang des Kellers führte? Kajetan wagte sich aus seiner Deckung und richtete sich gebückt auf. Doch nun war der Mönch wie vom Erdboden verschluckt.

Sein Blick folgte wieder den beiden Männern, die sich weiter dem Kellerhaus genähert hatten. Niemand folgte ihnen.

›Es sind keine vier‹, beruhigte er sich in Gedanken, ›es sind nicht einmal drei‹.

Sein Körper hörte nicht auf ihn. Plötzlich begann Kajetans Puls zu jagen.

Urban hatte seine Taschenuhr wieder eingesteckt.

»Posch, du verplemperst deine und, was mich langsam grantig macht, auch meine Zeit. Laß die Tänz sein. Wies der Zufall will, kenn ich den Führer der Heimwehrsektion St. Johann, die dich hergeschickt hat, ganz gut. Oder sagen wir: Ich kenn ihn sogar so, wie er sich selbst manchmal nicht kennt. Außerdem bin ich zwar kein schneidiger Leutnant wie du, aber dafür täusch ich mich selten. Und ich frag mich, obs nicht sein könnt, daß der

Posch daheim in Tirol ein bisserl mehr Beschaffungsbedarf angemeldet hat, als was die Ladung kostet?«

Der Offizier verriet sich durch eine unbeherrschte Handbewegung. Er atmete bebend.

»Bist ärger wie ein Jud!« Starr vor Wut ließ er zu, daß ihm Urban tröstend die Hand auf die Schulter legte.

»Ich wär doch der letzte«, fuhr Urban in verständnisvollem Ton fort, »der dir das übelnähm. Da schicken die Kameraden dich herüber – eine Mission, die schließlich gar nicht so ungefährlich ist. Was wär jetzt, wenns euch an der Grenze aufhalten täten?«

»Ich versteh dich schon, du Hund«, ächzte Posch und machte sich frei.

Urban spielte den Unverstandenen. »Was meinst? Daß ich dich anzeig? Daß du mir so eine Gemeinheit zutrau ...«

»Dann wärst aber du auch dran, Urban!«

»Du siehst die ganze Geschicht zu schwarz, Posch. Wie kommst drauf, daß auch ich dran wär? Schau dich um. Ist da herinn jemals was anderes eingelagert gewesen als das berühmte Sarzhofener Dunkle? Nebenbei: Hast das übrigens schon einmal ausprobiert? Ich sag dir: Das ist das beste Bier im ganzen Land. Kannst trinken und trinken ...«

»Wieviel?« knurrte Posch.

»Sovielst magst. Bis du halt einen Rausch hast.«

»Wieviel?« wiederholte der Offizier gepreßt.

Urban wurde wieder sachlich. »Die Hälfte, Posch. Die Hälfte von dem, was du dir auf die Seite tun wolltest. Wie ich dich kenn, geht bei dir unter zwanzig Prozent persönlichem Aufschlag gar nichts. Das wären also: Zehntausend.«

Der Offizier stierte ihn ungläubig an. »Du bist narrisch, Urban!«

»Geh zu, Posch. Du bist doch ein Idealist.« Urban lächelte boshaft. »Für die Sach muß man schon einmal ein Opfer bringen, nedwahr? – Wo bleiben übrigens deine Leut? Ah, das werden sie sein.«

Aus dem dunklen Gewölbegang, der den vorderen Keller mit der tiefer im Berg liegenden Halle verband, drang das Geräusch von Schritten. Alarmiert bemerkte Urban, daß Posch schnell einige Schritte zur Seite ging und ein triumphierendes Grinsen nicht verbergen konnte.

Mit erhobenen Händen betrat Schoos die Halle. Zwei Männer folgten ihm. Ihre Gewehre waren auf Schoos' Rücken gerichtet.

»So, Urban«, sagte Posch gelassen, »jetzt hebst auch du deine Pratzen in die Höh. Aber nicht, weil ich fürcht, du könntst mir was antun. Sondern bloß ...« Er trat mit einem schnellen Schritt vor ihn und riß Urbans Jacke mit einem Ruck auf, » ... damit ich leichter wieder an mein Geld komm.« Er zog das Bündel hervor, steckte es ein, stellte seine Beine breit und schlug Urban klatschend ins Gesicht. Dann wandte er sich triumphierend an seine Gehilfen.

»Ich sag nicht zuviel, bloß, daß es sich für euch rentieren wird. Auf! Die zwei werden gefesselt und da hinten ans Eisen gebunden. Habts die Karren dabei?« Er drehte sich zu den Kisten. »Wir nehmen alles mit. Mit denen ganz hinten fangen wir an ...« Er bückte sich, um die Schrift auf den Kisten besser lesen zu können. »Wo habts denn eigentlich den Feri gelassen?«

Er hatte plötzlich den Eindruck, daß es hinter seinem Rücken still geworden war.

»Sagts? Der Feri? Wo ist denn der ...?«

Er fuhr herum.

»Waffen runter, Händ in d'Höh!« Kajetan hob seine Pistole. »Ich weiß zwar allerweil noch nicht recht, um was es eigentlich geht, aber bestimmt wär das erst einmal das Gescheiteste.«

»Da hat er nicht unrecht.« Kandl trat hinter ihn. Auch

er hielt eine Pistole auf die Männer gerichtet. Sie ließen ihre Waffen fallen und hoben die Hände.

»Hinterm Haus liegt übrigens noch einer von euch. Der muß sich verlaufen haben. Wir haben ihm den Weg zeigen wollen, aber er ist auf einmal eingeschlafen.«

Urbans Brust hob und senkte sich heftig. »Ihr seids Hund'!« stieß er heiser hervor, zog ein Tuch aus seiner Tasche und wischte sich damit über die Stirn. Dann wandte er sich um.

»Der Posch, glaub ich, hat heut gar keinen guten Tag erwischt.« Seine Stimme triefte vor Hohn.

»Urban, ich ... es war ... tu mir nichts ...« Die Stimme des Leutnants schien zu erlöschen.

»Wie kommst da drauf, Posch? Ich nehm dir bloß das Geld wieder ab, damitsd nicht so schwer zu tragen hast.«

Er griff in die Tasche des Offiziers und zog das Bündel hervor.

»Und außerdem hab ich meine Grundsätze. Einer davon ist, daß ich allerweil sag: Ein jeder soll bloß das tun, was er auch kann. Und umgekehrt das nicht, was er nicht kann. Zum Beispiel zu probieren, den Urban auszuschmieren.«

»Ich ... wir sind doch ... Kamerad ...«, stammelte Posch.

Gelassen steckte Urban die Banknoten in seine Tasche. »Ich für meine Seiten kanns einfach nicht«, fuhr er ungerührt fort, »jemandem ein paar Fotzen zu geben. Auch wenn er die verdient hat.« Seine Stimme klang jetzt beinahe hilflos. »Da hab ich einfach meine Grundsätze, wie gesagt. Was ich nicht kann, das tu ich auch nicht.«

Posch nickte dankbar. Er öffnete den Mund.

»Das ... das vergeß ich dir ni ...«

Urban trat zur Seite. »Sag, Schoos, bist nicht du bei so was allerweil ganz gut zum brauchen?«

✳

Urban hatte die letzten Gäste, die betrunken an den Tischen des Varietés dösten, hinauswerfen lassen. Sein Gesicht glänzte wie das eines ausgelassenen Jungen, dem ein Streich geglückt war. Eine fettige Strähne hatte sich aus seinem glattgekämmten Haar gestohlen und klebte über seinen Augen.

»Geh zu, Paul! Sei ned so fad! Trink!« Lachend hob er sein Glas. »Mia, und du? Heut schaust aus wie eine kranke Kuh! Prost alle miteinander!« Der Trinkspruch wurde lautstark erwidert. Urban legte seinen Kopf in den Nacken und trank.

»Heut schau ich nicht auf eure Zech, Manner!« rief er, nachdem er das Glas wieder abgestellt hatte. »Das ist der Kommunismus! Haha!« Er schob sich die Haarsträhne aus der Stirn.

Kajetan warf einen verstohlenen Blick auf Mia, die ihm gegenübersaß. Sie hatte ihr Glas bereits abgestellt und sich zurückgelehnt. Sie wirkte nachdenklich.

Kandl prostete Kajetan mit bereits schwerer Stimme zu.

»Kann man sagen was man will«, gestand er ein, »aber du bist heut nicht schlecht gewesen. Der Lackl hätt mich umgebracht, wenn du nicht gekommen wärst. Ich war überhaupt nicht darauf gefaßt. Sag, wie bist denn überhaupt dahintergekommen, daß die es von hinten anpacken wollten?«

»Eine glatte Befehlsverweigerung war des von ihm!« rief Urban lachend in die Runde, bevor Kajetan antworten konnte. »Ich hab ihm nämlich angeschafft, daß er sich nur dann rühren soll, wenn mehr daherkommen als die drei, die ausgemacht waren! Wenn einer da jetzt nicht besonders wif ist – Kandl, ich hab dich ausnahmsweise nicht angeschaut! –, dann sagt der sich: Das sind ja nicht einmal drei, sondern bloß zwei. Kann ich also sitzenbleiben! Aber was tut der Paule, der Hundling? Der kümmert sich einfach nicht drum, was ihm der Urban anschafft! Sondern rennt zum Kandl und kommt grad recht, wie ihm der dritte Bazi an die Gurgel geht! «

Er schlug begeistert mit der Hand auf den Tisch. »Glatte Befehlsverweigerung, jawohl! So einen müßt man auf der Stell an die Wand stellen! Haha!« Urban lachte schallend. »Und den Kandl, die Schlafhauben, gleich mit dazu!«

Kandl lächelte gequält.

»Wenn er mich doch von hinten angepackt hat!« verteidigte er sich.

»Geh zu! Du hättst ihn auch nicht gesehen, wenn er von vorn gekommen wär. Manchmal frag ich mich schon, Kandl, ob dein Hirn auch da ist, wos hingehört. Was sagst denn du dazu, Gotti? Du mußt es am ehesten wissen. In der Hosen, gell?«

»Wissen wir doch«, kicherte sie.

»Vorn oder hint, Gotti?«

Ein Kreischen flog an die Decke. Kandl blickte säuerlich. Auf seinen Wangen hatten sich handtellergroße rote Flächen gebildet.

»Könnt jedem passieren!« sagte er gereizt.

»Naa. Des passiert allerweil bloß dir«, sagte Gotti gehässig. »Dem Paul könnt so was nicht unterkommen.« Sie sah Kajetan herausfordernd an. Kandl streifte sie mit einem drohenden Blick. Sie spitzte entschuldigend den Mund.

»Aber der Beste von allen ist dein Pater gewesen!« japste Schoos.

»Wer? Sein Pater?« Gotti prustete los. »Der Fritz hat einen Pater?« Alle Blicke richteten sich auf Urban, auf dessen vergnügtem Gesicht sich ein dünner Fettfilm gebildet hatte. »Erzähls halt«, erlaubte er.

»Also paßts auf«, begann Schoos, »wie wir zum Auto zurückgehen wollen, nachdem wir den Posch und seine

Würsterl schon weitergeschafft haben, steht der Pater auf einmal da. Sagt der Fritz: Gelobt sei Jesus Christus, Pater Wolfgang.«

»Wie er das kann?« stichelte Gotti und neigte den Kopf zu Mia, die neben ihr saß.

»Der Pfaff salbt zurück. Fragt ihn der Fritz: ›Was tuns denn da mitten in der Nacht?‹. Und pfeilgrad penzt der Kuttenbrunzer ihn an wegen einer Beteiligung: Der Dank an den Herrgott und die Heilige Mutter Kirch dürft nicht vergessen werden, wenn man so ein gutes Geschäft gemacht hätt, das Dach von irgendeiner Kirch sei vom Wetter zusammengehauen worden und ob da nicht eine kleine Spende drin wär, von, sagert er amal, zehn Prozent. Da warst erst einmal platt, Fritz, gell?«

»Ist wahr!« bestätigte Urban schmunzelnd. »Ich sag drauf, daß das Geschäft heut ganz, ganz schlecht gegangen sei und und heb ihm fünfzig Mark hin. Da schaut er mich so zum Derbarmen an, daß ich fast ein schlechtes Gewissen krieg.«

»Du – ein schlechtes Gewissen«, stichelte Kandl. Urban hatte es nicht gehört.

»›Des sind zehn Prozent‹, sag ich. Und was tut er? Er deutet an die Decke und sagt mir: ›Der Herrgott hört alles.‹ Ich schau nach oben – und was seh ich? Einen Luftschacht, der auf das Feld über dem Keller führt! Wennst da oben reinloost, dann ist das besser wie jedes Telephon! Hat der Bazi tatsächlich alles gehört! Na, da hab ich natürlich nicht ausgekonnt und hab ihm noch was drauflegen müssen. Dafür hat er uns wenigstens alle noch gesegnet.« Urban japste. »Und ein Spendertaferl hätt er mir glatt auch noch machen lassen! Ja sonst noch was, sag ich, das ist dann doch zuviel der Ehr!« Grölendes Gelächter platzte.

»Der Fritz!! Der Wohltäter! Warum ned gleich der Kirchenpatron?«

Gotti wischte sich die Tränen aus den Augen und schneuzte sich.

»Aber was habts denn mit den Tirolern gemacht?« fragte sie zweifelnd. »Doch nicht ...?«

»Der Fritz hat seinen guten Tag gehabt!« sagte Schoos.

»Habt ihr sie wieder ausgelassen?«

»Was sonst?« sagte Schoos generös. »Die waren gestraft genug! Wir haben sie in die Fähre reingesetzt, die Ruder abgesteckt und abtreiben lassen. Des Gsicht vom Posch hättst sehen sollen! ›Ös Boarfackl!‹ hat er geschrien. Irgendwo wird sies schon angeschwemmt haben.«

»Und die Ladung – hast ihm die trotzdem gegeben?«

»Freilich, Domerl«, sagte Urban sarkastisch und, sah zur Decke. »Wie oft soll ich dirs noch sagen: Erst nachdenken, dann fragen. Für wie deppert hältst du mich eigentlich?«

Domerl grinste irritiert.

Kajetan hatte den sanften Druck einer Fußspitze an seinem Bein verspürt. Verstohlen äugte er zu Mia, die im selben Augenblick seinen Blick gesucht hatte und ihn lächelnd erwiderte. Sein Herz schlug schneller. Die Fußspitze tastete seine Waden empor. Kajetan griff hastig zu seinem Glas. Der Fuß wanderte langsam zu seinem Knie.

Plötzlich stand Mia angewidert auf und ging zur Tür. Verblüfft stellte Kajetan fest, daß die Fußspitze noch immer nach oben wanderte. Gotti zwinkerte ihm durch ihr Weinglas unauffällig zu, bis ihre Mundwinkel plötzlich nach unten fielen. Kajetan hatte sein Bein überrascht zurückgezogen. Wütend preßte sie ihre Lippen aufeinander.

»Nichts hats gegeben«, stellte Schoos klar. »Uns erst ausschmieren wollen – Nein!«

»Dann wars ja ein doppelt gutes Geschäft, Fritz.« Domerl sah Urban bewundernd an.

»Es geht so«, sagte Urban bescheiden. »Aber ich muß nochmal sagen: Wenn der Paul ned gewesen wär, der verreckte Hund, hätts ein schlechtes werden können. Ich hätt ihn ja erst gar nicht mitgenommen, aber dann hab ich mir denkt, der Bursch, der unsere Mia raushaut ... Wo ist sie denn überhaupt?«

»Auf den Abort, glaub ich, ist sie gegangen«, antwortete Domerl.

»... dem mußt einen Gefallen tun«, beschloß Urban. Er hob den Finger und sagte salbungsvoll. »Das ist Treue, Manner! Damit ihrs wißt. Der Urban läßt keinen hängen!«

Die Sitzenden murmelten anerkennend und widmeten sich wieder ihren Getränken. Urban beugte sich zu Kajetan.

»Ah, glatt hätt ichs vergessen!« Er griff in seine Brusttasche und zog ein Bündel zusammengefalteter Geldscheine hervor.

»Weißt, was das is, Paul?« sagte er leise. »Gewiß weißt das.«

Kajetan verstand nicht. Er zuckte mit den Schultern. »Ein Geld halt.«

»Nicht bloß ein Geld, Paul.«

»Was meinst?«

Er kam noch näher. »Paß auf: Keiner erfährt von dir, was passiert ist. Hast mich verstanden? Des sind also ned bloß fünfzig Mark ...«

»Oh.«

»... des ist ein Kontrakt.«

Kajetan verstand. »Schweigegeld, meinst.«

»Gescheit! Aber ich bin Geschäftsmann. Drum heißts: Kontrakt.«

Während er sich wieder zurücklehnte und nach seinem

Glas griff, steckte Kajetan das Geld ein. Das reichte für fünf Monatsmieten, nicht übel.

»Du gehst auf das Sichere?«

»Stimmt«, gab Urban zu. »Was hast du denn gemeint?«

»Ich frag mich dann bloß, warum du mich mitgenommen hast zu der Geschicht.«

Urban schien etwas unwillig. »Mei – ich sag ja: Treue um Treue. Du hast dem Kaiser seine Leut zusammengefotzt. Das hat mir gefallen. Da läßt der Urban sich nicht lumpen. Prost, Paul.« Er lächelte liebenswürdig und hob das Glas. »Wo gehst denn hin?«

Kajetan war aufgestanden. Er deutete auf die Toilettentür.

Wenig später stand er neben dem bereits leicht wankenden Kandl, der sich mit einer Hand an den feuchten Fliesen abstützen mußte und platschend in die Rinne urinierte. Er brummte ärgerlich vor sich hin. Als er seine Hose wieder zuknöpfte, nahm er Kajetan wahr, beugte sich zu ihm und maß den peinlich Berührten von oben bis unten.

»Is was?« Verärgert versuchte Kajetan sich abzuwenden.

»Aufpassen, Paul«, lallte der Betrunkene, »der Fritz wenn einen lobt, dann ist das kein gutes Zeichen. Das mag er nämlich nicht, wenn einer wifer ist wie er und ihm nachweist, daß sein Plan nichts getaugt hat. Am meisten stinkt ihm, wenn er einem sogar noch was zu verdanken hat. Verstehst das?«

»Nein«, gab Kajetan zu und schloß seinen Hosenschlitz.

»Der hat nämlich hint und vorn nichts getaugt, sein Plan. So schauts aus.«

»Weißt du, warum er mich mitgenommen hat? Er hat mich ja kaum gekannt.«

»Eben deswegen«, Kandls gelbes Gesicht kippte vor Kajetans Augen, »grad weil er dich kaum gekannt hat. Weil dich überhaupt keiner kennt, Paule. Weil dich deswegen auch im Kloster niemand mit ihm in Verbindung gebracht hätt. Er hat eine Visage gebraucht, die niemand mit ihm in Verbindung bringt. Daß der Pater so neugierig ist, hat er ja auch nicht eingeplant. Dafür hat er den ja auch schmieren müssen. Der Fritz und was geben, das wär das Allerneueste.«

»Du magst ihn nicht«, stellte Kajetan fest.

»Eine Drecksau ist es.« Kandl rülpste und griff an Kajetans Revers. »Seit mir eine ausgekommen ist von den Kartoffeln, läßt er mich nimmer hin, die gemeine Sau.«

Kajetan sah ihn verständnislos an. Kandl grinste überlegen. »Kartoffeln, das sind die Weiber aus Ungarn.«

»Und Bordeaux, das ist eine aus Frankreich.«

»Gscheit!« lobte Kandl und schlug ihm seine Hand auf die Schultern. »Das sind die Rassigeren. Aber auch schwerer zum einreiten.« Er drehte sich torkelnd um und schob die Tür zum Flur auf.

Kajetan hatte genug gehört. Er würde sich nicht mehr von Urban verabschieden und verschwinden.

Als er den Flur passierte, hörte er eine leise Stimme.

»Paule!«

Mia stand hinter einem Mauervorsprung, den das Ganglicht nicht erreichte und gähnte. Sie zog ihr Plaid über den Schultern zusammen und gähnte. Er blieb stehen und wurde schlagartig hellwach.

Etwas warnte ihn. Er ging auf sie zu. Erst jetzt sah er eine winzige Narbe an ihrer Wange, die mit ihrem Lächeln tanzte.

»Ich möcht heim. Kommst mit?« fragte sie einfach.

Finger weg! sagte er sich. Vielleicht sollte er einfach lügen. Ihr was vormachen. Daß er zu müde sei. Daß sein Mädchen auf ihn warte. Irgendwas.

»Ja«, antwortete er. »Wohnst du weit weg?«

Sie schüttelte den Kopf. »Am Glockenbach hinten.«

Er verstand. »Da treibt sich in der Nacht ein Haufen Gesindel herum, hm?«

»Nicht deswegen«, sagte sie ehrlich.

Er schwieg. Er fühlte keine Aufgeregtheit, nur eine schöne, gelassene Ruhe. Sie stellte den Kopf schräg und beobachtete ihn. Er wies mit dem Kopf nach hinten.

»Was ... was sagt denn der Urban dazu?«

Sie schien an etwas anderes zu denken.

»Weiß nicht«, sagte sie heiser.

Sie war auf den Karlsplatz vorausgegangen und hatte unter dem Vordach des Kiosks auf ihn gewartet. Nach wenigen Minuten sah sie seine Gestalt, die, in regelmäßigen Abständen die Kreise der milchig glimmenden Gaslaternen passierend, näher kam. Sie hakte sich geschwisterlich bei ihm ein. Sie gingen den breiten Boulevard der Sonnenstraße hinunter.

Noch immer stand fast undurchdringlicher Nebel auf der Straße, doch es war wärmer geworden. Sie gingen langsam und ohne Hast. Ihre Schritte – die seinen unmerklich schwerer tönend als das helle Klicken ihrer hohen Schuhe – klangen gleichmäßig auf dem Pflaster. Kein Ziehen und Drängen, kein eiliges Nachtrippeln, kein Zur-Seite-Stolpern störte den Einklang ihrer Bewegungen.

Die Straße war frei, die Stadt schlief längst. Die Lichter eines Wagens bestrichen die Gegenseite der Sonnenstraße, das gedämpfte Tuckern des Motors verlor sich im Norden.

Im Dunkel zwischen zwei Laternen blieben sie stehen und küßten sich. Sie schien zu frieren. Er knöpfte seinen Mantel auf und hüllte sie damit ein. Sie ließ es schwei-

gend geschehen und schmiegte sich an ihn. Dann gingen
sie weiter, und sie erzählte mit wenigen Sätzen, daß sie
gelegentlich im Lokal als Sängerin auftreten würde und
Fritz Urban, der in dieser Beziehung viel von ihr hielte,
sich für sie eingesetzt hätte. Sie verdiene dabei nicht viel,
aber es würde ausreichen. Nein, geliebt hätte sie ihn einmal, aber das sei schon lange her.

Sie sprachen wenig, schließlich schwiegen sie ganz.
Anderes war unnötig; beide hatten das Gefühl, sich seit
langem zu kennen. Bald hatten sie den Sendlinger-Tor-
Platz erreicht und tauchten in die dunkle Schlucht der
Vorstadtstraße.

In Mias Wohnung, die aus einem winzigen Vorraum
und einer Schlafkammer bestand – was Kajetan mit einem bewundernden »nobel, nobel« kommentierte – hatte noch immer nichts ihre traumwandlerische Vertraut-
heit erschüttert. Mit ruhigen Bewegungen begannen sie,
sich zu entkleiden.

»Mach das Licht aus«, bat sie nach einer Weile
freundlich, »du stehst grad dort.« Sie lächelte. »Da wird
nicht gelurt. Wirst schon nichts verpassen.«

Sie zog ihr Unterhemd aus. Seine Augen hatten sich
noch nicht an die Dunkelheit gewöhnt, als er hörte, wie
sie die Decke zurückschlug und sich mit dem leichten Ra-
scheln, das die Berührung nackter Haut auf kühler, ge-
stärkter Wäsche hervorruft, ins Bett legte. Sie richtete ihr
Kissen und schlug leicht auf das Plumeau. Als wäre er in
diesem Bett geboren, glitt Kajetan an ihre Seite. Sie hatte
sich nur bis zu den Hüften zugedeckt. Ihre Haut strahlte
kühl. Fröstelnd erwiderte sie seine Umarmung. Er fühlte
die Spitzen ihrer Brust, die sich mit süßer Schwere an ihn
drängte. Sie stöhnte wohlig. »Du stinkst ja«, flüsterte sie.
»Du nicht«, gab er zurück. Sie lachten leise.

Das Fenster war einen Spalt geöffnet. Durch den Vorhang drang graues Mondlicht. Mit nachtschwarzen Au-

gen begannen sie, sich zu erkennen und sahen nichts als Frieden und Glück und, einen Hauch lang, das Aufflammen einer Überraschung im Blick des anderen.

Fern schlug eine Turmuhr. Es war lange nach Mitternacht. Sie streichelten sich – die Zeit bewegte sich nicht mehr, seit sie im Flur des »Steyrer« gegenübergestanden waren – mit unendlich langsamen Bewegungen und wurden nicht satt zu spüren, wie sich unter ihrer Haut mehr und mehr eine pochende, wohlige Hitze staute.

»Jetzt ... ist alles gut«, flüsterte sie ergeben. Ihre Stimme klang brüchig. Er küßte die pulsende Haut ihres Halses. Von der Schulter strich seine Hand über ihren Rücken, ertastete ihre Hinterbacken und zog ihren Unterleib zu sich. Sie berührte seine Finger.

»Ich bin nicht präpariert«, flüsterte sie, »wir müssen uns anders liebhaben. Sei mir nicht bös.«

»Wie?« raunte er, vergraben in ihrem Haar, dessen Geruch ihn betrunken gemacht hatte. Ein leises, belustigtes Lachen drang an sein Ohr.

»Oh mei, Bub«, gluckste sie.

Sein Mund öffnete sich plötzlich wie der Schnabel eines hungrigen Vogels. Er wollte etwas sagen, doch sein Mund weigerte sich, die Worte zu formen. Er bleckte die Zähne und grub sie mit heftiger Zärtlichkeit in ihre Haut.

»Friß mich nicht!« stöhnte sie. Sie hatte begonnen, ihn mit heftigen Bewegungen zu streicheln und kreiste mit ihrer flachen Hand auf seinem Bauch.

»Hab so einen Hunger!« jammerte er. »Und ich erst!« flüsterte sie mit bebender Stimme. Ihre Hand krallte sich in sein Fleisch. Sie senkte ihren Kopf und begann, seine Haut wie die einer reifen, salzigen Frucht zu lecken. Ihr Körper glänzte. Ziellos schnappend, sich windend wie ein erstickender Fisch, drängte sich Kajetan an sie, doch sie drückte ihn mit einer kräftigen Bewegung zurück.

»Nein!« zischte sie böse und setzte sich mit einer flinken Drehung rücklings auf seine Brust. Er küßte sie. Vergraben in Haut und Hitze und Haar, schoben sich ihre Körper weich und naß übereinander und wogten mit sanften Bewegungen vor und zurück. Längst hörten und sahen sie nicht mehr, was um sie herum vor sich ging.

Der Mond war hinter den Dächern versunken und hatte diesen Teil der Stadt in pechige Schwärze getaucht. Nur aus dem Fenster eines der gegenüberliegenden Häuser schimmerte Licht. Die Laute eines heftigen Streits drangen in die Nacht.

Mia und Kajetan lagen nahe beisammen, als seien sie eins. Auch als der Schlaf in ihre satten Körper kroch, lösten sie sich nicht voneinander. Er grunzte leise. Mit unendlich langsamer Bewegung strich sie durch sein schweißiges, zerwühltes Haar.

Sie fühlte, wie ihre Augen zu brennen begannen. Eine Träne löste sich, rieselte über seine Schulter und versickerte im Leintuch. Er bemerkte es nicht.

Sie suchte im Dunkeln sein Gesicht. Dann schloß sie die Augen.

Sie hatte nie wirklich gelernt, von sich zu sprechen. Oft stieg stechend der Verdacht in ihr auf, daß sie dazu zu unbedeutend sei. Und weil sie nun liebte, kam ihr nur diese Frage in den Sinn. Sie öffnete den Mund, zögerte und schloß ihn wieder.

»Paul?«, flüsterte sie schließlich, »gehts dir ... gut?«

Er antwortete nicht. Sie hörte auch nicht, wie sich sein Atem veränderte.

Sie drehte ihren Kopf zurück.

›Brauchst auch gar nichts zu sagen, Paul,‹ dachte sie mit kraftlosem Trotz und fühlte den Schlaf nahen, ›ich nämlich ... bin so dermaßen glücklich ...‹

✳

Das Fenster im obersten Stockwerk des Hauses in der Baumstraße stand einen Spalt geöffnet. Die Krallen eines kleinen, frühen Vogels tickten aufgeregt auf dem mit Zinkblech verblendeten Sims. Das Tier flatterte mit leisem Zirpen davon, als sich der Vorhang ins Freie bauschte. Ein Sonnenstrahl geisterte einen Windhauch lang über das Bett, in dem Mia unter einer zerwühlten Tuchert lag, das sie im Schlaf bis an ihr Kinn gezogen haben mußte.

Ihr Mund war halb geöffnet; sie lag auf dem Rücken und atmete friedlich. Aus der Tiefe des Hinterhofs tönte das Geschrei eines Säuglings. Es mischte sich mit dem regelmäßigen Kreischen der mechanischen Säge, das aus dem Tor einer Schreinerei im zweiten Hof drang.

Wieder bauschte sich der dünne Stoff des Vorhangs, eine sanfte Bö kippte klare Morgenluft in das Zimmer. Langsam erwachte Mia. Sie sah benommen um sich. Die Decke fröstelnd an ihren Körper gepreßt, richtete sie sich auf.

Die Sonne stand noch tief; als ihre Strahlen wieder auf das Bett fielen, erhellten sie nur die weiße Fläche der Bettdecke, erreichten aber noch nicht das Gesicht des Mädchens. Eine Weile blieb Mia schlaftrunken und sinnend sitzen.

›Wie seltsam ...‹, dachte sie. Schließlich stand sie auf, gähnte, blieb einen Augenblick unschlüssig stehen und ging dann mit tappenden Schritten zum Fenster. Sie zog den Vorhang zur Hälfte auf und sah, den Stoff mit der Hand haltend, in den Himmel. Die Morgenkühle rötete ihre Haut. ›Was für ein Tag ...‹, taumelten die Worte durch ihr Gehirn, › ... was für ein entsetzlich schöner Tag‹.

Sie schloß berauscht die Augen und atmete tief. Dann streckte sie sich und drehte sich um. Ihr Blick fiel auf das zerwühlte Bett, und eine Wonne durchströmte ihren Körper. Sie kroch wieder unter die Decke und schloß die Augen. Ihre Nasenflügel bebten unmerklich; alles um sie roch köstlich, und in sanften Schüben kehrten die Bilder, Worte und Geräusche der vergangenen Nacht zurück.

Es klopfte. Unwillig hob sie den Kopf. › ... mag nicht‹, dachte sie. Sie wußte, wer an der Tür stand und nun erneut daran schlug.

Schließlich stand sie auf, zog sich an und öffnete.

Ein rundgesichtiger, etwa zehnjähriger Junge stand vor der Tür.

Mia gähnte. »Guten Morgen, Beppi!«

Sein Gesicht glühte vor Verliebtheit. »Grüß Gott, Fräu'n Mia«, stotterte er aufgeregt, »ich soll dir den Brief da bringen. Er ist bei der Tant abgegeben worden. Schon am Samstag, aber sie hat gestern nicht mehr dran gedacht.«

Er hielt ihr zitternd das Kuvert entgegen.

Mia nahm den Brief und strich Beppi lächelnd über das Haar. Er errötete noch mehr.

»Dank dir schön – wart. Kriegst ein Gutl. Ein ganz besonders gutes.« Sie ging in ihr Zimmer zurück, öffnete eine Schachtel mit Pralinen, nahm eine davon heraus und drückt sie dem Jungen in die Hand. Der Junge sah gepeinigt zu ihr auf. Verstand sie denn nicht, daß er kein Kind mehr war?

»Heut ... heut schaust so schön aus ...«, stammelte er. Sie küßte ihn auf die Stirn. Er schien vor Verzückung zu versteinern. Sie gab ihm einen Klaps.

Mia schloß die Tür und stellte sich an das Fenster. Verwundert betrachtete sie den Absender. Sie kannte den Ort nicht. Was hatte sie mit einem Gemeindeamt irgendwo auf dem Land zu tun? Sie öffnete den Brief.

Als sie ihn gelesen hatte, setzte sie sich auf einen Stuhl und ließ die Hand, die den Brief hielt, auf ihren Schoß sinken.

›Seltsam‹, dachte sie, ›warum ist das bloß allweil so? Wenn einmal etwas gut ist, kommt auf dem Fuß was Traurigs.‹

＊

Als Kajetan die Tür zu Mias Wohnung hinter sich geschlossen hatte, überfiel ihn das unbestimmte Gefühl, als ob ihn jemand beoachten würde. Ihm war, als hätte er in der Tiefe des Treppenhauses ein Geräusch gehört. Er schlug seinen Kragen hoch und steckte seine Hände in die Taschen.

Das Treppenhaus führte in die unbeleuchtete Hofeinfahrt. Als er die letzten Stufen betrat, bemerkte er im winzigen Bruchteil einer Sekunde einen eigenartigen, tierhaften Geruch. Dann platzte eine Garbe blinkender Sterne vor seinen Augen. Er fühlte einen gellenden Schmerz im Nacken und ging benommen in die Knie. Wieder hechtete eine Gestalt auf ihn zu. Kajetan versuchte, sich zu seinem Angreifer zu drehen, duckte sich und hielt die Hände schützend über seinen Kopf. Faustschläge und Fußtritte jagten auf ihn herab. Der Angreifer schien außer sich vor Wut zu sein. In seinen keuchenden Atem mischte sich ein Geräusch, das wie Schluchzen klang.

Kajetan stieß mit seiner Faust heftig zu. Der Unbekannte torkelte zurück und wollte sich wieder auf Kajetan stürzen, als sich das Tor der Einfahrt öffnete. Im Lichtschein des bereits dämmernden Tages stand eine alte, gebückte Frau und blickte erschrocken auf das kämpfende Knäuel.

Der Unbekannte sprang auf und rannte mit weiten Schritten auf die in hilflosem Schrecken Erstarrte zu, stieß sie zur Seite und verschwand.

Stöhnend richtete sich Kajetan auf, schüttelte sich und tat einige Schritte. Ihn schwindelte. Er stützte sich an der

Mauer ab und versuchte mit tiefen Atemzügen, den Brechreiz, den ein Schlag in den Magen bei ihm ausgelöst hatte, zu bekämpfen.

Die Alte gab ein leise empörtes »No ...!« von sich und ließ ihn an sich vorbeigehen. Als er auf die dunkle Straße trat, war niemand mehr zu sehen. Außer einem stumpfen und regelmäßigen Patschen, das aus einem beleuchteten Bodenlicht einer Bäckerei drang, war es still. Benommen tappte er nach Hause. Vergeblich versuchte er, zu schlafen. Schließlich stand er wieder auf. Die Geschäfte hatten bereits geöffnet, als er die Straße betrat. Kajetan kaufte sich eine Zeitung und ging in ein Café. Obwohl ihm das heiße Getränk guttat, blieb er unfähig, einen klaren Gedanken zu fassen.

Was war in dieser Nacht mit ihm geschehen? Warum erst die Seligkeit, dann diese entsetzliche Versteinerung? Wovor hatte er Angst? Er schniefte zornig.

Er hatte nicht geschlafen und hatte gehört, was Mia ihn gefragt hatte. Es war dieselbe falsche, freundliche Frage, wie sie die fette Fleischerin am Roßmarkt stellt, wenn geschmäcklerisch tuende Kundschaft ihren Laden betritt. Ist es recht gewesen, das Ganserl, gnä' Frau? Die Geschäftsleute-Frage. Die Stets-zu-Diensten-der-Herr-Frage. Die Hurenfrage.

Ohne etwas davon zu begreifen, streifte Kajetans Blick über die Überschriften der Zeitung. Der Wirtschaft des Reiches gehe es seit dem Ende der Inflation endlich wieder besser. Die Zahl der Arbeitslosen nähme jedoch nicht ab, und nach Meinung der Politiker sei dies auf die Bestimmungen des Versailler Vertrages zurückzuführen. Die Fabrikantenvereinigung böte an, neue Stellen zu schaffen, wenn die Arbeiterverbände auf Löhnerhöhung verzichteten und der Einschränkung des im Revolutionsjahr geschaffenen Betriebsrätegesetzes zustimmten ...

»Hamms das gelesen, Herr Nachbar?«

Ein kleiner, magerer Mann in einem zu weit geschnittenen Anzug, der bereits vor einiger Zeit an Kajetans Tisch Platz genommen hatte, beugte sich zu ihm. Kajetan sah ihn verwirrt an und nickte abwesend. Der Alte ließ sich nicht unterbrechen, brabbelte weiter und war bei einer neuen Schlagzeile angelangt. Er stieß Kajetan an.

»Und da: ›Urteil im Attentatsprozeß. Der Angeklagte U. freigesprochen. Dem Täter, so die Richter in der Urteilsverkündung, wurde zugute gehalten, daß sich der getötete Politiker durch aufrührerische Reden die Tat selbst zuzubilligen habe, da er dadurch den Volkszorn in unverantwortlicher Weise aufstachelte und ...‹«, er murmelte unverständlich weiter und schloß mit einem überzeugten: »Da hat er auch recht.«

Hinter seinem Rücken drehte sich ein anderer Gast um, ein graubärtiger älterer Mann in einem für die Jahreszeit zu dicken, leicht abgetragenen Rock. Er warf über seine Brille einen mitleidigen Blick auf den Hageren.

»Stimmt, Herr Nachbar. Das hat was«, seufzte er. »Das ist die Logik, die man in einem Land voller Dichter und Denker erwarten darf.«

»Gell? Sagens auch!«

»Natürlich.« Die Stimme des Brillenträgers, sie hatte einen leichten böhmischen Akzent, klang gütig. »Aber wenns jetzt bittschön etwas leiser lesen würden.«

Der Hagere ließ sich nicht stören. »›Mädchenhändler verhaftet! Der ungarische Staatsbürger Peter S. wurde festgenommen, als er eine hohe Summe für ...‹«

Der Bärtige wandte sich kopfschüttelnd um und versuchte, in seiner eigenen Zeitung zu lesen.

Kajetan hörte nicht zu. Er verstand nicht, was in ihm vorging. Seine Kiefer mahlten.

Alles war Lüge. Mia war eine Hure. Er hatte seiner Witterung nicht vertraut.

»›... verkaufte die Mädchen, die sich ihm im guten

Glauben, eine Stelle als Hauswirtschafterin antreten zu können, anvertrauten, an Münchner Zuhälter, welche ...‹«

Er würde Mia nie mehr wiedersehen wollen. Auch Urban nicht. Hatte womöglich er den Angreifer im Hauseingang geschickt? Es war ihm egal. Er fühlte sich betrogen und haßte Mia für den Widerstreit, der in ihm tobte.

»› ... sie gefügig machten und der geheimen Prostitution vornehmlich hinter dem Ostbahnhofsgelände zuführten ...‹«

Kajetan mußte die Tasse absetzen. Plötzlich schauderte er. Sehnsucht überschwemmte ihn.

»›Häftling im Gefängnis Stadelheim erhängte sich. Der Häftling Karl D. wurde gestern frühmorgens tot aufgefunden. Er hatte sich ...‹«

»Gehens, Herr Mayerhofer, lassens doch die Gäst in Ruh«, mahnte die Bedienung, die an den Tisch gekommen war. »Darfs noch was sein?« Sie streifte Kajetan mit einem kurzen Blick und räumte den Tisch ab. »Geniert er Sie?« Sie sah ihn fragend an. »Ob er Sie geniert?«

Kajetan schrak aus seine Gedanken. »Ich hab ... habs gar nicht gehört«, stotterte er.

»Trotzdem«, raunzte sie und warf einen ärgerlichen Blick auf den Mageren. »Ich leids nicht. Und aus.«

Der vollbärtige Mann wandte sich erleichtert an die Bedienung. »Besten Dank, Fräulein! Es war wirklich beinahe eine Belästi...«

Sie unterbrach ihn ungehalten. »Sie geben auch eine Ruh. Grad einer wie Sie.«

Der Mann verstand nicht.

»So? Sie verstehen mich schon, Herr Fränkel.«

»Ich zahle«, sagte Kajetan heiser und deutete auf seine Tasse. Sie wurde sofort wieder freundlich. »Sehr wohl, der Herr. – Oh«, sagte sie stirnrunzelnd, als sie auf den

Geldschein sah, den er auf den Tisch gelegt hatte, »haben
Sie es nicht kleiner?«

»Wie schaun denn Sie aus?« fragte Brettschneider argwöhnisch, als Kajetan zur Treppe ging.

»Sinds unters Auto gekommen?«

»Unter eins mit zwei Haxen«, antwortete Kajetan. Der
Inhaber hob verstehend die Augenbrauen.

Kajetan wollte an ihm vorbeigehen. »Herr Kajetan,
bevor ich es vergeß. Schauen Sie«, er griff in die Schublade unter seinem Tisch, »eine Nachricht ist wieder vorbei-
gebracht worden. Von einer Firma Fleischhauer. Der ihn
gebracht hat, hat recht pressant getan. Aber Sie waren
gestern nachmittag ja schon aushäusig.« Er hielt einen
Umschlag in seiner Hand und reichte ihn Kajetan, der
ihn zögernd annahm.

»Was ist denn das für eine Firma?«

Kajetan überhörte die Frage. »Gestern nachmittag war
ich noch nicht aushäusig, Herr Brettschneider«, sagte er
verärgert.

Der Pensionswirt zuckte die Schultern. »Hab halt
nicht drangedacht«, meinte er gleichgültig. »Ich bin ja
nicht euer Postbot, nedwahr.«

Noch auf der Treppe riß Kajetan den Umschlag auf.
Fleischhauer befahl ihm, sich unverzüglich, nach Möglichkeit noch am gleichen Tag, bei ihm zu melden.

Endlich! Kajetan war erleichtert. Zwar würde das
Geld, das ihm Fritz Urban zugesteckt hatte, noch einige
Zeit reichen, doch danach würde er wieder in der glei-
chen Situation wie zuvor sein.

Und mit Urban wollte er nichts mehr zu tun haben.
Auch nicht mit den Mädchen, die er um sich hatte!

Er ging zur Kommode, nahm die Kanne, in der sich etwas Wasser befand, goß es sich auf die Hand und rieb sein Gesicht damit ab. Mit schmerzenden Muskeln richtete er sich auf und sah in den Spiegel. Außer einer kleinen Abschürfung hatte er keine Verletzung im Gesicht. Nur sein Kragen war eingerissen. Er öffnete die Schublade und entnahm ihr ein anderes Hemd.

›Das letzte‹, dachte er amüsiert.

Er mußte plötzlich an Emil Teobalt denken. Wie mochte es ihm inzwischen ergangen sein? Kajetan beschloß, ihn gleich nach seinem Treffen mit Fleischhauer zu besuchen.

*

Der alte Detektiv, der im Stockwerk über seiner Agentur wohnte, war schlecht gelaunt. Er wirkte übernächtigt und knöpfte seine Strickjacke zu.

»Na endlich! Wenn ich nach einem ruf, hat der eigentlich schon da zu sein, bevor ich fertig bin mit dem Rufen. Kommens mit.« Er holte einen Schlüssel aus einem Kasten hinter der Wohnungstür und wies nach unten.

»Also«, sagte er, nachdem er an seinem Schreibtisch Platz genommen hatte, »es ist nichts, wo Sie den Helden spielen können. Trotzdem brauchts ein bisserl Gespür. Habens das? – Ja?« Kajetan hatte genickt. »Wollen wirs hoffen.«

Er klappte den Deckel einer dünnen Mappe zurück und zog einen Brief hervor. »Die Geschicht ist schnell erklärt. Der hoffnungsvolle Sproß einer, sagen wir es mal untertrieben, reicheren Familie – Advokat und in Grundstücksgeschäften tätig der Vater, mit dem Schikanieren des Hauspersonals beschäftigt die Mutter – ist in München, um derselbe Halunke wie sein alter Herr zu werden. Das scheint aber leider Gottes nicht ganz so hinzuhauen, wie sich der Senior das vorstellt: Der Bub rasselt von einer verhauten Prüfung in die andere. Jetzt ist natürlich naheliegend, daß er halt einfach zu deppert ist – solls ja geben, auch wenn man genug Geld hat. Oder daß er einfach was anderes werden will, vielleicht, sagen wir mal, daß er als Botaniker nach Afrika gehen möcht oder sonstwas. Der Vater aber ist der festen Überzeugung, daß das nur damit zusammenhängen kann, daß der Junior wohl einen argen Hang zu den Weibern hat. Gegen das Hörnerabstoßen, sagt er, hätt er durchaus nichts, ab er hat sich zutragen lassen, daß sein Knabe seit einiger Zeit ein Verhältnis hat – leider aber nicht zu einer, mit der der Alte angeben könnt, sondern ausgerechnet zu einer Nahderin in der Wörthstraß.«

»Wo die Lieb hinfällt.«

Fleischhauer sah auf. Ein Schmunzeln spielte über seine Lippen.

»Macht ihn sogar wieder sympathisch, gell? Sympathischer jedenfalls als den Vater, unter uns gesagt. Aber jetzt kommts. Er hat den Filius zu sich zitiert und ihm mit dem Entzug der monatlichen Unterstützung und sogar – wenn er sich unterstehen tät, sie zu heiraten – mit der Enterbung gedroht.«

»Auweh.«

»Tja, wers Geld hat, kann anschaffen. So ist es halt. Was denkens, wies weitergeht? Was tut der Bub? Ich möcht wissen, ob Sie eine Menschenkenntnis haben – was tut er? Ist er ihr treu oder läßt er es bleiben?«

»Erst müßt ich ihn sehen. Und sie auch.«

»Er windet sich raus, der Herr Kajetan!«

»Wollens mich jetzt als Pfarrer oder als Agent?«

»Habens recht. Ich machs also kurz: Der charaktervolle Jungakademiker hat hoch und heilig versprochen, daß er die unstandesgemäße Liaison beenden und das Mädl nicht mehr treffen wird! Und damit komm ich zu dem, was Sie zu tun haben. Der Herr Vater traut ihm nicht und hat mich beauftragt, ihn eine Zeitlang zu überwachen. Und ich beauftrag Sie, weil ich grad was anderes zum tun hab. Drei Mark am Tag, der zehn Stunden dauert. Wenns drunter kommen, gibts anteiliges Honorar. Spesen müssen angemeldet sein. Der erste Bericht in diesem Fall in fünf Tagen. Wenns sich zu dumm angestellt haben, keine oder eine verkehrte Information bringen, gibts gar nichts. Überhaupt wird erst zum Schluß ausgezahlt. Ich hab nämlich nichts zum verschenken. Was ist? Tun Sie es?«

Kajetan nickte, ohne zu zögern. Das Honorar war nicht hoch, aber er hatte in den vergangenen Monaten schon für weniger Geld arbeiten müssen.

»Ich brauch den Namen, die Adresse von ihm und seinem Gspusi. Und sollt natürlich wissen, wie er ausschaut.«

Fleischhauer beugte sich über den Brief. »Nehmens den Zettel da. Schreibens mit: Von Seeberg, Henning, Friedrichstraße drei. Haben Sie es? Und hier ist ein Portrait-Photo.«

Kajetan beugte sich vor und nahm das Bild in die Hand: Ein Bursche in der lächerlichen und geckenhaft enggeschnittenen Uniform einer schlagenden Verbindung. Stark retuschiert, harmloses junges Gesicht. Eine angestrengt männliche Pose.

»Von ihr hab ich natürlich keine Adreß, die müssen Sie rausfinden. Dann noch was: Der Filius hat sich bis heut bei einer Tant in Heidelberg aufgehalten und wird heut abend mit dem Zug ankommen. Da könnens ihn gleich abpassen.«

Kajetan nickte und steckte Zettel und Photographie ein.

»Und noch was – Sie müssen nah an ihn rankommen. Lassen Sie sich aber nicht erwischen, schon gar nicht vorzeitig. Der alte Herr möchte einen umfassenden Bericht über die Aventuren seines Stammhalters und hat versprochen, daß er mir weitere Aufträge zukommen läßt, wenn die Sach zu seiner Zufriedenheit ausgeht.«

»Wann ist er zufrieden?«

»Da scheint er ganz zerrissen zu sein. Einerseits natürlich dann, wenn sich sein Sohn an die Abmachung hält. Andererseits auch, wenn er recht hat und sich sein Verdacht bestätigt. Aber das kann Ihnen erst einmal wurscht sein. Es wird rauskommen, was rauskommt. Zu aller Not, hat der Alte gesagt, zu aller Not wäre eine Abfindung denkbar.«

»Wann ist es not?«

»Wenn, sagen wir, die Schneidermamsell bereits dabeisein sollte, etwas an Gewicht zuzunehmen.«

Das Telephon schrillte. Der Detektiv hob ab. Seine Brauen hoben sich unwillig.

»Du schon wieder«, raunzte er. »Wart.« Er legte den Hörer auf den Tisch, erhob sich, schlug Kajetan auf die Schulter, ging zur Tür und drückte die Klinke hinunter.

»Raus jetzt«, brummte er.

Kajetan verließ die Trambahn und bog in die Winterstraße ein. Das Haus in Untergiesing, in dem Emil Teobalt wohnte, war noch nicht alt, machte aber dennoch einen bereits verkommenen Eindruck. Das Schloß des Hoftors war ausgebrochen. Kajetan schob es auf, überquerte den Hinterhof und betrat das Rückgebäude. Er klopfte an eine Tür des Erdgeschosses. Niemand forderte ihn auf einzutreten. Er drückte die Klinke; die Tür war offen. Als Kajetan die kleine Kammer betrat, erschrak er.

»Emil ...«, flüsterte er.

Emil Teobalts Augen waren geschlossen, sein unrasiertes, kreidiges Gesicht war eingefallen. Die Brust des

Kranken hob sich nur unmerklich auf der Bettstatt. Kajetan rief erneut Emils Namen und rüttelte vorsichtig an dessen Schulter.

Der Kranke öffnete die Augen. Nach einer Weile bewegte er die Lippen.

»Du ...?«

Kajetan fluchte besorgt. »Emil, was hast denn?«

Teobalt versuchte ein Lächeln. Seine Stimme war ohne Kraft. »Was wohl ... , es hat mich ... ein bisserl ... erwischt ...«

»So kommts mir auch vor! Was ist denn geschehen! Wo fehlts dir überhaupt?«

»Nichts ist ... geschehen ... Auf einmal ... ists nimmer gegangen.«

»Wie lang liegst du denn schon da?«

Emil antwortete nicht. Kajetan sah fassungslos um sich. Auf dem Tisch stand ein verschmutzter Teller, daneben ein Löffel, auf dem sich bereits Schimmel gebildet hatte. Der Raum stank nach Moder, erkaltetem Schweiß und Fäkalien.

»Wann hast du denn das letzte Mal was gegessen?«

Emils Augen hatten sich wieder geschlossen.

»Sag! Du brauchst doch was zum Essen! Was Warmes!«

»Mich ... hungerts ned, Paul.«

»Red keinen Krampf, Emil. Ich geh auf der Stell rüber in die Wirtschaft und hol dir eine Schale Suppe.«

Emil gab keine Antwort.

Wenig später saß Kajetan wieder am Bett des Kranken. Er hatte ihn etwas aufgerichtet und flößte ihm eine warme Suppe ein. Emils Lippen zitterten. Nach einer Weile schien er wieder etwas zu Kräften gekommen zu sein.

»Jetzt sagt endlich, was dir fehlt, Emil! Was ist denn passiert?«

Stockend erzählte Emil, daß er, nachdem er keine Arbeit mehr gefunden hatte, zur Fürsorge gegangen sei. Dort hätte man ihn angehört, ihn nach seinem Beruf gefragt, ihm aber eine Unterstützung verweigert, wenn er nicht bereit sei, die angebotene Arbeit anzunehmen.

»Es war ... eine Arbeit im Schlachthof drunten. Da würden Leut gebraucht ...«

Kajetan verstand. »Nicht grad das, für was du Latein gelernt hast.«

Ein mageres Grinsen glomm in Emils altgewordenen Zügen. »Nein, nicht grad. In die ... Darmputzerei ...«

»In die Darmputzerei? Du?« rief Kajetan ungläubig.

Emil bestätigte mit unmerklichem Nicken.

»Muß ja auch gemacht werden ..., und es gibt dreckigere Sachen ...«

»Trotzdem! Du im Schlachthof!«

»Weißt, was das ... Schlimmste ... war?« Emil schien zu würgen. »Da stehst da ... und drückst den Dreck aus den ... Därmen ... und wenn einer ausgedrückt ist ... dann legens dir ... neue hin ... und die sind wieder voller Scheißdreck ... und dir kommts vor, als tätens ... ärger stinken als zuvor ... und wieder drückst ...« Emil brach erschöpft ab und holte mühsam Atem. »Und dann ist mir auf einmal gekommen ..., Paule, ... wie ich noch geschrieben hab ... und geredt hab ... gegen die Kriegstreiber ... Bagage ... gegen den, gegen den ganzen braunen ...«

»Scheißdreck!« ergänzte Kajetan. Emil nickte schwach.

»... da, Paule, da wars ... nicht anders. Es wird immer wieder ... und immer wieder so ein Dreck ... daherkommen ... und hört nie auf ...«

»Schmarrn«, widersprach Kajetan energisch.

»Verstehst nicht? Das ... das ist doch mein Leben gewesen! ... hab gmeint, was wunder für Wichtigkeit ... ich wär und war bloß ... ein Narr.« Seine Stimme klang mürbe. Kajetan beugte sich besorgt über ihn. Emils Atem stank.

»Hör auf damit!« sagte Kajetan entschlossen und nahm die Suppenschale. »Da! Ein wenig Suppe ist noch übrig. Die trinkst jetzt aus. Und ich werd den Doktor holen gehen.« Er stand auf. »Aber vorher mach ichs Fenster auf und laß wieder eine Sonn herein.«

»Sonn?« flüsterte Emil.

»Ja! Es hat zu regnen aufgehört! Draußen scheint die Sonn. Und du, du verfaulst da herinn!« Kajetan ging zum Fenster und zog die Vorhänge zurück. Es wurde jedoch nur unmerklich heller. Eine schmutzigrote, durchnäßte Ziegelwand höhnte herüber. Es hatte wieder zu regnen begonnen.

Ein gedämpftes Gurgeln ließ ihn herumfahren.

Emils Kopf war zur Seite gesunken. Aus seinem Mund war ein mit hellem Blut vermischter Schwall Erbrochenes gedrungen und hatte sich über Kinn, Hals und Kissen ausgebreitet. Seine Augen waren weit geöffnet.

Aus dem Varieté dröhnte Gelächter in das darüberliegende Büro. Fritz Urban hatte sich zufrieden in einem Stuhl zurückgelehnt. Amüsiert schüttelte er den Kopf.

»Daß ihr allerweil gleich zuhauen müßts, Schoos«, tadelte er, »weißt doch, wie zwider mir das ist.«

Schoos schob sich eine Zigarette unter seinen Schnauzbart und tat unschuldig.

»Wir, gerauft? Na gut, ich geb zu, vor der ›Gruben‹, wo dem Kaiser seine Leut gestanden sind, da hats ein wenig gefunkt. Aber zum Kaiser selber waren wir, wie es sich für den Kaiser von der Altstadt gehört.«

»Soso.« Urban lehnte sich zurück. Dann schmunzelte auch er.

»Also? Wo habt ihr ihn aufgestöbert? Erzähl.«

»Gibts nicht viel zum erzählen«, sagte Schoos und strich ein Zündholz an.

»Zu wievielt wart ihr?«

»Zu fünft. Der Domerl, der Kandl, der Irg, der Ferdl und ich.«

»So wenig bloß? Spinnts ihr?«

Schoos atmete paffend aus. »Alles eine Sach der Taktik, Fritz.«

»Bist ein alter Maul-Auf«, sagte Urban gereizt. »Also. Wo habt ihr ihn gefunden?«

»Wo er um die Zeit allweil ist. Mit seinen Weibern ist er in der ›Gruben‹ gesessen. Vor der Tür sind zwei von ihm gestanden, die sich aber bald hingelegt haben. Der Kaiser war nicht wenig platt, wie wir zur Tür hereingekommen sind. Ich hab gsagt: ›Habe die Ehre, Kaiser‹. Die Weiber sind von ihm weggespritzt wie Hühner, wenn der Blitz einschlagt. ›Entschuldigst schon‹, sag ich, ›aber mit dir ist es jetzt gar, Kaiser.‹ Kasweiß ist er geworden. Hatt aber noch den Helden gespielt: ›Auf was warts, Arschlöcher‹, sagt er, ›druckts ab.‹ ›Geh, Kaiser‹, sag ich, ›i bin doch gar ned aso. Stell dich auf den Tisch da.‹ Er schaut mich blöd an. Was das werden soll, will er wissen. ›Halts Maul und steig auf den Tisch‹, sag ich.«

Schoos Mundwinkel unter seinem fransigen Schnauzbart bogen sich nach oben. »Gut, ich geb zu, da haben ihm der Domerl und der Kandl ein paar runterhauen müssen, bis er es getan hat. ›So‹, sag ich drauf, ›und jetzt brunzt in die Hosen, Kaiser.‹ Hättst sein Gesicht sehen sollen! ›Niemals‹, sagt er. ›Seit wann verstehst du denn kein Spaß mehr‹, sag ich, ›wenn du es nicht tust, schneiden wir ihn dir ab. Dann kannst schauen.‹ ›Ihr Hund!‹ hat er bloß noch gesagt.«

»Da hat er recht«, bemerkte Urban und grinste kalt. »Und – wie ist es weitergegangen?«

Schoos klappte seinen Krug auf und trank. Er setzte ihn wieder ab und wischte über seinen Schnauzbart.

»›Was is, Kaiser?‹ frag ich ihn. ›Geht nicht‹, meint er. Die Weiber haben zu krähen angefangen, das hat ihn noch mehr gefuchst. Ich hab die Pistole auf ihn gehalten und hab dahin gezielt, wo es ihm am wenigsten gefallen hat. Und da, auf einmal, da läßt ers tatsächlich rinnen. Hättstn sehn sollen. Sein Kopf ist blau gewesen, gefiebert hat er, ich hab glaubt, es trifft ihn auf der Stell der Schlag.«

»Ihr Hund«, wiederholte Urban anerkennend.

»Wie er fertig ist, sag ich: ›Kaiser, das Volk dankt. Aber eins hast leider vergessen. Ein Kaiser darf alles. Er darf eine Schlacht verlieren und Hunderttausend massakrieren lassen, er darf sein Reich ruinieren, er darf von zehn Weibern zwanzig Kinder haben, die tauft ihm der Papst sogar noch – bloß eines darf er nicht: sich zuschauen lassen, wie er in die Hosen brunzt. Nichts für ungut, Kaiser‹, sag ich, ›verstehst doch einen Spaß.‹ Er hat nichts mehr drauf gesagt.«

»Dann wars aus«, stellte Urban fest.

»So ziemlich«, bestätigte Schoos. »Seine Leut sind schon bei uns. Der Bierkugel und der Messer auch. Die Weiber sowieso.«

»Gut, Schoos. Ausgezeichnet, kann ich da nur sagen.«

Schoos hob grinsend den Finger. »Und das ganz ohne Gewalt, von ein paar Watschen abgesehen, gell?«

Das Telephon klingelte. Urban hob ab.

»Ja, die Ehr! Der Posch ...!« Er stand auf. Während er zuhörte, zog eine süffige Freundlichkeit über sein Gesicht.

»Posch, ich hab ja schon viele Komplimente gekriegt in meinem Leben«, sagte Urban geduldig, als spräche er zu einem unverständigen Kind, »aber daß ich aufs Hirn gefallen wär, hat mir noch keiner gesagt. Was? – Achso

... Mir was auf den Kopf ... Geh zu, Posch ... meinetwegen – sind wir wieder per Sie, Herr Posch. Wenns weiters nichts ist. Also. ... Gehns zu, Herr Posch. Jetzt bleiben wir doch vernünftig.« Wieder hörte er gelassen zu und setzte sich auf die Kante des Schreibtisches.

»Posch, ah, tschuldigens, Herr Posch – ich glaub, das tät nicht gut ausgehen. ... Warum? Nun, es könnt dann ja zum Beispiel aufkommen, daß es da immer wieder eine erhebliche Differenz gegeben hat zwischen der Summen, die Sie bei der Heimwehrleitung angefordert haben und jenen, die ... Wie? Das könnt keiner beweisen? Sie haben doch ein so schönes Häusl gebaut, unten, in St. Johann, hab ich mir sagen lassen, und abgezahlt soll es auch schon sein, und zwar in einem Tempo, die man einem einfachen Offizier nicht unbedingt zutraut ... Woher ich das weiß? Posch, Sie können aber auch fragen ... Von mir aus. Tuns, was Sie nicht lassen können. Ich sag bloß: Es könnt schlecht ausgehen ... Na, jetzt beruhigens sich! Denkens doch an Ihre Gesundheit! Sie sind doch ein Stratege, sagens immer. Sehen Sies wie im Krieg. Da verliert man auch einmal eine Schlacht. Und vergessens nie: Es bin nicht ich gewesen, der angfangen hat, gell? ... Was? Ich hätt Sie mit meinen unverschämten Forderungen erst dazu gebracht? Aber, Posch, wir haben doch ein ganz normales Verkaufsgespräch ...«

Der Anrufer hatte aufgelegt.

»Der Andreas-Hofer-Ersatz?« wollte Schoos wissen.

»Der Posch, ja. Er ist komplett auseinander. Sie haben ihm das daheim nicht abgenommen.«

»Sag bloß«, Schoos begann zu kichern, »sag bloß, daß er was zurück möcht! Ist der komplett narrisch geworden?«

»Magst recht haben.« Urban blieb ernst.

»Fritz, du wirst doch wegen dem nicht in die Hosen scheißen?«

Urbans sah kurz böse auf. »Ich?«

»Was sagt er denn?«

Urban stand auf und ging zum Fenster. Er schob den Vorhang zur Seite und sah gedankenvoll auf die Straße. »Er hätt nichts mehr zu verlieren, sagt er, und würde alles dem Dandl sagen.« Er setzte sich wieder.

»Dem – wer?«

Urban betastete sein Bärtchen.

»Kommerzienrat Dandl von Regensburg«, erklärte er ungeduldig, »führender Volksparteiler, gleichzeitig Koordinator aller vaterländischen Verbände, das heißt, derjenigen, die noch übriggeblieben sind.«

»Ja, und? Was kümmert dich der?«

»Der könnt durchaus lästig werden und eine Untersuchung über alle Waffenverkäufe der letzten Monate anordnen. Der Dandl mag mich nicht, obwohl er mit meinem Vater per Du gewesen ist. Die Durchführung der Waffenverkäufe hab ich nur deshalb angetragen bekommen, weil ich seinerzeit, wie man nach guten Verstecken gesucht hat, sofort welche parat gehabt hab. Der Dandl war bis vor kurzem auch strikt dagegen, daß überhaupt was verkauft wird. Gottseidank haben ihn die anderen überzeugen können, daß die Zeiten für Märsche auf Berlin oder sonstwohin vorbei sind.«

»Meinst?«

»Du glaubst doch nicht, daß die nach der Blamage im Bürgerbräu wieder auf'd Füß kommen?!« Nein. Die Leut werden langsam vernünftiger.«

»Bist ja glatt ein Republikanischer!«

»Mit der Zeit mußt gehn! Bei mir gibts keinen Stillstand. Ich hab vor, mich auch in solideren Branchen zu installieren. Und der Dandl könnt mir da dazwischenfunken. Es gibt nichts, wo der nicht seine Finger drin hat. Der Dandl tut zwar wie ein Klerikaler, mauschelt aber mit allen, mit den Königstreuen genauso wie früher mit den Hitlerischen, mit den Reichsdeutschen genauso wie mit den Panbavaren. Sogar mit den Sozis.«

»Weiß schon«, sagte Schoos hämisch, »du wirst also doch noch Bauer werden.«

Urban griente zweideutig. »So was ähnlichs, Schoos.«

»Jezt bin ich aber gespannt.«

»Kannst ruhig gspannt sein«, sagte Urban abweisend. »Aber da gibts noch nichts zu wissen.«

Schoos tippte sich an die Stirn. »Ach – die Sach mit dem Kurbad.«

»Was für ein Kurbad?« fragte Urban unwillig.

»Na, von dem der besoffene Ministeriale neulich im Varieté geschwafelt hat. Wars nicht im Rottal drunten? Nein, jetzt erinner ich mich, in der Näh von Sarzhofen unten!« Schoos suchte nach einer Möglichkeit, die Zigarette auszudrücken. »Mich hats ja nicht interessiert, aber ich hab genau gesehen, wie du deine Ohren aufgestellt hast wie ein Has.«

Urban machte eine wegwerfende Handbewegung. Schoos bohrte nicht weiter. »Versteh«, sagte er, »das wär nicht gut.« Er warf die Zigarette auf den Fußboden. Urban sah es mit mißbilligendem Blick.

»Nein«, bestätigte er nachdenklich, »das wär sogar schlecht.« Er kratzte sich am Handgelenk.

»Da gibst dem Posch halt in Herrgottsnam ein paar von den Gewehren.«

»Sind doch schon längst weg«, erwiderte Urban ungeduldig. »Hab ich an die ›Erwachenden Magyaren‹ oder wie der Haufen da unten heißt, verkauft.«

»Dann gib ihms Geld zurück.«

Urban lachte ungläubig. »Jetzt spinnst aber komplett. Weißt du, was ein Mercedes kostet?«

»Möchst jetzt noch einen Mercedes?«

»Brauch ich! Ich kann doch nicht mit einem Ami-Auto daherkommen, wenns ums Geld geht! Da müßtest es hören, die Bankleut! Nein – der Buick taugt gut zum Schnallen-Chauffieren, aber fürs andere brauch ich was aus dem Reich.«

Schoos sah es ein. Nachdenklich betrachtete er die Orient, die er aus seinem Etui genommen hatte.

»Fritz, jetzt muß ich dir amal ganz franschman was anders sagen: Vom Krieg her weiß ich, daß es nicht gut ist, wenn auf einmal eine zweite Front hinter einem entsteht. Bei dir aber, Fritz, da gibts nicht bloß zwei, da gibts vier, fünf. Paß auf. Einmal krachts.«

»Davon verstehst du nichts«, sagte Urban herablassend.

»Vom Krieg versteh ich durchaus was, Fritz. Ich bin im Feld gewesen.«

Urban lachte überlegen. »Der Krieg ist aus, Schoos. Du mußt es sehen wie ich: Als ein Spiel. Viel Einsatz, viel Gewinn. Nichts schlimmer, als wenn was langweilig wird.«

»Wie du meinst, Fritz. Dann mußt dir halt was einfallen lassen.« Schoos stand auf und ging zur Tür. »Ich schau wieder runter, ob alles in Ordnung ist.« Er kratzte sich am Nacken. »Übrigens, die Mia ...«

»Was ist mit der?«

»Ich weiß, sie ist dein Bopperl. Du möchst was anderes aus ihr machen, hast sie von der Straß getan. Aber die wird mir für meinen Geschmack etwas zu gschnappig. Gestern hats gsagt, sie mag nicht in den ›Salon‹ gehen. Ich hab gesagt, Mia, ein Haufen Leut haben schon nach dir gefragt, die anderen Weiber sind schon ganz neidisch deswegen, das wird der Fritz nicht gern hörn wollen, daß du kein Geld mehr zum Zeug bringen magst. Aber meinst, sie wär rübergegangen?«

»Dann schmier ihr eine.«

»Hab ich auch getan.« Er verließ das Büro.

Urban stand auf und ging zu einem Spiegel, der neben

dem Kleiderständer hing. Er betrachtete sich prüfend und fuhr mit der Hand über sein Haar. Plötzlich lächelte er.

›Warum bin ich nicht schon eher draufgekommen‹, dachte er. Er ging zurück zu seinem Schreibtisch und suchte nach einer Telephonnummer. Schließlich fand er sie. Bevor er jedoch wählen konnte, klopfte es zaghaft an der Tür.

»Wer ist es?« raunzte er unwillig. Die Tür öffnete sich.

»Du? Ich hab jetzt keine Zeit, schleich dich!«

Es sei wichtig, sagte Mia. Sehr wichtig.

Kajetan hatte lange auf den Wagen der Städtischen Bestattung warten müssen. Nachdem die von ihm gerufenen Schutzleute keine unüblichen Umstände feststellen konnten und der Arzt den natürlichen Tod Emil Teobalts bestätigt hatte, verrichteten sie mit nüchterner Routine ihre Arbeit. Sie umhüllten den Leichnam mit einem Tuch, packten ihn an Händen und Füßen und legten ihn in einen schlicht gezimmerten Sarg.

Nachdem sie gegangen waren, fing der Hausmeister an, die Habe des Verstorbenen zu taxieren. Viel, meinte er, wäre nicht mehr zu gebrauchen, das meiste müßte zur Müllgrube gebracht werden. Das würde er morgen machen, denn heute sei es bereits zu spät.

Als er die Uhrzeit nannte, erinnerte sich Kajetan an seinen Auftrag. Er rannte zur Trambahnstation und, nachdem er erfuhr, daß die Elektrische erst in zwanzig Minuten kommen würde, in die Innenstadt.

Er erreichte den Zentralbahnhof gerade noch rechtzeitig. Kajetan zwang sich zur Ruhe und ging langsam den Bahnsteig entlang, an dem die Ankunft des Zuges aus Köln angekündigt war. Er zog ein schmales Büchlein, das er auf Teobalts Nachttisch entdeckt und unbemerkt eingesteckt hatte, aus seiner Jackentasche. Emil selbst hatte die Broschüre verfaßt. Während er so tat, als sei er in die Seiten vertieft, musterte Kajetan unauffällig die Menschen, die auf dem Bahnsteig warteten. Auch einige jüngere Frauen waren darunter, jedoch keine, die so aussah, als ob sie als Schneiderin arbeiten würde.

Der Zug fuhr ein. Kajetan erkannte den schlaksigen jungen Mann sofort. Eine Hand in der Hosentasche, in der anderen ein kleines Köfferchen, schlenderte er gelassen an ihm vorbei.

Niemand begrüßte ihn. Er trat auf den Vorplatz und winkte einer Droschke.

*

»Wieso möchst einen Tag frei haben? Gleich einen ganzen Tag?« Urban war ärgerlich. »Wie komm ich dazu?«

Mia öffnete ihre Handtasche und suchte nach einem Kuvert.

»Der Schoos hat außerdem gesagt«, fuhr Urban fort, »du tätst langsam meinen, was Besseres zu sein und tätst nicht mehr in den ›Salon‹ rübergehen wollen – was hast denn da?«

Sie reichte ihm einen Brief.

»Da, lies.«

Er runzelte die Stirn, nahm ihn entgegen und las ihn mit wachsendem Erstaunen. Sein Stimme veränderte sich.

»Das ist natürlich was anderes. Da will ich nicht so sein«, sagte er väterlich. »Mein Beileid, gell.«

»Dank dir schön, Fritz. Ich tät dann gleich morgen in der Früh fahren. Auf Nacht bin ich wieder da.«

»Jaja«, nickte er abwesend und blickte noch immer

auf das Schreiben. Dann hob er den Kopf und wies mit der Spitze seiner geöffneten Hand auf das Papier.

»Aber sag einmal: Wie ich dich seinerzeit aufgeklaubt hab, da warst du doch vorher in diesem Heim für gefallene Mädchen in Sendling drunten? Du hast damals gesagt, daß du da auch aufgewachsen wärst. Und jetzt les ich, daß ...«

»Mußt ja nicht alles wissen, Fritz«, lächelte sie müde.

»... und außerdem: Du bist überhaupt keine Waise gewesen? Deine Mutter hat bis vor kurzem noch gelebt?«

»Ich habs ja selber nie gewußt.«

Urban sah wieder auf das Blatt. Er las den Absender.

»Von daher also bist du ...?« sagte er nachdenklich, »und deine Mutter ist eine ... Aber du heißt doch anders?«

»Die haben mich adoptiert«, erklärte sie. »Aber ich hab kein gut getan, und deswegen haben sie mich fortgetan in das Heim.«

Urban faltete den Brief zusammen und gab ihn Mia.

»Freilich kannst fahren«, wiederholte er. »Das ist doch selbstverständlich.« Er räusperte sich.

»Ich müßts ja eigentlich gekannt haben, deine Mutter.«

Sie hatte sich schon halb erhoben. Jetzt sank sie wieder auf den Stuhl zurück und starrte ihn ungläubig an.

»Ich bin in der Näh groß worden.« Er bemerkte ihren fragenden Blick und lächelte. »Aber ich entsinn mich nicht an sie. Ich bin ja schon ewig und drei Zeiten von dort weg.«

Mia war noch immer verblüfft. »Zufälle gibts«, sagte sie mit verwirrtem Lächeln.

»Ja, verrückt«, stimmte er zu. »Und jetzt mußt auf die Beerdigung?«

Sie schüttelte den Kopf.

»Sie haben sie schon längst eingegraben. Der Brief ist

wochenlang unterwegs gewesen. Im Gemeindeamt hat keiner gewußt, wo ich wohne.«

Urban schien einen Entschluß gefaßt zu haben.

»Weißt was, Mia – der Schoos bringt dich heim. Wenn du runter gehst, schickst ihn gleich zu mir, damit er den Wagen anläßt«, sagte er mit fürsorglichem Ton. Ihr Blick wurde abwehrend.

»Das brauchts nicht, Fritz. Die paar Meter.«

»Keine Gegenred. Ich wills!«

Mia stand auf.

»Ich muß allein sein«, sagte sie bestimmt und verließ das Büro.

Urban stierte ihr nach. Ein maßloser Ärger überkam ihn. Etwas entwickelte sich, das er nicht erwartet, das er nicht angestoßen hatte. Das er gerade jetzt nicht brauchen konnte.

›Einmal krachts.‹

Schoos' Worte kamen ihm in den Sinn.

»Arschloch, blödes!« Irritiert stellte Urban fest, daß er laut vor sich hingeredet hatte.

Aus dem Varieté klang gedämpftes Gelächter.

＊

Kajetan nahm wieder seinen Beobachtungsposten ein, ein kleines Café in der Friedrichstraße, von dem aus man einen Blick auf das Haus des Studenten werfen konnte.

Vermutlich hatte dieser längst das Haus verlassen. Mißgelaunt bestellte Kajetan einen Kaffee. Als er gebracht wurde, öffnete sich die Tür des Hauses auf der gegenüberliegenden Straßenseite. Kajetan sprang auf, warf eine Münze auf den Tisch und verließ das Lokal.

Henning von Seeberg schlenderte gelöst zur Leopoldstraße. Bei einem fliegenden Händler kaufte er sich die neueste Zeitung und betrat das Café Leopold.

Kajetan nahm eine Zeitung vom Haken und setzte sich an den Nebentisch. Nach wenigen Minuten kam ein junger Mann an von Seebergs Tisch. Die beiden begrüßten sich ausgelassen. Nachdem die Studenten ein Frühstück bestellt hatten, begannen sie ein angeregtes Gespräch. Ob sein Kommilitone wieder zum Eibsee fahren würde, wollte von Seeberg wissen.

»Am Wochenende. Kommst du mit, Henning?«

»Hab zu tun!« lächelte dieser vieldeutig.

»Verstehe!« Der andere zwinkerte ihm zu. »Henning, der Kavalier. Aber mir kannst du es doch sagen? Ist es die, die du im ›Regina‹ kennengelernt hast? Sag nur, du hast sie bereits ...« Er sah ihn neidvoll an.

»Du bist mehr als indiskret!« tadelte von Seeberg eitel.

»Entschuldige! Aber es ist fürchterlich mit dir! Und wie sieht es heute abend aus?«

»Da bin ich leider auch schon abonniert, mein lieber Justus.«

»Mit ihr?«

»Tschuldigens, der Herr«, sagte der Kellner, »täts Ihnen was ausmachen? Ich hätt hier ein paar Gäst, die zusammensitzen möchten. Da drüben wär noch ein einzelner Stuhl.«

Kajetan schüttelte den Kopf. Natürlich mache ihm das nichts aus, log er.

Nun war kein Wort mehr davon zu verstehen, worüber sich die beiden jungen Männer unterhielten. Offenbar gab es eine Menge amüsanter Neuigkeiten zu berichten, denn erst nach mehr als einer Stunde verabschiedeten sich beide voneinander. Kajetan folgte dem Studenten, der sich mit zügigem Schritt zu seiner Wohnung begab, sich dort umzog und nach kurzer Zeit wieder auf die Straße trat. Er schien sie nach einer zufällig vorbeifahrenden Droschke abzusuchen, ging dann aber über die Ludwigstraße zum Odeonsplatz. Er überquerte ihn und verschwand schließlich in der Enge der Altstadtgassen. Mit Mühe konnte Kajetan ihn wieder ausmachen, als er durch das Thal in Richtung Osten schlenderte, schließlich vor einem Altstadthaus in der Nähe des Isartors stehenblieb und an die Tür schlug. Er wurde eingelassen.

Am Haus zeugte ein Wandschild davon, daß hier eine studentische Verbindung ihr Domizil hatte. Das Gebäude hatte keine Hofeinfahrt, durch die man hindurchgehen hätte können, um einen Blick auf den Saal der Verbindung zu werfen. Die Fenster waren geschlossen. Kein Laut drang auf die Straße. Kajetan schlenderte durch die Gassen, wobei er in regelmäßigen Abständen die Tür des Verbindungshauses passierte.

Immer wieder kam ihm Mia in den Sinn.

Die Dämmerung hatte bereits eingesetzt, als eine Gruppe junger Männer das Verbindungshaus verließ. Sie schienen in bester Laune zu sein und unterhielten sich noch einige Minuten, bevor sie sich verabschiedeten.

Am Isartor winkte von Seeberg einer Droschke. Kajetan konnte nur noch aufschnappen, daß der Student in die Wörthstraße nach Haidhausen wollte. Der Fahrer, den Kajetan wenig später aufhalten konnte und dem er die Fahrt dorthin befahl, ließ sich nicht hetzen. Dennoch konnte Kajetan noch sehen, wie der Student ein Haus in der Nähe des Ostbahnhofrondells betrat.

Hier also wohnte von Seebergs Geliebte?

Ein Gefühl des Bedauerns befiel Kajetan. Die Schlinge um den Studenten zog sich zu. Wie konnte er auch nur dermaßen unvorsichtig sein? Traute er seinem Vater nicht zu, daß dieser ihn beobachten lassen würde? Oder riskierte er gar den Bruch mit ihm? Kajetan konnte sich nicht einer gewissen Sympathie für den jungen Mann erwehren: Es schien jenem völlig egal zu sein, womit ihm gedroht worden war.

Eine Trambahn bog kreischend in die Wörthstraße. Als sie an der nur wenige Schritte von seinem Beobachtungsposten entfernten Haltestelle anhielt, stieg Kajetan ein. Zu Hause angekommen, legte er sich erschöpft ins Bett. Er betrachtete die Muster, die sich durch den rissigen Gips des Plafonds zogen.

Wie sollte er sich verhalten? So froh er war, daß er für Fleischhauer arbeiten konnte, so wenig behagte ihm, daß ihm die Rolle des Zerstörers dieser harmlosen Liebschaft zugefallen war.

Als er noch Polizist war, hatte es nur gegolten, Gesetzesbrecher dingfest zu machen. Welches Gesetz aber wurde hier gebrochen? Dasjenige dünkelhafter Kreise, die sich über den Pöbel heben wollten?

Er wollte Fleischhauer aber auch nicht hintergehen – jedoch: Würde jemand daran etwas aussetzen können, wenn er die beiden warnte?

Noch während er darüber nachdachte, hatte ein irritierendes Gefühl von ihm Besitz ergriffen. Mia.

Er sehnte sich nach ihr. Der Gedanke an sie überwog Zorn und Vernunft. Während er sich noch befehlen wollte, sich zusammenzunehmen, überlegte er bereits seine Worte, die er ihr sagen wollte, wenn er vor ihr stünde. Die albernen Begründungen, mit denen er sich verbieten wollte, Mia nahe zu sein, wirkten nicht mehr.

Das Leben war, wie es war, und nicht, wie es sein sollte.

✳

»Ja, so ein Zufall! Der Herr Kommerzienrat Dandl! Grüß Ihnen Gott, Herr Kommerzienrat!«

Der feiste, gutgekleidete Mann, der eben die Tür hinter sich geschlossen und einen Moment satt an sich herabgesehen hatte, riß erschrocken die Augen auf.

»Ich glaub, Sie täuschen sich!« sagte Dandl abweisend, setzte seinen Hut auf und wollte gehen.

»Unmöglich, Herr Kommerzienrat! Gestatten – Kainz, Neueste Münchner Zeitung. Lokalressort.« Der Journalist machte einen kleinen Bückling und lächelte gewinnend.

Dandl blieb stehen und wandte sich langsam um. »Reporter ...?« sagte er heiser. Dann faßte er sich. »Bei was für einem Blattl, sagt Er?«

»Neueste Münchner, Herr Kommerzien ...«

»So. Bei der.« Der Kommerzienrat kratzte sich nachdenklich an seiner fülligen Wange.

Der Reporter nickte eifrig. »Jawohl, Herr Kommerzien...«

»Soso.« Dandl richtete sich auf und wippte auf den Sohlen.

»Bei dem Blatt also«, stellte er fest«, wo ich seit Jahr und Tag schon annoncier, und zwar nicht grad gering?«

»Tatsächlich?« fragte Kainz interessiert.

»Tatsächlich«, bestätigte Kommerzienrat Dandl. Er machte eine nachdenkliche Miene. »Also, von da ist Er her ...«, wiederholte er lauernd.

»So ist es! Kainz! Lokalreporter. Bin grad dabeigewesen, für eine Reportage über Ausländer in München zu recherchieren und wollt dazu die Madame de Paris befragen. Schließlich inserierts ja – sehns, steht ja auch an ihrem Türschildl – daß sie Unterricht gibt, in Französisch.« Er wies mit dem Kopf zur Tür, aus der Dandl eben gekommen war. »Aber gewundert hat mich schon, daß manche Pariser Weiber einen Dialekt haben, den ich eher nach Dingolfing getan hätt.«

Dandl unterbrach ihn.

»Herr ...«, begann er überlegen.

»Kainz! Wenns recht ist, Herr Kommerzien ...«

»... Kainz. Also recht freuen wirds den Herrn Dietrich,

Ihren Chef, bestimmt nicht, wenn Sie ihm seine Kundschaft verärgern, glaubens nicht auch?«

»Da versteh ich Ihnen jetzt nicht, Herr Kommerzienrat!« sagte der Reporter unschuldig, »Wie kommens denn jetzt auf sowas?«

»Bloß aso, Herr Kainz, bloß aso. Haben wir uns verstanden?

Kainz schüttelte verständnislos den Kopf. »Was meinens denn?«

»Ob wir uns verstanden haben, hab ich Ihn gefragt?«

»Also, Herr Kommerzienrat!« Der Reporter hob aufgeregt seine Brust. »Jetzt versteh ich Ihnen erst. Ich bitt Sie! So ein Mißtrauen! Für was haltens mich denn? Jetzt bin ich aber beinah beleidigt!« Er schien empört.

Dandl beschwichtigte ihn. »So wars nicht gemeint, Kainz. Aber Er muß schon verstehen, daß eine Person des öffentlichen Interesses Obacht geben muß. Da trifft man ihn, wie er zufällig irgendwo vorbeigeht, und schon täts heißen ...«

Kainz nickte eifrig. »Selbstverständlich, selbstverständlich, Herr Kommerzienrat. Sie sagen es!«

»Gehns, komm Er mit, Kainz. Damit Er nicht ganz umsonst da ist, lad ich Ihn auf ein Glaserl Wein ein. Dann kann Er mich das eine oder andere fragen, was sich wirklich rentiert für einen Reporter, der wo auf dem kiwif ist wie offenbar Er.« Er zwinkerte kurz und vielversprechend.

Der Reporter war überrascht. Dankbar verneigte er sich. »Das ist ja eine Ehre, Herr Kommerzienrat!«

Der Kommerzienrat winkte gnädig ab. »Kommens.« Sie betraten die Treppe. »Vielleicht ist für Ihn von Interesse, daß morgen im Hotel ›Vier Jahreszeiten‹ ein äußerst bedeutsames Treffen stattfindet, in dem wichtigste Vertreter der deutschnationalen Verbände zusammentreffen.«

»Ich weiß, Herr Kommerzienrat. Die wichtigsten Vertreter der deutschnationalen, der panbavarischen und monarchistischen Kräfte kommen zusammen.«

»Woher weiß Er das, Kainz? Er ist ja gut informiert. Respekt!«

»Herr Kommerzienrat!« gab der Reporter an. »Ich bin schließlich Journalist.«

»Aber daß auch die Vertreter des Zentrums sowie hochrangige Abgesandte des hiesigen Klerus dabei sein werden, wird Er nicht wissen!«

»Nein!« gestand Kainz ein. »Tatsach? Hochinteressant. Und worüber wird gesprochen?«

»Nun, es geht um nicht weniger als die Zukunft unseres Vaterlands. Mit einer Republik wie dieser ist kein Staat zu machen.«

»Natürlich«, nickte der Reporter. Sie hatten den Eingangsflur erreicht. Dandl blieb stehen und blickte verschwörerisch um sich. Seine Stimme senkte sich.

»Natürlich geht es auch um einzelne Details – und möglicherweise auch um Dinge, die ebenfalls gesagt werden müssen und die zu einer notwendigen Reinigung von, sagen wir einmal, Elementen führen, die meinen, den Schutz des nationalen Aufbruchs für windigste – ich wiederhole – allerwindigste Geschäfterl mißbrauchen zu können.«

»Oh!« staunte Kainz. Sie traten auf die belebte Neuhauser Straße. Dandl wies auf eine Gaststätte am Ende der Straße.

»Gehen wir doch gleich ins Café Fahrig am Karlsplatz!« bestimmte er.

Kainz schien zu überlegen. Ein Lächeln trat in sein Fuchsgesicht. »Gern. Aber wenns dem Herrn Kommerzienrat nichts ausmachen würde, wär mir der ›Steyrer‹ lieber.«

Dandls Gesicht wurde länglich. »Der ›Steyrer‹?« Er mußte husten.

»Ja. Meine Stammwirtschaft! Sagens nur, daß Sie den nicht kennen! Oder gefällts Ihnen nicht da drinnen?«

»Doch ...« Die Stimme des Kommerzienrats hatte jede Kraft verloren.

Kainz redete munter weiter. »Dann kennens bestimmt auch den Besitzer, den Herrn Urban. Ein famoser Mensch. Und außerdem ein Mann, an den man sich als Journalist halten muß, denn hie und da kommst da doch an recht interessante Informationen.«

» ... und hie und da ... revanchieren Sie sich auch ...«, ächzte Dandl.

Kainz nickte grausam. »Freilich. Sie kennen sich ja aus, Herr Kommerzienrat. – Was habens denn? Ist Ihnen schlecht? Sie sagen ja gar nichts mehr.«

Den ganzen Vormittag hatte Kajetan versucht, den Studenten beim Verlassen des Hauses anzutreffen. Von Seeberg mußte das Haus bereits verlassen haben. Auch im Café Leopold, wo er sein Frühstück einzunehmen pflegte, saß er nicht, und unter den Besuchern des Verbindungsbüros in der Altstadt war er ebenfalls nicht.

Kajetan erinnerte sich daran, daß von Seeberg mit einem Kollegen über einen Ausflug an den Eibsee gesprochen hatte. Vielleicht war er dort? Doch würde ihm Fleischhauer eine Reise, die womöglich ebenfalls vergeblich wäre, niemals bezahlen.

Er wanderte ziellos durch die Stadt, löste schließlich, was er sich bereits seit Tagen vorgenommen hatte, einen Teil seines Pfands aus und legte sich schließlich für einige Stunden schlafen.

Als er erwachte, war die Dämmerung bereits hereingebrochen. Er stand hastig auf und begab sich in die Fried-richstraße. Er hatte von Seeberg einmal am Fenster seiner Wohnung gesehen und wußte deshalb, in welchem Stockwerk er wohnte. Doch dort brannte kein Licht.

Schließlich fuhr er mit der Trambahn den Gasteig empor. Die Fenster der Wohnung in der Wörthstraße, die er suchte, waren erleuchtet. Das Haustor ließ sich mit leichtem Druck öffnen. Er stieg die Treppe bis ins obere Stockwerk empor und klopfte an eine Tür, an der ein kleines Schild mit dem Namen »Weber Petronilla« befestigt war.

»Wer ist draußen? Henning? Bist es du?«

Sie war allein.

»Ich bin ein Freund von Henning. Ich soll Ihnen eine Nachricht bringen.«

»Die Tür ist nicht zugesperrt!« hörte Kajetan die Stimme des Mädchens. Er drückte die Klinke herunter.

Das blonde Mädchen sah ihn freimütig an.

»Wer sind Sie? Ich kenn Sie gar nicht. Ein Freund vom Henning sind Sie?« Sie reichte ihm die Hand. »Ich bin die Nilla!«

Kajetan sah sich in ihrer Kammer um. Sie war sauber und aufgeräumt, in einer Vase auf dem Tisch stand ein Bund Astern. Alles atmete Liebenswürdigkeit. Was sollte er tun?

Das Mädchen verschränkte die Arme vor ihrer Brust und wich einen winzigen Schritt zurück. »Was möchtens bittschön?«

Kajetan nannte seinen Namen und gab an, im indirekten Auftrag von Heninng von Seebergs Vater gekommen zu sein.

»Hockens Ihnen hin«, sagte sie ahnungsvoll. Vergeblich versuchte sie, ihre Aufgeregtheit zu unterdrücken. Ihre Wangen hatten sich gerötet. Kajetan lehnte ab.

Sie sank auf einen Stuhl. »Ihr wollt nicht, daß wir zusammen sind, ich weiß schon«, sagte sie bedrückt.

»Ich selber will gar nichts, Fräu'n Nilla«, korrigierte
er, »aber es ist wahr: Der Vater macht sich Sorgen.«

Ihre Augen wurden feucht. »Er muß aus Stein sein.
Oder ...«, sie besann sich und schniefte, »nein ... vielleicht ist es wirklich ein guter Mensch und ... Kennen Sie
ihn? Können Sie nicht ...«

Kajetan schüttelte den Kopf.

»Was ... haben Sie mir dann zu sagen?«

»Hat Ihnen der Henning gesagt, daß ihm sein Vater
den Umgang mit Ihnen verboten hat?«

Sie setzte zu einem Nicken an, hielt jedoch erschrocken inne und starrte ihn an. »Nein«, log sie.

Kajetan schwieg. Nilla streifte ihn mit einem kurzen
Blick und sah zu Boden. Sie zog ein Taschentuch aus
ihrem Hüftannäher und schneuzte sich. Dann hob sie
den Kopf.

»Und jetzt will der Vater nachschauen, ob der Henning sich auch dran hält?« sagte sie geschlagen. »Und
Sie, Sie schleichen, seit er zurück ist, schon da herum, um
es herauszufinden? Schämens ... Ihnen nicht?«

Kajetan hob die Schultern und ließ sie wieder fallen.
Er spürte den Wunsch, diesen Raum zu verlassen und
drehte sich zur Tür. Sie sprang mit fliegendem Haar auf
und stellte sich vor ihn. »Entschuldigens! Ich habs nicht
so gemeint!« Sie begann zu weinen. »Ich bitt Sie, verra-
tens uns nicht! Bei der Heiligen Jungfrau! Der Henning
und ich, wir haben uns lieb. Einmal muß sein Vater es
einsehen, daß uns nichts auf der Welt auseinanderbrin-
gen kann! Er muß es einsehen! Und er wird merken, was
für eine gute Tochter ich ihm sein werd! Und daß auch
sein Sohn ihn dann wieder achten kann, wie ein Sohn seinen Vater achtet. Bitte!«

Sie lief zu einer Kommode, riß die Schublade auf, griff
zu einer Geldbörse und hielt sie ihm tränenüberströmt
entgegen. Kajetan runzelte betreten die Stirn.

»Er zahlt Sie doch? Schauens her«, sie öffnete die Börse und holte einen zusammengefalteten Geldschein hervor, »Sie kriegen das Geld von mir! Ich bin keine Leichte, ich hab was gespart! Nehmen Sie es ... Aber bitte verraten Sie uns nicht!«

Betroffen hatte Kajetan auf den Zehnmarkschein gestarrt und war unwillkürlich einen Schritt zurückgetreten. Er schluckte und schob ihre Hand zurück.

»Behaltens das Geld«, sagte er rauh, »ich überlegs mir.«

Sie hob ihre Augenbrauen und sah ihn hoffnungsvoll an. Ein ungläubiges Lächeln erschien auf ihren Lippen. Ihre Brust hob und senkte sich heftig. Sie suchte nach Worten.

»Sagens erst einmal niemandem, daß ich da gewesen bin! Niemandem! Vor allem nicht dem Henning! Habens mich verstanden?«

Sie nickte eifrig. »Ich versprechs!«

Kajetan sah sie streng an.

»Sie verraten uns nicht!« jubelte sie und umarmte ihn. Kajetan sah sie mürrisch an.

»Ich überlegs mir, hab ich gesagt!« raunzte er. Sie nahm die Hände von seinen Schultern.

»Wir haben ausgemacht, daß wir in der nächsten Zeit vorsichtiger sind, der Henning und ich, und uns seltener sehen. So schwer es uns auch fällt.«

»Tuts das?«

»Ja. Sehr«, sagte sie bedrückt.

✳

Während Kajetan nachdenklich den Gasteigberg hinunterging, dachte er an Nilla. Er mochte sie. Was sollte er tun? Der Detektiv vertraute ihm. Er durfte sich nicht schon wieder durch eine unbedachte Handlung in eine

Malaise bringen. Wenn er diese Angelegenheit erfolgreich abschließen würde, könnte sie weitere Aufträge nach sich ziehen, und nachdem er gern auf weitere Abenteuer mit Urban verzichtete, würde er sie bald wieder bitter nötig haben.

Er war unschlüssig, wußte aber gleichzeitig, daß alles so kommen würde, wie es immer kam. Er würde sich wieder in Schwierigkeiten bringen, und nichts auf der Welt würde ihn davon abhalten können, wieder in einen soliden Schlamassel zu geraten.

Er dachte an Mia. Warum ging er nicht sofort zu ihr? Noch hielt ihn etwas zurück, doch gleichzeitig erkannte er, daß es kein Fliehen mehr geben würde.

Er hatte versucht, sich zu verschließen, obwohl sich etwas in ihm geöffnet hatte. Was ihn mit Mia verband, war noch nicht zu Ende. Vielleicht war er, der viele Monate einsam gewesen war, verrückt geworden, weil er glaubte, ihr müsse es wie ihm ergangen sein; zu lange hatte sich die Sehnsucht nach Berührung und Nähe in ihm gestaut. Jetzt floß sie über. Vielleicht war alles eine entsetzliche Täuschung. Aber keine Lüge war, daß er von nichts anderem mehr träumte als von jener Nacht.

›Morgen ...‹, beschloß er. Er sah sich, wie er vor Mias Tür stand und klopfte.

Es war bereits dunkel geworden. Er zog die Schultern zusammen. Obwohl die Nachtluft noch angenehm warm war, fror er.

Wütend schob er die in den Angeln ächzende Windtür der Pension auf und durchquerte das kleine Foyer. Die Tür zu Brettschneiders Büro stand offen.

»Herr Kajetan!« Kajetan hatte bereits eine Hand am Treppengeländer. Brettschneider stand im Türrahmen und schob sich einen Hosenträger über die Schultern.

»Ich hab Sie gehört. Ich erkenn alle meine Gäste daran, wie sie gehen.«

Kajetan war nicht sonderlich interessiert. »So? Und wie geh ich?«

»Allerweil ein bisserl schneller als die anderen. Fast ein bisserl gehetzt, als ob Sie Angst hätten, daß Ihnen was auskommt und daß Sie was verpassen. Was pressierts Ihnen denn gar so?«

Kajetan zuckte mit den Achseln. Er fragte sich, was der Besitzer von ihm wollte.

»Ich bin fei schon enttäuscht, mit was Sie sich abgeben«, sagte Brettschneider mit gerunzelter Stirn.

»Wie meinens das?«

»Da ist vorhin ein junges Ding dagewesen und hat Ihnen ...«, er griff in seine Tasche und holte einen zusammengefalteten Zettel hervor, »... eine Nachricht aufgeschrieben. Da!« Er streckte die Hand aus.

Kajetan nahm das Papier erstaunt an. Er überflog die Zeilen.

»Wann ist sie dagewesen?« fragte er schnell. Er faltete das Papier mit zitternden Fingern zusammen.

»Schon heut mittag. Sie sind ja nie daheim. Wo treibens Ihnen denn eigentlich allerweil umeinand?«

Kajetan faltete das Papier zusammen und ging wortlos zur Treppe.

»Ich bin fei echt ein bisserl enttäuscht«, rief ihm Brettschneider nach, »was Sie so für einen Umgang haben. Ich hab gedacht, daß wenigstens Sie sich nicht mit so einer Britschn einlassen.«

Kajetan wandte sich böse um. »Mit was?«

»Ich kenn mich aus.« Er trat einige Schritte zur Treppe und sah nach oben. »Wollens wissen, wie ich eine kenn, die ihr Geld in der Geraden verdient? Die meisten haben einen winzigen Riß im Gesicht.«

Kajetan versuchte, sich zu beherrschen. »Lassen Sie mir meine Ruhe, Herr Brettschneider. Das interessiert mich nicht.« Er setzte seinen Weg fort.

»Das ist nämlich eine Narbe von einem Messer«, krähte ihm Brettschneider boshaft nach. »Bei den Huren ist es wie beim Kistler: Erst werdens geschnitten, und dann werdens genagelt!« Er lachte herzlich über seinen Scherz.

Kajetan nahm zwei Schritte auf einmal und erreichte mit klopfendem Herzen seine Kammer. Mit fliegenden Bewegungen griff er nach der Waschkaraffe, goß Wasser in die Schüssel und wusch sich das Gesicht mit den Händen. Dann stellte er sich vor den Spiegel, kämmte sich und strahlte sich an. Verliebt dachte er daran, daß sie nicht nur das Wort »kommen« mit einem »m« und dem altmodischen Überstrich geschrieben hatte, sondern in fast jedem zweiten Wort einen Rechtschreibfehler gemacht hatte. Nur kurz überlegte er, ob sie jetzt überhaupt zu Hause wäre. Egal. Dann würde er zum »Steyrer« gehen, sich als Gast in das Varieté setzen, ganz harmlos tun und am Stachuskiosk wieder auf sie warten. Obwohl, fiel ihm ein, sie darum gebeten hatte, daß er in ihre Wohnung am Glockenbach kommen sollte. Er warf den Kamm in die Schublade, sah gedankenlos an sich herunter und verließ mit schnellen Schritten das Zimmer.

»Bleibens draußen«, brummte der Ältere der beiden Polizisten, »da darf keiner rein. Der Doktor ist drinnen. Wer sinds denn überhaupt? Gehören Sie zur Familie?«

»Nein ... ja«, stotterte Kajetan, »was ...?«

»Trotzdem. Es darf keiner hinein.« Der zweite Polizist nickte. Auf dem Treppenabsatz standen mehrere neugierige Hausbewohner und glotzten ratlos.

»Was ... ist denn ... drin? Was ist mit der Mia?«

»Regens Ihnen nicht auf. Der Doktor ist ja schon bei ihr.«

Kajetan bebte. Er starrte er den Beamten an.

In diesem Moment öffnete sich die Türe zu Mias Kammer. Der Arzt, gefolgt von der Fürsorgerin, kam heraus.

»Sofort in das Krankenhaus!« sagte er mit unterdrückter Unruhe.

»Was ist denn?« schrie Kajetan. Der Arzt wandte sich tadelnd an ihn.

»Alles sieht nach einer Vergiftung aus.«

»Ver ... ver ...«

»Gehens aus dem Weg!« Die Fürsorgerin schob ihn zurück und wandte sich an einen der Beamten. »Seid Ihr mit dem Wagen da? Nein?« Sie sah Kajetan an. »Sind Sie vom Haus? Hat irgend jemand da herin ein Telephon?«

Niemand antwortete. Kajetan schloß die Augen und atmete tief ein. Er packte die Fürsorgerin, stieß sie zur Seite und wollte in das Zimmer laufen. Sie gab ihm eine Ohrfeige. Er wich zurück, stolperte über die Türschwelle und fiel in die Arme eines Polizisten. Der Beamte hielt ihn mit hartem Griff fest.

»Ein Telephon! Hat keiner ein Telephon?« Sie fluchte. »Herr Doktor, dann müssen wir das ihrige Auto nehmen!«

»Geht wohl nicht anders«, brummte der Arzt ärgerlich und wandte sich zum Treppenabsatz. »Ich fahr vor das Haus.« Die Hausbewohner wichen zurück.

»Herr Wachtmeister, staubens die Leut weg! Wir müssen die Kranke nach unten tragen! Es geht um Minuten bei so was«, sagte die Fürsorgerin. Sie wich Kajetans entsetztem Blick aus.

»Alle gehen in die Wohnungen zurück!« rief der ältere Beamte und wiederholte es in strengerem Ton, nachdem sich niemand bewegen wollte. »Los, rein in eure Löcher. Da gibts nichts zu sehen.«

Der Schutzmann fluchte laut und ging drohend auf die

Gaffer zu, die sich ängstlich duckten und endlich seinem Befehl folgten.

Das Gesicht der Fürsorgerin war unbewegt. Ihre Brust hob und senkte sich. Sie überlegte. Ihr Blick fiel auf Kajetan.

»Ist das ein Verwandter? Oder was ist der?« fragte sie den Polizisten. Dieser hob unsicher die Schultern.

»Nicht? Dann soll er sich schleichen.« Sie zeigte nach unten. Der Beamte schob den widerstrebenden Kajetan zum Treppenabsatz und gab ihm einen leichten Stoß. »Runter!« knurrte er böse. Kajetan taumelte einige Stufen in die Tiefe und klammerte sich an das Becken der Wasserstelle. In der Leibung eines Wohnungseingangs stand ein Junge und weinte haltlos.

Die Fürsorgerin wandte sich an den zweiten Beamten.

»So. Sie müssen mithelfen«, sagte sie entschlossen, »wir tragen sie nach unten. Der Doktor muß jeden Moment da sein.«

»Jetzt wartens doch auf die Sanitäter!« sagte der Polizist abwehrend. »Soviel Zeit wird doch noch sein. Daß ich mir noch die Uniform anpatz, das fehlt mir grad no ...«

Er sprach nicht weiter. Ein vernichtender Blick hatte ihn durchbohrt.

»Von mir aus«, brummte er schließlich und folgte ihr in das Zimmer.

Ihre Stimmen waren kaum mehr zu hören. Kajetan klammerte sich noch immer an das Geländer. Ein Schwindel hatte ihn ergriffen. Benommen hörte er nun von unten den Ruf des Arztes. Der Beamte, der auf dem Treppenhausflur stehengeblieben war, antwortete ihm. Langsam ordneten sich Kajetans Gedanken. Er lief nach unten.

Der Motor des Wagens tuckerte.

»Was ist mit ihr passiert?« fragte er den Doktor.

»Hab ich Ihnen doch schon gesagt«, gab der Arzt mürrisch zurück. »Vermutlich Gift.«

»Wieso Gift?«

Der Arzt sah ihn mit mitleidiger Verachtung an. »Blöde Frage.«

»Ich mein – was für eins, Herr Doktor?«

»Das wenn ich wüßt.«

»Und wo bringen Sie sie jetzt hin?«

Der Arzt nannte den Namen einer Klinik auf der anderen Seite der Isar. »Wenns überhaupt noch einen Zweck hat ...«

»Lassens mich mitfahren, Herr Doktor!« stieß Kajetan hervor.

»Sinds narrisch? Hab keinen Platz. Sind Sie denn mit ihr verwandt?«

»Ja!« log Kajetan. »Bittschön – ich muß ...«

»Ich hab trotzdem keinen Platz, Herrgottnochmal. Hören Sie nicht? Sie werden sie noch früh genug sehen!«

Kajetan rannte los. Er hatte bereits die am Isarufer nach Norden führende Straße erreicht, als er vom Wagen des Arztes überholt wurde, der an der Ludwigsbrücke nach Osten abbog. Kajetans Atem rasselte. Er lief keuchend weiter.

Als er die Klinik erreicht hatte, stand der Wagen des Arztes noch vor dem Eingang.

»Heda!« rief der Portier scharf. »Dableiben. Wo wollens hin?«

»Inspektor Kajetan! Schutzmannschaft!« Kajetan holte röhrend Luft und tat, als ob er in seine Brusttasche greifen wollte. »Es ... ist soeben eine ... Frau eingeliefert worden. Wo ist sie hingebracht worden?«

Der beeindruckte Portier machte einen Bückling.

»Entschuldigens, Herr Inspektor«, sagte er untertänig, »das junge Weiberleut da, die wo eben grad ...?«

Kajetan nickte ungeduldig.

»Also, wenns mit der noch reden wollten, dann sinds zu spät, Herr Inspektor. Also, Sie, das seh ich gleich, auch wenn ich kein Doktor bin, auf einen Blick seh ich das, daß mit dem Madl nichts mehr ... was habens denn auf einmal? Herr Inspektor?!!«

Man hatte ihn in einen Raum neben der Pforte getragen und auf eine Pritsche gelegt.

Die Fürsorgerin hatte ihn zusammenbrechen sehen und saß nun neben ihm, als er nach einigen Minuten erwachte. Er sah sie mit tränenverschleierten Augen an.

»Warum habens das nicht gesagt, daß Sie von der Polizei sind?« fragte sie.

Er schüttelte benommen den Kopf. »Stimmt ja nicht«, flüsterte er.

»Ach so.« Sie verstand. »Sie sind mit ihr gegangen, gell?«

»Was ist passiert?« flüsterte Kajetan.

»Es ... es sieht danach aus, als hätte sie sich vergiftet.«

»Warum ... ? Mit was ...?«

»Weiß ich nicht. Ich hab nichts herumliegen sehen. Der Doktor sagt ...«

»Was?«

»Kokain.«

»Kokain?« wiederholte Kajetan ungläubig. »Woher soll sie denn ...« Er versuchte sich aufzurichten. Mit sanftem Druck schob sie ihn zurück.

»Woher sie das hat? Wo leben Sie denn?«

»Die Mia ...«, flüsterte Kajetan, » ... und Kokain.«

»Vieles weist drauf hin«, erklärte sie sachlich, »der hohe Blutdruck, die Krämpfe, die Atemnot. Aber ich bin ja kein Doktor. Es kann auch ganz was anderes gewesen sein.«

»Wie ... ist sie denn gefunden worden?«

»Was ich gehört hab, hat sie sich noch zur Tür geschleppt und um Hilfe geschrien. Ich selber war zufällig in der Nähe.«

»Wer schreit denn ... um Hilfe, wenn er sich umbringen will?«

»Die meisten«, antwortete sie nüchtern. »Aber es sollte ihnen einmal einer sagen, daß die umgekehrte Reihenfolge die gesündere wär.«

Die Fürsorgerin hatte ihm dann erzählt, daß Mia noch bei Bewußtsein gewesen war, als sie das Zimmer betreten hatte. Die Sterbende wollte offenbar etwas sagen, konnte aber bereits nicht mehr sprechen. Im Wagen sei sie noch einmal kurz erwacht und hätte etwas geflüstert. Das allerdings hätte sie nicht mehr genau verstanden. Aber es hätte sich eigenartig ... ja, eigenartig zufrieden angehört. Daß es jetzt gut sei. Oder so ähnlich.

»Aber jetzt müssens gehen«, sagte sie und griff Kajetan unter den Arm. »Bevor Ihnen jemand draufkommt, daß Sie gelogen haben. Das ist strafbar.«

Er richtete sich auf.

»Ich möcht sie sehen«, bat er mit tonloser Stimme.

»Sinds doch vernünftig! Das geht nicht mehr.«

Er bettelte. Sie wurde ungeduldig und wand sich aus seiner Hand.

»Sie ist doch längst nicht mehr da. Sie ist gleich, nachdem der Arzt hier ihren Tod festgestellt hat, in die Gerichtsmedizinische gebracht worden.«

Bierkugel und Messer hatten es in den vergangenen Tagen nicht leicht gehabt. Zwar waren sie gleich nach der Niederlage Kaisers auf Urbans Seite geschwenkt, aber dennoch war man ihnen mit Mißtrauen begegnet. An diesem Abend jedoch hatte zumindest der kleine Bierkugel Gelegenheit erhalten, seine Fähigkeiten zu beweisen.

Denn er war es, der den Einbrecher entdeckt hatte, ihn in die Flucht schlagen und rechtzeitig den Brandherd löschen konnte.

Zufrieden beobachtete er, wie Urban, der sich in letzter Zeit immer seltener in seinem Büro über dem Varieté aufgehalten hatte, mit fliehenden Mantelschößen und schiefsitzendem Bowler hereinstürzte und seine Männer anbrüllte. Schoos hatte unwillkürlich die Hände gehoben, als müsse er sich gegen eine Ohrfeige schützen.

»Ist doch gar nicht viel passiert!« verteidigte er sich verletzt. Urban wischte sich über die Stirn und ließ sich erschöpft auf einen Stuhl fallen.

»Dein Glück«, sagte er finster. »Erzähl«, befahl er mit drohender Stimme, »wie hat das passieren können? Das ganze Haus hätt abbrennen können, weil ihr nicht aufgepaßt habt!«

»Ich hab ihn zuerst gesehen«, sagte Bierkugel stolz. Urban nickte ihm anerkennend zu und drehte sich zu Schoos.

»Aber du, Schoos, bist heut dran gewesen! Wo warst du eigentlich? Hast stattdessen wieder mit der Gotti poussiert?«

Kandl sah ungläubig von einem zum anderen. Schoos widersprach verärgert.

»Weil ich mit dem seiner Britschn poussier!« protestierte er. »Die Krätzn kann ich mir auch woanders holn...«

Gotti stürzte sich wie eine Furie auf ihn.

»Gotti!« Urbans Stimme ließ sie versteinern. Ihr Arm, mit dem sie zum Schlag ausgeholt hatte, sank augenblicklich herab.

Jetzt schien auch Kandl zu kapieren. Fassungslos zeigte er auf Schoos und wandte sich an Gotti. »Was hast du ... mit dem da?« Er schlug ihr ins Gesicht. Sie schrie erstickt auf und taumelte zur Tür. Kandl duckte seinen

Kopf zwischen seine Schultern, drehte sich zu Schoos und hob erneut seine Faust.

Urban war außer sich. Er sprang auf, riß den Rasenden herum und gab ihm eine klatschende Ohrfeige.

»Ist jetzt endlich eine Ruhe da herinn? Mir wird das Lokal angesteckt! Die Leut hauen in Panik ab! Der ganze Umsatz ist beim Teufel, und wer weiß, wie es in den nächsten Tagen ausschaut? Und euch fällt nichts besseres ein, als wegen einem Weibsbild zu raufen?!«

Bierkugel beobachtete genüßlich den Streit und wechselte einen Blick mit Messer.

Gotti kroch auf allen vieren und versuchte sich aufzurichten. »Ich geh fort«, wimmerte sie leise. »Ich hab genug, ich geh auf Augsburg ... da gibts wenigstens einen anständigen Puff ... da ...«

»Schmeißts die Britschn raus!« befahl Urban. Er atmete schwer. Messer zog das Mädchen mit grobem Griff hoch und schob sie hinaus. »Mit dir red ich noch!« zischte Kandl.

Urban fuhr sich durch die Haare. Er setzte sich wieder, führte beide Hände an seine Schläfen und dachte nach. Dann sah er auf.

»Hat ihn jemand erkannt?« fragte er nüchtern. »Du, Bierkugel, hast ihn doch erwischt, wie er das Feuer gelegt hat. Du sagst auch, daß du auf ihn geschossen hast. Meinst du, daß er eine gefangen hat?«

»Bestimmt.«

»Woher willst das wissen?«

Bierkugel schwenkte seinen runden Kopf in Richtung der Straße. »Draußen ist eine Blutlacke.«

»Und was hast du gesehen? Wars einer von denen, die früher mit euch und dem Kaiser zusammengewesen sind?«

Bierkugel verneinte. »Die sind doch eh alle bei dir.«

»War ers vielleicht selber?«

»Der Kaiser? Bestimmt nicht! Soviel ich weiß, ist der grad im Spital. Ein Auto soll ihn zusammengefahren haben, wie er besoffen über die Straß wollt. Außerdem: Ich hab den zwar nicht genau gesehen, aber er war um einiges größer als der Kaiser. Und mager.«

Urban blickte in die Runde.

»Wer könnts dann gewesen sein? Was meinst du, Messer?«

»Einer, der dich nicht mag, würd ich sagen.«

»Der Posch, meinst?« Urban überlegte. Er schüttelte den Kopf. »Der Posch ist ein Maulheld.« Er sah zu Schoos. »Spiel nicht den Beleidigten. Was sagst du dazu? Du kennst ihn auch.«

Schoos hob gekränkt die Schultern. »Bei viel Geld kriegt mancher auf einmal eine Schneid. Außerdem kann ers ja jemandem angeschafft haben.«

»Ich glaubs nicht«, widersprach Urban. »Das ging viel zu schnell. Er hat bestimmt bis heut geglaubt, daß mich der Dandl am Kragen packt und ich das Geld wieder herausrücken muß. Daß der Dandl das nicht getan hat, weiß er noch gar nicht. Und auch der Dandl wird sich hüten.« Er sah zufrieden an sich herab. »Der hat seine Lektion verstanden. Grad schön hat er mir auf der Versammlung getan und mir sogar noch gedankt für meine Verdienste. Nein, so eine Sau er auch sein kann, dumm ist er nicht.«

Bierkugel trat einen Schritt vor. Urban sah auf.

»Der Posch und der Dandl sind gut miteinander an«, stellte er ruhig fest.

»Wissen wir«, sagte Urban unruhig.

»Also kannst davon ausgehen, daß ihm der Dandl schon eher gesagt hat, in welcher Zwickmühle er ist und ihm deswegen nicht mehr helfen kann.«

Urban strich über sein Bärtchen. Er nickte nachdenklich, stand auf und wanderte im Gang auf und ab. Ratlos folgten die Männer seinen Bewegungen.

Urban schlug mit der flachen Hand auf den Tisch.

»Schoos, Kandl – Ihr sucht mir den Posch! Bloß der kann dahinterstecken!«

Die Männer schauten sich ratlos an. »Das sagst so leicht«, maulte Kandl. Urban machte eine wegwerfende Handbewegung. »Der Posch muß noch in der Stadt sein. Horcht euch um, wo er steckt.«

»Und dann?«

»Und dann?« echote Urban ungeduldig. »Dann kriegt er, was ihm zusteht, verstehst? – Und jetzt hauts ab!«

Sein Blick fiel auf Schoos, der sich wortlos zur Tür begeben hatte. Er glaubte, einen leichten Spott um dessen Mundwinkel entdeckt zu haben.

»Schaustn so blöd, Schoos?« fragte er gereizt.

Dieser tat, als hätte er nicht verstanden. »Ich schau doch nicht!« maulte er.

»Freilich schaust. Ich sehs doch!« Urban winkte ihn ärgerlich hinaus. Doch dann fiel ihm noch etwas ein.

»Ah, Kandl«, rief Urban, »wart einmal!«

Der Angesprochene drehte sich um. »Sag, Kandl, ... war die Mia heut da?«

Kandl überlegte kurz. »Die Mia? Nein, die war nicht ...«

»Aber heut hätts doch singen sollen, nedwahr?«

Kandl nickte. »Der Gustl sagt: ja. Aber gesehen hab ich sie nicht.«

＊

Die Männer entdeckten den Österreicher wenige Stunden später. Der Kellner des »Blauen Bock« hatte ihnen sagen können, wo Posch mit Sicherheit zu finden sein würde. Er kannte natürlich die Hure, mit der Posch sich betrunken hatte und mit der er schließlich, vor etwa einer viertel Stunde sei das gewesen, aus dem Lokal gewankt war. Der Kellner konnte auch die Hofdurchfahrt des Hauses am Jakobsplatz beschreiben, für die das Mädchen einen Schlüssel hatte und in der sie ihre diesbezüglichen Geschäfte verrichtete.

Sie hatten den Eingang nach wenigen Schritten gefunden. Er lag im Dunkeln; eine Gaslampe beleuchtete nur den vorderen Teil der Gasse. Schoos preßte sein Ohr an die schwere Tür. Er wies mit dem Daumen nach innen und grinste.

»Da drin wird schwer geschoppt«, raunte er. Auch Kandl horchte. Er verzog seinen Mund. »Das muß ein ziemliches Gewicht sein, was der da stemmt.«

Es waren wenige Minuten vergangen, als ein dumpfes Ächzen zu hören war, das von unterdrücktem Gezeter begleitet wurde. Nachdem sie kurz danach Schritte gehört hatten, zogen sich Schoos und Kandl schnell zurück und taten so, als ob sie gerade zufällig die Straße entlanggehen würden. Die Hure kam schnaufend heraus, zupfte verärgert an sich herum und stakste mit schnellen Schritten die Gasse hinab. Wenig später öffnete sich die Türe erneut.

Schoos legte seine Hand an die Schläfe und grüßte verschlagen. Posch erschrak.

»Wer seids ihr?« keuchte er.

Er hätte doch eine Droschke bestellt, behauptete Kandl. Posch stritt es ab.

»Schmarren!« protestierte er. »Wo ich doch gleich drüben beim Tor logier!«

Die beiden Männer sahen sich an. Schoos wandte sich wieder an den Empörten und griff an dessen Revers.

»Bestellt ist bestellt!« sagte er drohend. Kandl packte Posch am Arm und zog ihn mit sich. Hilflos sah Posch um sich.

»Wennst schreist, bist hin. Spürst, was ich in der Hand hab? Was ist das?« Schoos drückte die Spitze eines Messers in Poschs Rücken.

»Was ... was hab ich euch denn getan?« flüsterte der Entführte und sah entsetzt von einem zum anderen. Plötzlich schien sein Atem zu stocken.

»Euch kenn ich ja!« ächzte er und versuchte, sich aus den Griffen der beiden Männer zu winden. »Ihr seids dem Urban seine ...!«

»Still bist!« Schoos drückte die Klinge fester in Poschs Rücken. Posch stöhnte leise auf. Bald hatten sie den Wagen erreicht. Kandl, der nun ebenfalls ein Messer in der Hand hielt, öffnete die Tür, schob Posch auf den Rücksitz und wuchtete sich neben ihn. Schoos drehte fluchend die Motorkurbel und setzte sich hinter das Steuer.

Bald hatten sie die Ludwigsbrücke erreicht. Schoos schaltete den Selve zurück.

»Wo ... wo bringts ihr mich hin?« flüsterte Posch.

»Weiß gar nicht, was er hat«, sagte Schoos gleichmütig, »da darf er bei uns mitfahren und freut sich gar nicht drüber.«

»Wo ... wohin fahren wir denn?« stammelte Posch.

»Bloß ein bisserl spazieren«, sagte Kandl gähnend.

※

Der kühle Wind, der am Morgen aufgekommen war, hatte das Fenster zu Kajetans Kammer aufgedrückt. Mit leisem Ächzen schob er die Flügel hin und her und schlug sie, als er stärker wurde, an die Leibung. Im Halbschlaf hatte Kajetan das Gefühl gehabt, das gleichmäßige, von feinem Glasklirren begleitete Klocken sei Teil seines Traums, bis er schließlich fröstelnd erwachte. Die Decke lag am Boden. Er zog sie wieder über sich und vergrub sich darin, bis das Geläut der Heiliggeistkirche dröhnend einsetzte. Mit schweren Bewegungen stand er auf und schloß das Fenster. Er tappte unentschieden in der Kammer umher. Schließlich zog er sich an.

Er besah sich im Spiegel und starrte fassungslos auf sein Bild. Sein Gesicht war schmutzgrau, zwischen seine Augen hatte sich eine tiefe, waagrechte Wulst gesenkt. Unter seinen rotgeränderten Augäpfeln waren seine Tränensäcke angeschwollen wie die eines alten, betrunkenen Mannes, und tiefe Furchen hatten sich von der Nasenwurzel zu den unrasierten Wangen gegraben. Sein Haar stand wüst in die Höhe; vergeblich versuchte er, es mit den Händen zu glätten. Er füllte die Waschschüssel, nahm mit beiden Händen Wasser heraus und rieb sich das Gesicht ab. Dann trocknete er sich ab, legte das Tuch zur Seite und richtete seinen Rücken gerade. Er sah nicht mehr in den Spiegel.

Mia war tot. Sie hatte sich vergiftet.

Doch wenige Stunden zuvor hatte sie ihm doch eine Nachricht zukommen lassen und ihn gebeten, sie aufzusuchen! Es sei sehr wichtig, hatte sie geschrieben. Was hatte sie ihm sagen wollen?

✳

Schon auf der Treppe hörte er, daß die Tür zu Mias Wohnung offenstand. Als er näher trat, sah er eine dürre ältere Frau, die dabei war, mit einem nassen Tuch den Boden aufzuwischen. Als Kajetan grüßte, ließ sie sich nicht stören.

»Habens da was verloren?«

Ja, das hätte er.

»So? Was? Sind Sie epper ... der Bräutigam?«

»Ja.«

Sie wischte weiter. »So? Da lach ich aber. Wenns nicht so traurig wär. Hauens ab.«

Kajetan bemerkte, daß er noch zu wenig Kraft hatte, um sich mit ihr auf einen Streit einzulassen. Er ließ die Schultern fallen. Sie musterte ihn aus den Augenwinkeln.

»So wars nicht gemeint, Herr«, beschwichtigte sie schließlich. »Ich hab das Fräulein ja gern gemocht. Aber deswegen hat man ja trotzdem noch Augen im Kopf, oder?« Sie warf den Lappen in den Eimer und erhob sich.

»Sie hat mir hie und da was mitgebracht und sich auf eine Tasse Kaffee zu uns reingesetzt«, erzählte sie, während sie sich streckte. »Sie war keine Unrechte. Da gäbs andere.«

Kajetan räusperte sich. »Warum hat sie es getan? Wissen Sie es?«

Sie sah ihn mitleidig an. »Was glaubens, was sich das ganze Haus fragt, seit sie sie rausgetragen haben? Wenn Sie keine Ahnung haben? Was meinen denn Sie?«

»Weiß auch nicht. Haben die Schutzleut nichts gesagt?«

»Die wer?« fragte sie verächtlich. »Kennen Sie einen Gendarmen, der wirklich was rausbringt?« Sie sah ihn offen an. »Den zeigens mir. Den möcht ich sehen. Einmal in meinem Leben.«

Kajetan räusperte sich erneut.

»Kanns denn sein, daß sie krank gewesen ist?«

»Die ist nicht kränker gewesen als ich. Und ich bin mein Lebtag gesund gewesen, das hats nicht gegeben, da hab ich gar keine Zeit dazu gehabt«, sagte sie stolz.

»Kann doch sein?«

Sie kam einen halben Schritt näher und sah ihn zweifelnd an. »Oder meinen Sie gar, daß ein junges Ding wie sie so einfach eingeht wie die Alten im Winter an der Gripp? Wissens, Herr, was ich ihnen sag? Umgebracht hat sich das Fräulein!«

Sie drehte sich um, beugte sich über den Eimer und wrang den Putzlappen aus.

Kajetan ging an ihre Seite, um in ihr Gesicht zu sehen. »Wie ... wie kommens da drauf?«

»Tappen Sie mir nicht auf den Boden, den ich grad geputzt hab!« schimpfte die Alte. »Warum, fragen Sie? Wie soll ich das wissen? Aber irgendwas ist gewesen mit ihr in den letzten Tagen.« Sie hatte sich auf den Boden gekniet und ihre Arbeit fortgesetzt. »Seit sie einmal fort gewesen ist.«

»Fort gewesen? Wann? Und wohin ist sie gefahren?«

»Jetzt gehen Sie doch bittschön da hinten hin!« polterte sie ärgerlich. »Zu was putz ich denn? Das Zimmer ist doch schon längst wieder vermietet. Der neue Zimmerherr möcht heut auf Nacht einziehen!«

Kajetan entschuldigte sich. Sie brummte besänftigt. »Wohin sie gefahren ist, das weiß ich nicht. Aber recht weit kanns nicht gewesen sein, weils ja auf Nacht schon wieder dagewesen ist. Und wann das war? Gestern, nein, vorgestern erst. Auf jeden Fall muß da irgend etwas passiert sein, weil sie irgendwie ganz auseinandergewesen ist hinterher. Wie ein Leintuch so blaß wars, und gar kein Lacher ist ihr mehr ausgekommen, dabei ...«, ihre Stimme wurde warm, » ... dabei hats doch ein liebes Lachen gehabt, wie ...«, sie putzte heftig und beugte sich tiefer, »... wie wenns Edelstein regnen tät, hab ich einmal zu ihr gesagt. Und so anständig zusammengerichtet hat sie sich auch. Ja, Fräu'n Mia, hab ich zu ihr gesagt, gehns auf eine Kindstauf?«

Sie richtete sich auf den Knien auf und wischte sich mit dem Ärmel über ihre Augen.

»Wer weiß, was da passiert ist«, sagte sie nachdenklich. »Vielleicht hats einen Ausflug gemacht mit einem, und der ist recht gescheert gewesen zu ihr? Aber nein – zu sowas zieht man sich nicht an wie zu einer Kindstauf ...«

»Und sie hat wirklich nicht gesagt, was es war?«

Die Frau schüttelte den Kopf.

»Wie oft soll ich es Ihnen noch sagen? Es muß aber was Schlimmes gewesen sein.« Sie warf den Lappen wieder in den Eimer, stand auf und sah sich ärgerlich um.

»Wo soll denn jetzt das ganze Zeug von ihr überhaupt hin? Weiß doch kein Mensch, wo sie her ist. Ich bild mir ein, sie hätt einmal gesagt, sie sei als Ziehkind bei Leuten in Straubing aufgewachsen.« Sie ging zum Schrank und drehte den Türknauf. »Der Hausherr hat mir angeschafft, ich soll alles gleich wegtun. Sag ich: Wartens doch noch, sie ist doch noch nicht einmal unter der Erdn! Wär ihm wurscht, meint er. Sie, der hat ein Gemüt! Das meiste hat er gleich selbst in den Ofen geschmissen.«

Sie griff in eines der Fächer. »Da! Lauter gutes Zeug! Was das kost hat! Ich könnt meine Schwiegertochter fragen, aber die gwamperte Urschl, der paßt das ja niemals ... Ein Mannsbild kanns ja auch nicht brauchen ...« Sie hob die Tücher auf und betrachtete sie anerkennend. »Da schauens, der Mantel! Pfenniggut! Den hats auch angehabt, wie sie weggefahren ist.« Sie betastete ihn. »Oh, da ist ja sogar noch ihre Geldtaschn drin. Ist vielleicht sogar noch ein Geld da? Wer kriegt denn das?«

Sie öffnete den Verschluß und griff hinein.

»Öha«, sagte sie überrascht, »das sind ja mehr als zwanzig Mark. Was tu ich jetzt damit? Ich werds der Stadt geben müssen, für die Beerdigung.« Sie sah Kajetan fragend an. Er nickte unschlüssig. Sie schob die Geldbörse zurück und griff in die andere Tasche.

»Nein, da ist nichts mehr.« Sie wollte das Stück Papier wieder zurückstecken.

»Lassens schauen!« sagte Kajetan schnell. Sie reichte ihm das Papierstück.

Er kniff die Augen zusammen. Sie stellte sich an seine Seite und versuchte mitzulesen. »Was Wichtiges?«

»Ein Stück von einer Fahrkarte«, sagte Kajetan heiser.

»Zeigens her«, sagte die Putzerin und riß ihm das Papierstück aus der Hand, »vielleicht steht drauf, wo sie hingefahren ist.«

Kajetan holte es sich wieder zurück. »Man kanns nicht

lesen. Bloß noch den Preis: Zwei Mark und zwanzig. Da kommst, na, wie weit dürft eine da kommen?«

»Das dürften so gute fünfzig, sechzig Kilometer sein.«

»Straubing dürfte weiter sein. Landshut käm wohl eher in Frag. Oder Augsburg?«

Kajetan schüttelte bestimmt den Kopf. »Landshut ist weiter. Augsburg könnt schon eher stimmen.«

»Ich hätt noch nie gehört, daß das Fräu'n Mia was in Augsburg zu suchen gehabt hätt.« Sie hängte den Mantel wieder in den Schrank, schloß die Türen und drehte den Schlüssel um. »Nein, ich weiß es auch nicht, wo sie gewesen ist«, seufzte sie, »ich komm ja nie raus aus der Stadt. Zuletzt war ich mit meinem seligen Mann einmal am Chiemsee unten, aber das war schon vor dem Krieg. Sie – eine herrliche Reise ist das gewesen! So was Schönes hab ich mein Lebtag nicht mehr erlebt.«

Kajetan hörte ihr bereits nicht mehr zu. Er verabschiedete sich hastig und lief mit schnellen Schritten die Treppen hinab. Als er vom Treppenhaus in die Toreinfahrt trat, blieb er unwillkürlich stehen.

Hinter diesem Mauervorsprung hatte ihm der Unbekannte aufgelauert. Weshalb hatte er es getan? Er hatte den Mann zwar nicht erkennen können, dennoch war er davon überzeugt, daß es keiner jener Männer war, die er im »Steyrer« gesehen hatte. Vielleicht war es ein Verehrer Mias gewesen, der sie beide verfolgt hatte? Doch dann hätte er mehrere Stunden hier verbringen müssen, da er nicht wissen konnte, wann Kajetan aus dem Haus gehen würde. Und er wäre bestimmt entdeckt worden. Auch nach Mitternacht gingen noch Bewohner ein und aus. Vermutlich hatte er sich hinter der Tür, die in den Hinterhof führte, zurückgezogen, wenn er gehört hatte, daß jemand die Tür aufschloß oder jemand das Treppenhaus betrat. Kajetan drückte das Schloß der rückwärtigen Türe auf.

Der Junge sprang erschrocken zurück. Böse starrte er Kajetan an.

»Was schaust mich denn so zwider an?« frage Kajetan. »Ich tu dir nichts.«

Jetzt sah er, daß der Junge geweint hatte.

»Gehns weg«, sagte der Bub mit zitternder Stimme.

Kajetan beugte sich verwundert zu ihm herab. »Was hast denn?«

Beppi trat einen Schritt zurück und zog den Rotz hoch. »Ihr habts das Fräu'n Mia umgebracht!«

»Was!?«

»Ja!« rief der Bub unter Tränen. »Ihr seids schuld. Ich hab genau gesehen, wer allerweil zu ihr gekommen ist. Du bist auch einer von denen!«

»Spinn dich aus, Bub! Ich gehör zu niemandem«, sagte Kajetan und versuchte, ihn zu beruhigen. »Außerdem, wer sollen die gewesen sein, die allerweil zu ihr gekommen sind?«

»Die mit dem Auto!«

»Wann ist jemand zu ihr gekommen?«

»Gestern ...«, Beppi schluchzte lauter, »gestern hat sie einer vor das Haus gebracht. Ich habs gehört.«

»Jemand hat sie heimgebracht? Wer?«

»Du!«

»Blödsinn. Ich bin in der Arbeit gewesen.«

»Du lügst mich an!«

»Tu ich nicht. Wie haben die ausgeschaut, die sie heimgebracht haben?«

Unsicher wanderten die Blicke des Jungen über Kajetans Gesicht. »Einer ... ist es gewesen. Er ist mit ihr hinaufgegangen. Hab gedacht, du seist es gewesen.«

»Ist er dort geblieben?«

Der Junge schüttelte den Kopf. »Er ist gleich wieder fort. Aber dann hab ich auf einmal das Fräu'n Mia so ... so grausig schreien hören.«

Kajetan packte seine Schultern und schüttelte ihn. Der Junge erschrak.

»Du mußt es mir glauben!« sagte er eindringlich. »Ich bin es nicht gewesen. Aber ich muß wissen, was für ein Saukerl sie besucht hat!«

Der Junge gab seinen Widerstand auf und wischte sich mit geballter Hand die Tränen aus den Augen.

»Ich hab bloß gehört, wie ein Auto gekommen ist, sie ausgestiegen sind ...«, er schniefte und zog wieder den Rotz hoch, » ... und zu ihr hinaufgangen sind. Ein Mann ist es gewesen. Ich hab durchs Schlüsselloch gesehen. Ein großer. Einen Hut hat er aufgehabt. Es war zu finster auf der Stiege, drum hab ich sein Gesicht nicht sehen können ...«

»Aber er ist nicht lange geblieben?«

Beppi schüttelte den Kopf. Wieder traten Tränen aus den Augen.

»Was für ein Auto es gewesen ist – weißt du das?«

»Nein ... ein großes Auto.«

»Und was für eine Marke?«

»Es ist doch schon finster gewesen ... Er hat sie vergiftet ...«, schluchzte Beppi auf. Kajetan legte ihm die Hand auf die Schulter und sah ihn bewegt an.

»Hast sie gern mögen, das Fräu'n Mia, gell?«

Der Junge errötete heftig und nickte stumm. Wieder brannten Kajetans Augen.

Aus dem Jungen war nichts mehr herauszubekommen, außer, daß auch er bestätigte, daß Mia von ihrem Ausflug ganz verändert zurückgekehrt war. Sie hätte ihn gar nicht angesehen, und es hätte ihm weh getan, weil er vorgehabt hatte, ihr ein Gedicht zu schenken, das er gefunden und in schöner Schrift abgeschrieben hatte.

✳

Der alte Detektiv wies Kajetan mit ausdruckslosem Gesicht auf den Stuhl. Er schien an etwas anderes zu denken und wirkte übernächtigt.

»Sie haben also auf dem Bahnhof keine diesbezügliche Feststellung machen können«, wiederholte er fast uninteressiert, »aber erkannt haben Sie ihn doch wenigstens?«

»Da bin ich sicher. Auch die Adresse stimmt. Ich bin ihm gefolgt.«

»Soso. Und das Mädl, wo wohnt das?« Er sah ihn prüfend an.

»Wenns mir einen Rat geben, wie ich das rausfinden soll, wenn er sich noch nicht mit ihr getroffen hat?«

»Tuns nicht schnabeln!« Fleischhauer hob warnend den Zeigefinger. »Das könnens Ihnen noch nicht leisten. Erzählens mir lieber, was er den ganzen Tag tut.«

Kajetan zog einen handgroßen Block aus seiner Tasche und blätterte ihn auf. Der Student, las er vor, würde verhältnismäßig spät aufstehen, etwa gegen neun Uhr. Er habe das Haus in den vergangenen Tagen meist kurz darauf verlassen, um in einem Café in der Leopoldstraße sein Frühstück zu nehmen und Zeitung zu lesen. Derzeit, schob Kajetan erklärend ein, seien ja keine Vorlesungen. Damit sei er gegen elf Uhr in der Regel fertig. Die Zeche sei ordentlich, gelegentlich trinke von Seeberg auch ein Glas Wein. Danach folge, zumindest sei das an drei Tagen, wo es das Wetter erlaubt hätte, so gewesen, ein längerer Spaziergang, zumeist im Hofgarten. Anschließend Besuch im Café Heck dortselbst, bei Überfüllung im Café Annast. – Nein, kein Kontakt zu einer weiblichen Person. – An einem der Tage hätte er das Haus der Norika-Verbindung besucht und das Gebäude bis zum frühen Abend nicht mehr verlassen.

»So.«

Kajetan fühlte, wie eine leichte Röte in seine Wangen

stieg. »Die Abende ebenfalls negativ: Ein Theaterbesuch – Lustspielhaus –, der bis halb elf Uhr gedauert hat. Anschließend mit Freunden Besuch der Gaststätte Leopold. Allein nach Hause gegen Mitternacht. Weiterhin: Ein Kinobesuch in Begleitung eines gleichaltrigen Mannes, offensichtlich ein Freund oder Mitstudent, und danach Besuch der genannten Gaststätte, dieses Mal jedoch bis kurz vor Lokalschluß. Kein auffallendes oder längere Zeit beanspruchendes Zusammentreffen mit einer weiblichen Person.«

Kajetan schob die Kladde wieder ein.

»Auch keine umgekehrte Kontaktaufnahme? Die jungen Dinger sind heut nicht mehr so, daß sie lang warten wollen.«

»Die hätte höchstens brieflich erfolgen können. Das kann ich natürlich nicht sagen. Aber es hätte sich in einer Reaktion seinerseits ausdrücken müssen. Ein Postkasten ist gleich in der Nähe seiner Wohnung. Aber ich habe ihn nie einen Brief einwerfen sehen.«

Der Detektiv nickte zufrieden.

»Ausgezeichnet, lieber Kajetan. Sie scheinen ja Tag und Nacht auf der Lauer zu liegen.«

Kajetan lächelte verlegen. Er schämte sich. Er mochte Fleischhauer und hatte ein schlechtes Gewissen, denn natürlich war das meiste erfunden. Seit dem Gespräch mit dem Mädchen war schließlich jede weitere Beschattung sinnlos gewesen.

»Also, Herr Kajetan, was ist Ihr Eindruck?«

Kajetan sagte, seiner Menschenkenntnis nach hätte der Student, wenn er das Versprechen, das er seinem Vater gegeben hatte, nicht habe einhalten wollen, zumindest einmal versuchen müssen, mit dem Mädchen Kontakt aufzunehmen. Zumindest das künftige Verhalten hätte ja abgesprochen werden müssen.

Das sei einleuchtend, befand der Detektiv.

»Tja, mein Lieber, ein folgsamer junger Mann. So wünschen wir uns das, nicht wahr? – Mein Gott! Das soll die heutige Jugend sein?« sagte er verächtlich. »Aber trotzdem: Bleiben Sie noch ein paar Tage dran. Vielleicht täuschen wir uns ja in ihm.«

Fleischhauer stand auf. »Wir sehen uns in zwei Tagen! Um punkt acht in der Früh, verstanden?«

✳

Kajetan hatte sich verabschiedet und ging nun mit schnellen Schritten zum Telegraphenamt beim Zentralbahnhof. Dort wartete er, bis ein Telephonabteil frei wurde. Er warf eine Münze ein.

»Gerichtsmedizinisches Institut der Universität München, Grüß Gott?«

»Inspektor Eder von der Kriminalabteilung, Schutzmannschaft. Den Doktor Sobczak in der Pathologie bittschön.«

Die Telephonistin wiederholte den Namen und versprach, die Verbindung herzustellen. Kajetan versuchte, seine Erregung zu dämpfen. Verärgert stellte er fest, daß das, was ihm früher ohne weiteres gelang, nämlich sich mit falschem Namen eine Information zu besorgen, jetzt Herzklopfen verursachte.

Eine schnarrende Stimme meldete sich. Kajetan wiederholte sein Pseudonym.

»Von wo?« wollte Sobczak wissen.

»Kriminalabteilung, Schutzmannschaft«, wiederholte Kajetan.

»Soso. Was kann ich für Sie tun, Herr Inspektor?«

»Es ist gestern früh eine junge Frau eingeliefert worden.« Er gab ihren Namen an. »Laut unserer Aufnahme hat sie sich vergiftet.«

Der Pathologe wußte Bescheid.

»Richtig. Was, ah, möchten Sie wissen, Herr Inspektor ... wie gleich nochmal?«

»Eder.«

»Von der Schutzmannschaft?«

»Ja! Ich möchte Sie fragen, Herr Doktor, ob die Obduktion bezüglich des Giftes etwas ergeben hat.«

»Soso. Das möchtens gerne wissen.«

Kajetan war irritiert.

»Ja, ob ...«

»Jetzt bindens mir bittschön keinen Bären auf«, knurrte der Gerichtsmediziner. »Was soll der Zirkus? Die Stimme von einem, der mir, solang er bei der Polizei war, das Leben zur Hölle gemacht hat, weil er so gut wie jedes Obduktionsergebnis überprüft haben wollte, die vergißt man nicht so schnell. Was glaubens, was wir hier für ein Leben haben mit unseren Toten, seit Sie nicht mehr da sind?«

Kajetan schwieg beschämt. Er hatte befürchtet, daß der Alte ihn erkennen würde.

»Was ist, Herr Inspektor, hats Ihnen die Sprach verschlagen?« sagte Sobczak versöhnlich. »Erzählens erst einmal, wo Sie sich jetzt rumtreiben. Und dann könnens mich das fragen, was Sie so interessiert. Also, wieso sinds denn überhaupt rausgeflogen? Habens selber was angestellt?«

»Nein. Aber das ist eine lange Geschichte. Die erzähl ich Ihnen ein anderes Mal. Trifft man Sie eigentlich noch hie und da am Platzl?«

»Freilich. Aber nimmer so oft, seit ich da einmal einen Leberkäs gekriegt hab, der mich ein bisserl zu sehr an meine Arbeit erinnert hat. Ich bin nicht heikel, aber wenn auf deinem Teller was liegt, was ausschaut wie das Brandopfer, das du grad seziert hast, dann vergehts einem. Aber zurück zu dem, was Sie wissen wollten. Was interessiert Sie das eigentlich? Ein berufliches Interesse kanns doch nicht mehr sein?«

»Es ... ist eine gute Bekannte gewesen.«

»Ach so. Also – woran die Frau nach unserer Meinung gestorben ist? Ganz einfach: Die hat nicht aufgepaßt und eine zu große Menge Kokain erwischt.«

»Wirklich?«

»Was heißt: wirklich? Gehts schon wieder los? Natürlich ist das bei einer jungen und ansonsten gesunden Frau nicht grad normal. Alkohol dürfte ihr zwar nicht unbedingt fremd gewesen sein, aber bei dieser Vergiftung hat das keine Rolle gespielt. Und: Länger als eineinhalb, zwei Jahre hat sie das Glump noch nicht genommen. Daran stirbst normalerweis nicht, wenn du so jung bist. Die es tun, sind meist die Alten, die es schon viel länger nehmen, weils glauben, bei den Weibern sonst nichts mehr zustande zu bringen.«

»Ja, eben!«

»Ja eben! Ja eben!« äffte Sobczak wütend nach, »Kajetan, soll ich jetzt den ganzen Zirkus von vorn anfangen und eine neue Obduktion beantragen? Und wenn ich gefragt werd, warum es das braucht, sagen: Ja, wissens, der Herr Kajetan, der wo früher einmal bei der Polizei gewesen ist, der meint da irgendwie, daß da noch was anderes dahinter sein könnt? Und daß allerweil, wenn der meint, daß was dahinter ist, auch meistens was dahinter ist? Außerdem sinds diesmal wirklich auf dem Holzweg. Da ist absolut nichts dahinter, glaubens mir! Es handelt sich um eine ganz normale Sach, die ich jeden Tag auf den Tisch krieg. Und ganz aufs Hirn gefallen bin ich auch nicht.«

Das wollte er keinesfalls sagen, beteuerte Kajetan.

»Jaja, redens nur«, brummte Sobczak, »außerdem dürft ich Ihnen ja wirklich keine Auskunft geben, nebenbei. Sinds froh, daß man bei den Toten ein wenig eigen wird und sich nicht mehr so um die Vorschriften kümmert. Und jetzt muß ich aufhören. Grad ist nämlich ein hübsch zugerichtetes Verkehrsopfer hereingekommen.«

✳

Der Trick, sich als Polizist auszugeben, schien dieses Mal besser zu funktionieren. Kajetan hatte berücksichtigt, was ihm der alte Gerichtsmediziner noch auf den Weg gegeben hatte.

»Wissens, warum ich Ihnen draufgekommen bin?« hatte Sobczak gesagt. »Weil sich nämlich einiges geändert hat bei der Polizei. Sie ist jetzt richtig militärisch durchstrukturiert – weils nämlich keine Armee mehr haben dürfen, habens die Polizei dafür aufgerüstet. Und für die Kriminaler ist jetzt nicht mehr die Schutzmannschaft zuständig, sondern die Polizeidirektion. Wenns also noch mal auf diese Tour was wissen wollen, dann denkens dran.«

Der Beamte des Wohlfahrtsamtes war zwar nicht erfreut darüber, daß er alle seine Karteikästen nach einem bestimmten Namen durchsuchen sollte, konnte aber nicht ablehnen.

»Das braucht aber seine Zeit, Herr Inspektor! Jetzt vor der Mittagspause rufen Sie an«, sagte er vorwurfsvoll, »pressiert denn gar so?«

»Absolut!

»Dann geb ich Ihnen gleich meine Kollegin.«

Eine Frauenstimme meldete sich. Kajetan erkannte sie sofort. Kaum, daß er seinen falschen Namen genannt und gesagt hatte, daß er die Adresse von Mias Eltern suchte, hörte er ein leises, belustigtes Lachen.

»Sagens, Ihre Stimm kenn ich doch?« Sie senkte die Stimme. »Werden Sie nie gescheiter? Was soll das Theater? Ich darf Ihnen die Adresse nicht geben!«

»Aber ich brauche sie!«

»Zu was?«

»Ich muß mit denen reden.«

»Das dürfen Sie nicht. Was wollen Sie denn denen überhaupt sagen?«

Hastig erklärte Kajetan, daß er erfahren hätte, daß Mia kurz vor ihrem Tod einen Ausflug gemacht hätte, und er vermute, daß sie zu Verwandten oder ihren Eltern gefahren sei. Er müsse wissen, was dort geschehen war, denn wenige Stunden nach ihrer Rückkehr sei sie gestorben.

Sie schien zu überlegen und schwieg einige Sekunden. »Das darf ich nicht!« sagte sie schließlich laut.

»Ich ... «, stotterte Kajetan.

»Es langt«, sagte sie streng, »ich weiß genau, daß Sie seit langem nach Nymphenburg umgezogen sind. In die Prinzenstraße. Ich kann Ihnen sogar die Hausnummer sagen: Dreiundsiebzig! Da schauens, gell? Außerdem stehns sogar im Telephonverzeichnis drinnen, da braucht man bloß nachschauen. Wer da logieren kann, braucht von der Städtischen Fürsorg nichts. Und kriegt auch nichts.«

»Wieso umgezogen?«

»Herrgott, ist der Mensch begriffsstutzig«, zischte sie und legte auf.

✳

Das Hausmädchen, das ihn hereingelassen hatte, schloß die Tür hinter ihm. Die Herrin der Villa in Nymphenburg, eine hagere Frau anfang der Fünfziger, reckte ihr Kinn energisch nach vorne.

»Sie sind Notariats-Angestellter, Herr Kajetan? Was führt Sie zu uns?« Sie zwinkerte nervös.

»Ich darf Ihnen zunächst mein Beileid aussprechen, gnädige Frau. Ihre Tochter ...«

»Sie war nicht unser leibliches Kind«, korrigierte sie, »wir adoptierten sie.« Sie setzte sich steif und drückte ihren Rücken durch.

»Sie ... tragen es sehr gefaßt, gnädige Frau.«

Sie zögerte mit ihrer Antwort und sah ihn mißtrauisch an.

»Wenn etwas eintritt, was zu erwarten ist, dann trifft es nicht mehr so tief. Ich muß zugeben, das Verhältnis zu unserer Adoptivtochter war zuletzt nicht mehr das beste. Sie lebte seit ihrem sechzehnten Lebensjahr nicht mehr in unserem Hause.«

»Bei allem, was Sie für sie getan haben, muß das bestimmt eine herbe Enttäuschung gewesen sein.«

Ein leidender Blick streifte ihn.

»Sie haben recht. Sie hat uns sehr, sehr enttäuscht. Wir ... ich hatte mich nach dem Tode meines Mannes neu vermählt. Mein jetziger Gatte hatte eigene Vorstellungen davon, wie Mia zu erziehen sei. Sie müssen wissen, daß er einen äußerst verantwortungsvollen Posten am Landesgericht eingenommen hatte und gewisse Dinge nicht akzeptieren konnte. Sie hingegen hatte sich zu einem trotzigen Wesen entwickelt. Es kam schließlich zu ...«, sie schniefte, »sehr häßlichen Szenen.«

»Unter denen vor allem Sie zu leiden hatten!« sagte Kajetan teilnahmsvoll. »Sprechen Sie sich aus, gnädige Frau. Welche Dinge waren es eigentlich, die Ihr Mann nicht akzeptieren konnte?«

Sie tupfte mit einer gezierten Bewegung ihre Lider ab.

»Nun, Mia stammte aus einer Familie, die ... welche nicht unserem Stand entsprach. Meinem früheren Gatten hatte das nichts ausgemacht – und ich, ich sehnte mich damals unendlich nach einem Kind. Als wir durch einen Bekannten meiner Eltern zufällig vom traurigen Schicksal dieses Kindes erfuhren, war mein damaliger Gatte sofort dazu bereit es aufzunehmen. Doch Rudolf ... ich meine, mein jetziger Gemahl, ist der festen Überzeugung, daß es nicht Erziehung ist, die den Menschen formt, sondern gewisse erbliche Anlagen. Nach seiner Auffassung wäre es für seine Karriere nicht eben förderlich gewesen, mit einem Abkömmling aus niederen Kreisen in Gesellschaft zu reüssieren. Ich hatte dafür Verständnis, aber auch Mitleid mit dem Kinde. Sie konnte ja nichts dafür.«

»Ich verstehe. Sie standen dazwischen. Das belastet gewiß auch die Ehe.«

Sie nickte schmerzvoll. »Ich versuchte zu vermitteln. Aber mein Gatte stellte mich schließlich vor die Entscheidung. So mußte ich zustimmen, daß sie in dieses Heim eingewiesen wurde. Ich mußte, verstehen Sie?«

»Natürlich. Sie müssen sich nicht entschuldigen, ich verstehe Sie vollkommen.«

Ein mattes Rot schimmerte durch die kreidige Haut ihrer Wangen. »Entschuldigen? Wie kommen Sie darauf, daß ich mich entschuldigen möchte? Muß ich das?«

»Sie mißverstehen mich ...«

Ihre Augen blitzten erregt. » ... das muß ich nämlich durchaus nicht! Alles hätte Mia von uns haben können, wenn sie sich nur gefügt hätte. Aber es wurde mir nicht gedankt, daß ich versucht habe, ihr zur Seite zu stehen.«

»Jaja, Undank ist ...«

Sie schien besänftigt. »Verzeihen Sie«, lächelte sie angestrengt, »lassen wir das Vergangene. Es ging um ihren Nachlaß, sagten Sie. Soweit ich das beurteilen kann, steht er uns zu, nicht wahr?«

Kajetan erwiderte ihr Lächeln nicht.

»Warum sind Sie nicht auf ihrer Beerdigung gewesen?«

»Ich hatte die Absicht. Doch mein Mann zeigte sich nicht sehr erfreut darüber.«

»Nicht erfreut. Verstehe ...«

Sie spielte nervös mit den Fingern.

»Wo ist Mia eigentlich geboren?« fragte Kajetan.

»In Sarzhofen. Es ist etwa 60 Kilometer im Nordosten. Ein erbärmliches, schmutziges Nest ...«

Kajetan unterbrach sie. »Ich weiß, wo Sarzhofen liegt. Sie war vor ihrem Tod dort und ist völlig erschüttert zurückgekommen. Wissen Sie, was sie dort erfahren haben könnte?«

»Ich weiß nicht«, deutete sie an, »vermutlich etwas, was mit ihrer Herkunft zu hat. Und jetzt, Herr Kajetan, möchte ich Ihnen sagen, daß mir Ihr Ton nicht mehr zusagt. Bitte teilen Sie mir mit, mit welchem Nachlaß welcher Art und welchen Umfangs wir zu rechnen haben. Es muß sich um eine größere Summe handeln, da Sie sonst nicht persönlich gekommen wären.«

»Es gibt keinen Nachlaß. Ich habe Sie belogen.«

Sie richtete sich auf. Ihre Augen funkelten böse.

»Sie deuteten an zu wissen, was in Sarzhofen passiert sein könnte?«

»Durchaus!« Sie stand auf und wies mit einer gebieterischen Handbewegung zur Tür. »Aber ich spreche nicht mehr mit Ihnen. Ich kann mir zwar nicht erklären, was Sie daran interessieren sollte, aber wenn Sie es genau wissen wollen, fahren Sie doch einfach hin. Auf Wiedersehen.«

Kajetan erhob sich langsam. Ihre Hand, deren Zeigefinger noch immer zum Ausgang zeigte, zitterte.

»Ich habe auch keine Frage mehr, gnädige Frau. Nur eine Feststellung. Ich nehme an, daß Sie Mia adoptiert haben, weil Sie selbst keine Kinder bekommen können. Die Natur ist manchmal sehr vernünftig, finde ich. Was Sie nämlich gebraucht haben, war lediglich ein Spielzeug. Als es lästig wurde, haben Sie es weggeworfen.«

Ihr Gesicht brannte. »Franziska!« kreischte die gnädige Frau. »Bringen Sie diesen ... diesen Zuhälter hinaus!«

Kajetan trat heftig auf sie zu. Erschrocken wich sie zurück.

»Richtig«, sagte er scharf, »deshalb kann ich auch sagen, daß jede Hure mehr Anstand hat als du.«

Sie stöhnte auf und tastete nach der Lehne ihres Sessels.

Kajetan hatte ihr Keifen noch in den Ohren, als er bereits wieder auf dem Weg in die Innenstadt war. Er drückte sein Gesicht an die Scheiben des Tramwaggons und suchte die Turmuhr der Giesinger Pfarrkirche.

Erleichtert lehnte er sich zurück. Er würde rechtzeitig ankommen.

✳

Zielstrebig betrat Kajetan das Weinhaus am Platzl und sah sich um. Alle Tische im vorderen Teil der weitläufigen Gaststätte waren besetzt. Dichter Tabakrauch stand über den Tischen. Bald hatte er entdeckt, wonach er suchte. Doktor Sobczaks weißer Haarkranz leuchtete einsam über einem Tisch im hinteren Teil des geräumigen Lokals. Er saß mit dem Rücken zum Eingang. Kajetan trat auf ihn zu.

»Ja so was!« sagte er erfreut, »Sie sinds? Der Herr Doktor. So ein Zufall.«

Sobczak sah ihn aus den Augenwinkeln an.

»So ein Zufall, ja«, sagte er bissig.

»Gut schauens aus, Herr Doktor!« Kajetan grinste liebenswürdig.

»Tuns nicht rumschwafeln, Sie falscher Hund«, knurrte Sobczak, »ich weiß genau, worauf Sie hinausmöchten.«

Kajetan wollte widersprechen, doch der Mediziner schnitt ihm mit einer ärgerlichen Handbewegung das Wort ab.

»Haltens den Mund«, sagte er unwirsch und starrte auf sein Weinglas, » ... natürlich hab ich es getan.«

»Und?!« Kajetan saß bereits neben ihm.

Sobczak sah sich mit einer raschen Kopfbewegung um und beugte sich zu Kajetan. Sein Gesichtsausdruck hatte sich verändert.

»Sie haben recht gehabt«, flüsterte er mit verschwörerischer Stimme, »das Kokain muß gestreckt gewesen sein. Die Menge hätte nie ausgereicht, um sie umzubringen.«

Kajetan beugte sich näher. Sein Herz schlug heftig.

»Gestreckt? Mit was?«

»Das hab ich nicht mehr so genau feststellen können. Vermutlich Amphetamine. Ich hab auch noch den Doktor gefragt, der sie ins Krankenhaus gebracht hat! Alles weist darauf hin: die Kreislaufkrisis, der Blutüberdruck, die Erstickungssymptome, der Herzstillstand.« Er nahm einen Schluck aus dem Weinglas und verzog den Mund.

Kajetan nickt heftig. »Sehens!« platzte es aus ihm heraus.

»Nichts seh ich!« fuhr Sobczak auf. Doch gleich senkte er wieder seine Stimme. »Das sagt nämlich nichts, aber auch gar nichts darüber aus, ob es Selbstmord oder Mord gewesen ist. Oder einfach Blödheit. Sie wär nicht die einzige, die gleich mehr von dem Dreck übereinander nimmt.«

Kajetans Augen wanderten ratlos über das Gesicht des Mediziners. Dann senkte er den Kopf. Der Doktor hatte recht.

»Trotzdem ist da was faul«, sagte der Mediziner gepreßt.

»Sie meinen ...«

»Nichts mein ich. Keiner wird mehr etwas nachweisen können. Wenn ich das sag, ist das reine Erfahrung.«

»Wie ...?«

Sobczak sah ihn ungehalten an. »Ganz einfach!« erklärte er. »Das ist früher jedes Mal so gewesen: Wenn der Kajetan einen auf was ansetzt, dann ist auch was dahinter. – Und jetzt lassens mir meine Ruh, verstanden?«

Kajetan stand verdutzt auf und hob seine Hand zu einem angedeutetem militärischen Gruß. Als er sich abwendete, sah er noch, wie ihm Sobczak mit einem verstohlen anerkennenden Lächeln nachsah.

Er ging zum Ausgang und öffnete die Türe. Plötzlich stutzte er. Er wandte sich um und ließ seinen Blick unauffällig durch den Raum wandern. Dann war er sich sicher. ›So ist das also‹, dachte er grimmig.

Henning von Seeberg beachtete nicht, wer hinter seinem Rücken Platz genommen hatte. Er griff nach der Hand des hübschen, dunkelhaarigen Mädchens und lächelte sie an. Sie ließ es geschehen. Er zog sie zu sich heran und flüsterte ihr etwas ins Ohr. Sie kicherte kokett.

Kajetan gab dem Ober ein Zeichen und bestellte ein Glas Wein. Verstohlen beobachtete er das Mädchen. An ihren gezierten Bewegungen erkannte er, daß sie aus gutem Hause sein mußte. Verliebt beäugte sie ihren Galan.

Der Student hatte sich also bereits neu orientiert. Die brave Nilla hielt er sich wohl nur für gelegentliche Notstände. Oder er hatte einfach nicht den Mut, ihr seine Entscheidung mitzuteilen.

Der Ober stellte das Weinglas auf den Tisch. Kajetan hob es und wandte sich zu seinem Nachbarn. »Zum Wohl, die Herrschaften!« sagte er freundlich.

Der junge Mann drehte sich um und maß ihn verwundert. Schließlich hob er mit gezwungener Höflichkeit ebenfalls das Glas und erwiderte den Trinkgruß. Sofort wandte er sich wieder seiner Geliebten zu.

Kajetan genoß den Wein. Er stellte das Glas wieder ab.

»Hamms heut das Fräu'n Schwester dabei, gell?« sagte er mit treuherziger Miene.

Sie unterdrückte ein Kichern.

»Schwester? Wie kommen Sie darauf?« Der Student schüttelte den Kopf und gab mit einem kurzen Blick zu verstehen, daß er sich belästigt fühlte. Er besann sich und grinste herablassend.

»Doch, ja! Das ist mein Fräulein Schwester ...« Er drehte sich wieder zu ihr.

Das Mädchen hielt die Hand vor ihren Mund.

»Sehns, das hab ich nämlich gleich gedacht, daß das Ihr Fräu'n Schwester sein muß!« sagte Kajetan in einfältigem Ton. Von Seeberg wurde ungehalten.

»Ich glaube, Sie verwechseln mich«, sagte er.

»Verwechseln, ich?« erwiderte Kajetan in gespielter Empörung. »Ich hab gute Augen, Sie, das dürfens mir glauben!«

»Das freut mich«, gab der Student hochmütig zurück, »aber, wenn ich ganz aufrichtig bin, dann interessiert mich nicht besonders, ob Sie gut sehen oder nicht!«

Kajetan tat, als hätte er es nicht gehört. Er stieß den Studenten mit dem Ellenbogen an und zwinkerte ihm verschwörerisch zu.

»Gehns zu, Herr Nachbar. Sie müssen mich doch kennen.«

»Was ich muß oder nicht muß, überlassen Sie bitte mir. Und jetzt stören Sie uns bitte nicht länger, ja?«

»Ich wohn nämlich auch in Haidhausen!«

Der junge Mann stöhnte ärgerlich auf. Das Mädchen lächelte unsicher. Kajetan bemerkte erfreut, daß die Laune von Seebergs bereits empfindlich gestört war.

»Aber ich nicht«, fauchte der Student. »Sagen Sie, sind Sie betrun...«

»Sie wohnen nicht auf der Wörthstraße? Vis-à-vis von mir, auf der Nummer 49? Da seh ich Sie doch allerweil mit Ihrem Fräulein Braut!«

Der junge Mann lief rot an. Sein Kopf schien zwischen seine Schultern zu sinken.

»Was meint er, Henning? Was redet der Herr da von einer ... Braut?« Die Augen des Mädchens hatten sich geweitet. Von Seeberg wich ihrem Blick aus. Zornig fuhr er herum.

»Jetzt lassen Sie uns endlich in Ruhe!« schrie er. Die ersten Gäste drehten sich neugierig um.

»Da brauchens jetzt nicht rot zu werden«, sagte Kajetan verständnisvoll, »habens es Ihrem Fräu'n Schwester wahrscheinlich noch nicht erzählt.« Er beugte sich zu ihr. »Ihr Herr Bruder, Sie, das sag ich Ihnen, Fräu'n, der hat das hübscheste Madl von ganz Haidhausen erwischt! Die Weber Nilla. Wenn da nicht sogar schon was unterwegs ist!«

»Henning ...?« hauchte sie ungläubig. Der schüttelte hilflos den Kopf. Sie wandte sich mit einem entschlossenem Ruck an Kajetan. »Er hat ... eine Braut, sagen Sie? In Haidhausen?« Ihr Blick glühte vor Verletztheit. »In diesem ... diesem Pöbelquartier ... auch noch?«

»Sagens nichts gegen Haidhausen!« Kajetan hob in gespielter Empörung den Finger.

»Hat er?« fragte sie bebend.

Mit dümmlichem Grinsen hob Kajetan seine Hand, als wolle er es schwören.

»Das sauberste Madl in ganz Haidhausen! Jawohl! – Aber was regens Ihnen denn so auf, Fräulein? Freuens Ihnen denn nicht, daß Ihr Herr Bruder ... Auweh! Jetzt kommt mir was!« Er kratzte sich am Hinterkopf. »Wenn Sie jetzt gar nicht das Fräu'n Schwester sind, dann ... Auweh!«

»Halt dein Maul, du Idiot!« zischte der Student gepeinigt.

Sie stand wortlos auf, gab ihm eine damenhafte Ohrfeige und stapfte zornig aus dem Lokal. Die umsitzenden Gäste hatten die Szene verfolgt und lachten erheitert.

»Du ... Idiot, du ...«, keuchte von Seeberg. Er griff nach seiner Geldbörse.

»Noch so ein Kompliment, und ich schmier dir eine«, sagte Kajetan kühl. Der Student fuhr herum und starrte ihn ungläubig an.

»Wer ... wer sind Sie? Was ... wollen Sie von mir?«

Kajetan stand auf und winkte dem Ober. »Wer ich bin? Sagen wir einmal, ein guter Freund von der Nilla, der was dagegen hat, daß sie ihr Leben mit einem Windhund wie dir verplempert. Und was ich will, ist, daß du dich nie mehr bei ihr blicken läßt. Wenn ich dich noch einmal bei ihr erwisch, dann ...« Er sprach den Satz nicht zu Ende und ging drohend einen Schritt auf von Seeberg zu. Entsetzt zuckte der Student zusammen. Er tastete fahrig nach seiner Jacke, zog sie mit fliegenden Bewegungen an und lief aus dem Lokal.

Der Ober stand bereits seit einiger Zeit neben Kajetan.

»Geht aufs Haus«, sagte er halblaut.

✳

Urban kümmerte sich nicht um die gezischten Schmähungen einiger Theaterbesucher, die sich darüber empörten, daß er sich in seinem chromblitzenden Horsepower 27-Buick chauffieren ließ. Gutgelaunt und mit wohligem Stöhnen nahm er im Fond des Wagens Platz. Kandl hatte vor der Oper auf ihn gewartet und startete nun den Wagen.

Es war ein wunderbarer Abend gewesen. Urban liebte am Theater weniger das, was auf der Bühne mit künstlerischer Angestrengtheit zum besten gegeben wurde, sondern das festliche Ambiente. Er genoß das feiertäglich gekleidete Publikum, das erwartungsvolle Wispern und

Raunen in den vollbesetzten, über granatrotem Samt von glitzernden Lüstern besternten Sälen, das Aufflammen teuren Geschmeides an Dekolletés, und das seidige Knistern der Roben. Er fischte die verstohlenen, blanken Blicke schöner Frauen auf, gab sie mit versprechenden Augen zurück und schwelgte im Gefühl der Zugehörigkeit zu den höheren Schichten der Münchner Gesellschaft. Es würde nicht mehr lange dauern, dann würde man auch ihn zu den Soireen bei den Bruckmanns am Karolinenplatz, den Hanfstaengls, Scharrers, Werlins und wie sie alle heißen mochten, laden, und damit würden die Zeiten vorüber sein, in denen er sich mit widerspenstigen Huren, schwerfälligen Luden und talentlosen Künstlern herumstreiten mußte. Das Spiel lief gut.

Auch der heutige Tag war äußerst erfolgreich verlaufen. Gewiß, die Gespräche, die er geführt hatte und zu denen er sich natürlich nicht mit seinem Buick, sondern der gutdeutschen Adler-Limousine fahren ließ, hatten zuvor Investitionen in die Taschen einiger Beamter erfordert, und für sein Engagement in dieser Gemeinde im Rottal, das – wie er erfahren hatte – in Kürze zum Heilbad erhoben werden sollte, war sicherlich noch einiges an Überzeugungsarbeit nötig. Alles sah jedoch danach aus, als würde es sich in die Richtung wenden, die er sich wünschte.

»Sag, Kandl«, rief er zum Fahrer, »wart ihr neulich noch lang unterwegs? War gemütlich, die Spazierfahrt? Ich weiß überhaupt nicht, was ihr anstellts, wenn ich nicht auf euch aufpaß!«

»Warst ja den ganzen Tag nicht da, Fritz. Du hättst es schon noch erfahren.«

»Dann ists ja gut. Also, wie wars?«

»Naja, so halt«, sagte Kandl gleichgültig. »Ein Mordsverkehr ist halt.«

»Das ist wahr«, stimmte Urban seufzend zu, »er wird immer narrischer.«

»Und allerweil gefährlicher wird es. Da paßt einmal nicht auf, dann wirst gleich zusammengefahren. So viel Leut gehen heut durch den Autoverkehr drauf. Erst gestern nacht soll einer vor ein Auto gelaufen sein.«

»Was du nicht sagst. Der arme Mensch. Und? Ist er hin?«

Kandl drehte sich kurz nach hinten. »Er muß von der Brücke an der Rosenheimer Straße auf die Straße gesprungen sein.«

»Ein Selbstmörder also.«

»Ja«, bestätigte Kandl, »ein Selbstmörder.«

»Furchtbar ...«, sagte Urban bedauernd. »Aber, was willst machen? Wenns einer so will, dann will er es so. Ein Österreicher solls gewesen sein, heißts?«

»Könnt schon sein.«

Der Wagen bog in die Schützenstraße ein. Die Huren am Straßenrand winkten ihm zu. Urban ließ anhalten und stieg aus. Gutgelaunt betrat er sein Lokal.

Alle Blicke richteten sich auf ihn. Er bemerkte sofort, daß etwas nicht stimmte. Schon stürmte Schoos auf ihn zu und teilte ihm flüsternd mit, daß ein erneuter Anschlag auf ihn verübt worden sei. Dieses Mal auf seine Villa. Man sei sicher, den Brandstifter verletzt zu haben, er sei aber entkommen.

Urban glotzte ihn ungläubig an.

»Mei Haus is anzündt worden?«

Schoos nickte.

»Das kannst abreißen lassen.«

Urbans Schultern fielen herab. »Wer?!« fragte er fassungslos.

Niemand antwortete.

»Kommts mit!« stieß Urban hervor und befahl sie in den Flur, der zum Bühneneingang führte. Er straffte sich. »Der Kandl auch! Wo sind die anderen? Der Domerl?«

»Den haben die Gendarmen erwischt, wie er grad die Gotti auf der Müllerstraß verdroschen hat. Auf der Zweier-Wach sind ganz neue. Den alten sind sie draufgekommen, daß sie sich früher vom Kaiser haben schmieren lassen. Besonders einer von ihnen, ein junger Gendarm, soll ein besonders scharfer sein. Zunhammer heißt er.«

Urban schnitt ihm mit einer ungeduldigen Handbewegung das Wort ab.

»Das wird schon. Da kümmern wir uns ein anderes Mal drum. – Wo ist der Messer?«

»Den ... den hats erwischt, Fritz. Du hast ihm doch gesagt, er müßt aufs Haus aufpassen.«

Urbans Augen weiteten sich. »Und?«

»Er hat nicht mehr aus dem Haus raus gekonnt.«

Urban verstand.

»Zuvor muß er dem aber noch eine eingeschenkt haben«, erzählte Schoos, »die ganze Straße ist voller Blut gewesen.«

»Aber er ist ausgekommen«, stellte Urban mit unterdrücktem Zorn fest. Er hieb mit der Faust in seine geöffnete Hand.

»Das muß der Kaiser sein«, wütete er, »treibts mir den Kaiser auf!«

»Der Kaiser? Aber ich hab gehört ...«

»Hast du gehört!« fauchte Urban. »Ich will nicht wissen, was einer gehört hat, ich will wissen, was ist! Es kann kein anderer gewesen sein. Wer soll es sonst gewesen sein? Die vom Ostbahnhof vielleicht? Die genieren mich nicht, die genier ich nicht. Nein – nur der Kaiser hat einen Grund. Solang der lebt, denkt der bloß an eines: Wie er sich an mir revanchieren kann!« Er sah in die Runde. » ... und an euch.« Sein Blick fiel auf Schoos. Er sprang bebend auf. »Schau nicht so blöd, Schoos!« rief er unbeherrscht.

»Ich schau doch nicht!« protestierte dieser zornig. Urban winkte fahrig ab.

Schoos griff unter sein Revers. »Du Fritz – da ist ein Brief abgegeben worden.« Er reichte Urban einen Umschlag.

»Was sagst des erst jetzt?« Er nahm ihn mit einer unbeherrschten Bewegung an sich. Der Brief war in München abgestempelt worden. Ein Absender fehlte. Urban riß den Umschlag auf und las. Der Papierbogen zitterte leicht.

»Was ist?« fragte Kandl beunruhigt.

Urban schien sich wieder im Griff zu haben. »Nichts«, sagte er beiläufig, »das Übliche. Kommts mit zu mir ins Büro. Es gibt eine Arbeit.«

Schoos hatte ihn beobachtet.

»Noch eine Front, Fritz?« fragte er boshaft. Urban sah ihn wütend an.

»Halts Maul«, knurrte er und ging voraus.

Die Sonne strahlte sonntäglich. Einmal blendete sie unerträglich, dann wieder, wenn die Gleise durch ein Waldstück führten, durchströmten blinkende Flicken das Abteil, die jedoch bald von einer vorbeijagenden Wand aus schwarzen Büschen und Bäumen verschluckt wurden. Die Räder schlugen in trockenem Takt an die Gleisnähte. Eilte der Zug zwischen den steilen Böschungen der Hügelkerben dahin, dann schwoll ihr ermüdend gleichförmiges Pataklong-pataklong-pataklong zu betäubendem Getöse an, um jedoch beim Eintritt in das sanft gewellte, von vielfarbigen, rechteckigen Flächen bemalte Land sofort wieder abzuschwächen. In hellen, heiteren Linien hoben und senkten sich die Hügel. Gemächlicher veränderte sich auch der Horizont.

Kajetan genoß die Fahrt. Nur noch kurz rätselte er darüber, warum er Fleischhauer nicht angetroffen hatte. Er hatte mehrmals zur verabredeten Zeit geläutet, doch die Tür der Detektei war verschlossen geblieben. Kajetan war nicht unglücklich darüber gewesen, denn bei diesem Treffen hätte er dem alten Detektiv reinen Wein einschenken müssen. Und vermutlich hätte dies wieder einmal mit dem Verlust seiner Stelle geendet.

Nach mehr als einer Stunde Fahrt war er eingedöst. Plötzlich veränderte sich das Fahrgeräusch; es wurde zu einer pulsschnellen Abfolge trocken knallender Schläge. Kajetan erwachte und sah verwirrt aus dem Fenster. Der Zug schien durch die Luft zu fliegen. Er stand auf und blickte nach unten.

Der breite Fluß wälzte sich behäbig unter der hohen Eisenbahnbrücke nach Norden.

Der Zug verlangsamte die Fahrt.

»Sarzhofen – Bahnhof!« Der Zug kam stampfend zum Stehen. Kajetan stieg aus. Der einsam auf einer Anhöhe über dem Inn liegende Bahnhof lag verlassen im vormittäglichen Licht. Kajetan sah sich verwundert um. Diese wenigen Häuser – hier sollte Sarzhofen sein?

»Nein. Das ist bloß der Bahnhof«, erklärte die Kellnerin eines Gasthofs, den Kajetan schließlich entdeckt hatte. »Da drüben liegt Sarzhofen, auf der anderen Seite. Sehens?« Sie war mit ihm vor die Tür getreten und hatte auf eine Anhöhe des gegenüberliegenden Flußufers gewiesen. Unter der steilen Böschung eines von einem Schloß gekrönten, fernen Hügels waren im diesigen Glast der Sonne die breiten, kalkgelben Fassaden eines Klosters zu erkennen, zu dessen Füßen das grau und ziegelbraun gefleckte Dorf lag.

Die Kellnerin sah ihn bedauernd an.

»Jetzt ist grad gar keiner da, der Sie mitnehmen könnt. Alles ist auf dem Feld.«

Sie beschrieb ihm den Weg. Kajetan ging den Schotterweg ins Flußtal hinab, überquerte die Innbrücke und stieg zum Ort hoch.

Nachdem er ein Zimmer im Gasthof »Nauferger« bezogen hatte, bestellte er etwas zu essen.

Eine mühsam verhohlene Neugier stand dem Wirt ins Gesicht geschrieben, als er einen Teller mit dampfendem Geröstl brachte.

»Einen recht guten Appetit, Herr! – Was, ah, führt den Herrn denn zu uns außer, wenn man fragen darf?« Er erklärte, warum ihn das interessiere, denn eigentlich sei er kein neugieriger Mensch: »Weil, eine Sommerfrische gibts bei uns an und für sich nicht. Die Leut wollen alle in die Berg. So was haben wir hier nicht.«

Kajetan kaute zu Ende. »Eine traurige Angelegenheit«, sagte er.

»Ah was?!« Der Wirt rückte näher an ihn heran.

»Ich bin Nachlaßagent bei einem Notar in München. Vielleicht können Sie mir gleich helfen.«

»Wenn ich kann? Um was gehts denn überhaupt?«

»Ich muß zwar nachher eh gleich zum Gemeindeamt. Aber ...«, er führte wieder einen Bissen zum Mund und kaute genüßlich, »... ich bin auf der Suche nach Angehörigen der verstorbenen Maria – oder Mia – Aichinger.«

»Lassen Sie es sich schmecken – Aichinger Veronika, meinens doch bestimmt?«

Kajetan verneinte. Er wiederholte Mias Namen.

Die Lider des Wirts zwinkerten ungläubig. »Das muß dann die Tochter gewesen sein! Aber ... die soll doch vor ein paar Tagen noch da gewesen sein.«

»Sie ist hier gewesen?« Kajetan tat unbeteiligt.

Der Wirt nickte ein paarmal. »Ja. Ich selber hab sie zwar nicht gesehen und hätt sie wahrscheinlich auch gar nicht mehr erkannt. Aber die Totenpackerin hat erzählt, daß sie zum Grab von der Vroni, also ihrer Mutter, gekommen sei.«

»Die wer?«

»Die Totenpackerin – Leichenfrau heißts, glaub ich, bei Ihnen droben. Also die hat erzählt: Die Mia hätt bei der Gemeinde vorbeigeschaut und wäre danach auf den Friedhof gegangen, hat sie gesagt, und ist danach gleich wieder heimgefahren. Aber sagens – und der Vroni ihre Tochter, die ist jetzt auch gestorben? Lügens mich nicht an? Ist das wahr? – Entschuldigens, ich wollt nicht sagen, daß Sie ...«

»Schon recht. Aber es ist leider wahr. Wissen Sie, wo ihre Angehörigen leben?«

Das Gesicht des Wirts kam näher. Er neigte den Kopf, als wolle er besser hören.

»Ist da vielleicht ein Geld da?«

»Sie verstehen, daß ich darüber keine Auskunft geben darf, Herr Wirt.«

Kajetan aß weiter. Der Wirt sah ihm nachdenklich zu.

»Jaja. So was ... also, Angehörige, da werdens kein Glück mehr haben. Es gibt keine mehr. Die Mutter ist erst vor guten acht Wochen eingegraben worden.«

»Und der Vater?«

»Habens nicht ... freilich, Sie können ja nichts davon gehört haben, wenns nicht von da sind. Aber da ist doch die Gaudi im Zuchthaus gewesen.«

Kajetan senkte die Gabel. »Zuchthaus? Der Vater war im Zuchthaus? Warum?«

»Er hat einen erstochen, der Aichinger Martl. Lang vor dem Krieg.«

»Und was ist da gewesen, im Zuchthaus?«

»Es hat gebrannt. Kein Mensch weiß bis heut, was wirklich geschehen ist. Die Leut sagen, der Zuchthauswärter hat ihn umgebracht, den Martl ...«

»Der Vater ist auch tot?«

»So tot wies nur grad geht, Herr. Verbrannt bis zum Nicht-mehr-zum-Erkennen. Zwei oder drei andere sind bei dem Brand auch noch erstickt.«

»Und der Wärter soll ihn umgebracht haben? Eigenartig.«

»So sagen die Leut, weil der Wärter seitdem nicht mehr gesehen worden ist. Er soll mit dem Martl einen Streit gehabt haben. Aber keiner weiß, was wirklich passiert ist. Der Wärter ist jedenfalls seitdem auch verschwunden. Er hat ein schlechtes Gewissen, heißt es überall.«

Kajetan kaute nachdenklich. Der Wirt sah aus dem Fenster und seufzte.

»Das war eine furchtbare Sach damals, wie der Martl den Eglinger erstochen hat, ja. Kein einziger hat sich vorstellen können, daß es ausgerechnet der Martl gewesen sein soll. Jeder hat ihn für unschuldig gehalten, keiner hats ihm zugetraut. Aber – er hat es ja selber zugegeben.« Er schüttelte den Kopf, als könne er immer noch nicht begreifen, was Mias Vater zu dieser Tat getrieben haben könnte.

»Der Doktor hats auch gar nicht glauben können«, fuhr er fort, »der Doktor Urban, den werdens nicht kennen. Bei dem ist der Martl als Jagdhelfer angestellt gewesen. Der hat ihm sogar noch einen guten Anwalt gestellt, wie die Sach vors Gericht gekommen ist. Weil er mit dem Martl immer zufrieden gewesen ist, hat er gesagt. Sie, der ist nobel gewesen, der alte Doktor. Es hat ihm viel Ansehen eingebracht seinerzeit. Aber er ist auch schon lang unter der Erd.«

Kajetan hatte sich gerade die Gabel zum Mund führen wollen. Er hielt inne und sah den Wirt von der Seite an. »Doktor Urban? Ist das der ... hat der vielleicht einen Sohn gehabt?«

Er bemerkte einen prüfenden Blick des Wirts.

»Ich bin nämlich mit einem Urban beim Militär gewesen«, beeilte Kajetan sich zu erklären, »ein famoser Kamerad war das.«

Der Wirt musterte ihn argwöhnisch.

»Der junge Urban? Der und famos? Das muß ein anderer gewesen sein. Wie hat er denn geheißen, ich mein, mit Vornamen?«

Kajetan dachte kurz nach und nannte einen anderen Namen.

»Nein«, wiederholte der Wirt wie erleichtert, »das war dann nicht der, den ich mein. Der selige Doktor hat schon einen Sohn gehabt, Fritz hat der geheißen. Allerdings war das ein windigs Bürscherl. Hochfahrend ist er gewesen, eingebildet, jähzornig. Und ziemlich verschlagen. Ich möcht ja nichts sagen. Heut soll er in München sein und es zu etwas gebracht haben. Trotzdem.«

»Wieso windig?«

»Sie, da könnt ich Ihnen was erzählen. Der hat kein gut getan, hat gerauft, ist schon als Bub beim Stehlen erwischt worden, und ein arger Weiberer ist er auch gewesen. Die Burschen haben sich das natürlich nicht gefallen lassen, und wenn er nicht dem Doktor sein Bub gewesen wär, dann hätten sie ihn bestimmt noch öfters verdroschen. Und dann, im Neunzehner Jahr ...«, er schüttelte den Kopf, als könnte er die Sache selbst nicht glauben, »... da ist er doch auf einmal frech bei uns in der Stube gestanden mit ein paar Bürscherl, die er von irgendwo hergezogen hat, und hat geschrien, daß er den ›Nauferger‹ jetzt expropriieren tät. Ich hab das Wort nicht einmal gekannt! Bis er es mir übersetzt: Er wär jetzt der Wirt, er tät die Wirtschaft beschlagnahmen als Volkseigentum, weil ich die Leut allerweil ausschmieren tät und meine Würscht – die schmecken Ihnen doch, oder?«

Kajetan nickte mit ehrlicher Begeisterung.

»... meine Würscht mit Sägscheiten gestopft werden!

Meine Würscht, hab ich ihm ins Gesicht gesagt, sind die besten im Gäu. Drum ist meine Wirtschaft auch allerweil voll! Und deswegen willst mich rausjagen! Hab ich gesagt! Dann hat der doch glatt eine Pistole gezogen! Können's Ihnen das vorstellen?«

»Und – wie ist die Geschichte ausgegangen?«

»Wie wohl? Es hat nicht lang gedauert, dann sinds besoffen unter dem Tisch gelegen. Wir haben ihnen die Waffen abgenommen, ihnen die Hosen ausgezogen und sie fortgejagt. Und dafür hätten sie uns sogar noch dankbar sein müssen! Zwei Tag drauf sind nämlich eh schon die anderen eingerückt. Die hätten einen kurzen Prozeß mit ihnen gemacht, das dürfens mir glauben! Danach hat man nie mehr was von ihm gehört. Er soll alles, was er von seinem Vater geerbt hat – und da war einiges da! – verspielt haben, heißt es, weil er nämlich nach und nach alles verkauft hat.«

Es fiel Kajetan schwer, den Unbeteiligten zu spielen.

»Dabei war er kein Dummer!« erzählte der Nauferger. »Der hat dich einwickeln können mit seinem Geschwätz, daß du am End gar nicht mehr gewußt hast, ob du ein Mannderl oder Weiberl bist.«

»Er hätt in die Politik gehen sollen«, meinte Kajetan.

Der Wirt lachte. »Wie sein Vater, ja. Der war ein hohes Vieh bei der Bayerischen Volkspartei. Aber der alte Doktor, das war ein Ehrenmann! Von oben bis unten! Was der für ein Kreuz gehabt hat mit seinem Buben.« Er seufzte mitfühlend. »Ich sags Ihnen: Geschichten gibts, die, wennst dirs ausdenken hättst müssen, die täten dir gar nicht einfallen.«

»Nauferger, bloß eine Frag.« Eine vierschrötige Gestalt stand im Rahmen der Türe, die zum Nebenraum führte.

»Was möchstn, Landthaler?«

»Bloß eine Frag, Nauferger: Obs dir gar nichts ausmacht, daß die Leut bei dir herinnen verdursten?«

»Bei dir fürcht ich eher das Gegenteil«, erwiderte der Wirt, »komm gleich!«

Der Wirt stand auf und wies mit dem Daumen über seine Schulter. »Schon am Vormittag fangt der mit dem Saufen an! Was sagens zu so was?« Er stützte seine Hand auf die Tischplatte und beugte sich wieder zu Kajetan.

» ... und jetzt ist auch das Madl vom Martl gestorben? Ist sie denn so krank gewesen? Das muß ja schnell gegangen sein.«

Kajetan nickte und häufte Kartoffel und ein Stück Wurst auf seine Gabel.

»Und Sie sagen, daß da was mitm Nachlaß wär. Ist da wirklich kein Geld da? Ich mein, wenn der Notari schon einen herschickt?«

»Wenn Sie es keinem verraten?«

»Ehrenwort! Ist es – arg viel?«

Kajetan schüttelte den Kopf. »Im Gegenteil. Es geht eher darum, wer für ihre Berdigung aufkommen muß.«

»Wenns so ist, werdens erst recht keine mehr finden.« Der Wirt richtete sich ernüchtert auf und ging zur Schänke. Während er einen Bierkrug füllte, wies er mit einer Kopfbewegung in die Richtung der anderen Straßenseite.

»Vielleicht kann man Ihnen auf der Gemeinde helfen. Die ist gleich vis-à-vis.«

＊

Kajetan hatte zunächst versucht, die Leichenfrau auf dem Friedhof anzutreffen. Man wisse nicht, wann sie heute käme, wurde ihm gesagt, er solle es später noch einmal probieren. Irgendwann müsse sie auftauchen, weil doch die alte Reither-Lis, die vorgestern der Schlag getroffen habe, für die Beisetzung gerichtet werden müsse. Er ging in den Ort zurück.

Das zweistöckige Gemeindehaus lag am Marktplatz. Vor hundert Jahren, als die Innschiffahrt noch Reichtümer in den Ort brachte, als hochbeladene Roßplätten und Klobzillen aus dem Engadin am unteren Stock anlegten, mußte es bessere Zeiten gesehen haben.

Der dämmerige Raum, den er wenig später betrat, übertraf alles, was er je in seinem Leben an Durcheinander gesehen hatte. Hinter einem grau bestäubten Schreibtisch, auf dem sich Papierbündel, großflächige Flurpläne und dicke Folianten stapelten, tauchte ein etwa sechzigjähriges, schmächtiges Männchen auf. Eine langstielige Pfeife, an der der Mann schmatzend zog, hing aus seinem Mund. Als er den Mund zum Gruß öffnete, sah Kajetan, daß er das Mundstück in eine Zahnlücke des Unterkiefers eingehakt hatte. Er blinzelte nervös, als ihm Kajetan den Grund seines Aufenthalts erklärte und ihn fragte, ob sie auch bei ihm gewesen sei. Der Gemeindediener erinnerte sich an sie. Ja, sie sei hier gewesen. Und, was? Auch sie sei gestorben? Welcher Verdruß.

Er sah auf den Tisch. »Dann ist das wahrscheinlich in dem Brief gestanden, wo ich noch gar nicht dazu gekommen bin ihn aufzumachen«, sagte der Gemeindediener zerstreut, »da ist was gewesen, da ist doch neulich ein Brief gekommen. Wo hab ich ihn denn?« Er beugte sich tief über den Tisch und stöberte fahrig in einem Stapel schlampig übereinandergelegter Schriftstücke, wobei er mit seiner Pfeife an einen dicken Folianten stieß und sich rußige Tabakkrümel über die Papiere verteilten, die er mit einer nervösen Handbewegung wegzuwischen versuchte. Schließlich gab er es auf. Kajetan wies ihn darauf hin, daß er lediglich wissen wolle, ob es im Ort noch Verwandte der Verstorbenen geben würde.

»Ahja. Momenterl! Ein Griff!« Er wandte sich mit einer raschen Bewegung um und hob die Hand. »Bei uns ist nämlich eine Ordnung!« Er zog einen zu einem Packen verschnürten Papierstapel hervor und legte ihn auf einen Tisch, nachdem er seine Arbeitsschürze gehoben und mit ihr den Staub abgefegt hatte. Er öffnete die Kordel. Wieder flatterten seine hageren Finger über die Schriftstücke. Er beugte sich tiefer, schimpfte hilflos, legte den Akt wieder zusammen, knotete die Schnur und verstaute ihn wieder im Schrank. Auch ein zweites Bündel brachte kein Ergebnis. Schließlich sah er entschlossen auf.

»Ah, das ist jetzt grad doch nicht da. Aber das macht nichts. Ich hab nämlich ...« er tippte an seine Schläfe, »... alles da herinn. Ich kann mich auch deshalb gut daran erinnern, weil ich wegen der Aichinger Veronika, der Mutter, schon nachgeschaut hab. Bezüglich weiterer Verwandter gibt es keine Unterlagen. Die Eheleute Aichinger, Martl und Veronika, sind zugezogen. Von Schärding.«

»Nicht aus Simbach?«

»Von Simbach, meinens? Ja, habens recht. Simbach! Sie, die Vroni, die war von Schärding. – Sie! Da kommt mir grad was!« Er hob den Finger. »Jetzt fällt mir wieder ein, was ich gesucht hab. Weil Sie grad da sind. Das Wohnrecht auf dem Häusl müßt ich ja längst austragen. Wo hab ich denn den Kataster hingelegt?«

Mit schräggestelltem Kopf ging er vor einem Schrank auf und ab.

»Was für ein Wohnrecht?« fragte Kajetan.

Er drehte sich wieder um. »Die Aichinger Vroni hat ein Wohnrecht gehabt im Haus vom Doktor Urban, das heißt, es gehört schon seit einiger Zeit dem Herrn Doktor vom Sanatorium in Allerberg. – Ah!« Triumphierend zog er ein Papierbündel aus dem Fach.

Kajetan hob erstaunt die Augenbrauen. »War das ein Wohnrecht auf Lebenszeit?«

»Jawohl, Herr. Für den Aichinger Martin, seine Ehefrau, die Vroni ...« Der Gemeindediener sah auf die Urkunde. Er beugte sich tiefer und sog an der Pfeife.

» ... und für die Tochter also auch. Das kann ich dann gleich mit austragen, das ist dann ja erloschen.« Er suchte vergeblich nach dem Federhalter. »Der Doktor wird sich freuen. Er wollt das Häusl ja schon längst verkaufen, aber wegen dem Wohnrecht bringt er es natürlich nicht an.« Kajetan war sich nicht sicher, ob die Stimme des Mannes bei dieser Erklärung etwas reservierter geklungen hatte.

»Hat das die Tochter gewußt?« fragte er.

»Freilich. Ich habs ihr gesagt. Sie hat den alten Doktor recht gelobt.«

»Sie hat davon gar nichts gewußt?«

Der Gemeindediener schüttelte den Kopf und wechselte das Thema. »Also, wegen andere Verwandten, da müßtens dann schon in Simbach anfragen. Und wer bei uns noch was wissen könnt?« Er kratzte sich an der Nase und sah nach oben. Eine Rauchwolke bildete sich vor seinem gelblichen Gesicht. »Die Müllner Marie vielleicht. Mit denen waren die Aichingerischen immer gut an, und sie war gar, wenn ich mich recht entsinn, die Godin ... aber versprechens Ihnen nix davon. Sie ist recht eigen geworden in letzter Zeit. Wundern Sie sich nicht, wenn sie Sie erst gar nicht ins Haus laßt.«

Kajetan setzte sich seinen Hut wieder auf und stand auf. Der Gemeindediener seufzte und sah aus dem Fenster.

»Der Martl ... ja, ... so ein Verdruß ist das gewesen«, sagte er nachdenklich, »das hat ihm keiner zugetraut. Ein jeder war wie vor den Kopf geschlagen. Dann hat er ja noch seine Frau gehabt, die so krank gewesen ist. Die Fallsucht hat sie nach dem Kindbett gekriegt und ist schwermütig geworden. Und das kleine Kind ist auch noch dagewesen. Wie hat er die bloß vergessen können?«

Kajetan, dessen Hand schon auf der Türklinke lag, war erstaunt stehengeblieben. Er drehte sich noch einmal um.

»Wer ist da eigentlich seinerzeit der Gendarm gewesen? Ist der noch im Dienst?«

»Der Wachtmeister Sinzinger ist das gewesen. Aber der ist schon längst Pensionär. Wohnt gleich da drüben.« Er zeigte aus dem Fenster. »Aber der kann ihnen da gwiß nicht mehr sagen – ah ... was hab ich gesagt, daß ich grad machen wollt?«

Kajetan lächelte liebenswürdig und öffnete die Türe. »Die Katastergschicht. Auf Wiederschaun!«

Der Helfer nickte dankbar, fuhr in die Höhe und lief wieder vor dem Schrank auf und ab. »Wo hab ich denn den hingelegt ... Himmelherrgottnocheinmal ... Ja, auf Wiederschaun, Herr.«

Als Kajetan vom Flur auf den Marktplatz gehen wollte, bemerkte er, daß ihn die nervöse Sprunghaftigkeit des Gemeindedieners bereits angesteckt hatte. Er kehrte noch einmal um.

»Haben Sie der Aichinger Mia eigentlich gesagt, daß der Vater im Zuchthaus gewesen ist?«

Die Pfeife pendelte heftig hin und her. »Das hab ich nicht übers Herz gebracht.«

»Sie hat es also nicht gewußt?«

»Von mir auf jeden Fall nicht, Herr.«

Auch sein zweiter Versuch, die Totenpackerin anzutreffen, war vergeblich gewesen. Eine schwarzgekleidete junge Frau, die er in der Leichenhalle angetroffen hatte, gab an, daß sie erst am Abend wieder aus dem Nachbardorf zurückkehren würde, da die dortige Leichenfrau auf den Tod läge. Sie beschrieb ihm den Weg zum Baderhaus, das sich am Hang auf der anderen Seite des Flusses befände. Mit dem Bader-Vinz nämlich sei sie verheiratet, die Totenpackerin. Das würde sich gut vertragen, scherzte sie, denn der eine richte mit seinen Roßkuren die Leut zugrunde, die die andere dann einzusargen hätte.

Die Sonne hatte sich bereits nach Westen gesenkt. Noch fiel ihr Licht auf den größten Teil des baumlosen Marktplatzes, doch das grauverputzte Haus des alten Wachtmeisters, das sich zwischen Kirchbäck und Kolonialwarenladen einfügte, lag bereits im Schatten.

Der pensionierte Gendarm trat mürrisch an die Tür. Kajetan stellte sich vor, schmeichelte dem gedrungenen, redfaulen Alten und wurde schließlich eingelassen. Das Haus roch nach Einsamkeit. Die Vorhänge des Wohnraums, in den der Alte Kajetan führte, waren zugezogen.

»Sie wohnen schön hier, Herr Wachtmeister«, lobte Kajetan, »ein schönes Haus.« Sinzinger sah mit einem schnellen, mißtrauischen Blick auf.

»Ja«, nickte er knapp und deutete wortlos auf einen Stuhl. Auch der Alte nahm Platz und wollte noch einmal wissen, warum man ihn aufsuche.

»Eine schriftliche Recherche nach den Nachfahren würde zuviel Zeit beanspruchen. Da Sie ja lange Zeit in Sarzhofen Dienst getan haben, hab ich mir gedacht, daß Sie mir vielleicht, mit ihrer Erfahrung, weiterhelfen könnten.«

»Dann gehns doch auf die Gemeinde.« Die schmalen Lippen im soldatenhaft starren und dunklen Gesicht des Alten bewegten sich kaum.

»Von da komme ich grad. Dort ist nur bekannt, daß die Eheleute Aichinger zugezogen sind.«

Der Alte nickte griesgrämig. »Aus Braunau. Sie ist von Pocking gewesen.«

»Er aus ...« Kajetan sah ihn ungläubig an. »Ahso! –
Und wissen Sie vielleicht etwas über andere weitschichtige Verwandtschaften?«

»Von ihr dürft noch eine Halbschwester leben, die
aber schon lang auf Amerika gegangen ist.«

»Sonst nichts?«

»Nein.«

Kajetan holte unauffällig Luft. »Ah ... haben Sie denn
die Familie Aichinger persönlich gekannt?«

Er hob eine Augenbraue.

»Blöde Frag.«

»Stimmt, Sie haben ja damals in dieser Sache ermittelt.
... Es muß ja eine rechte Tragödie gewesen sein. Ich hab
gehört, daß das keine leichte Angelegenheit für die Polizei gewesen ist.«

»Wie mans nimmt«, antwortete der Gendarm mit unbewegter Miene. »Gehört des dazu?«

»Nein. Aber fast jeder, mit dem ich hier red, sagt mir,
daß keiner an seine Schuld geglaubt hat. Aber Sie, hab
ich mir gedacht, werden das ja am allerbesten wissen.
Was sagt denn der Experte?«

»Er hats ja zugegeben.« Sinzinger wirkte plötzlich angespannt. »Da ist nicht mehr viel zu ermitteln gewesen.«

»Hat das, was Sie ermittelt haben, auch seine Aussage
bestätigt?«

Sinzinger schien sich zu winden. »Widersprüche gibts
immer.«

»Welche waren das in diesem Fall?«

Der mürrische, überhebliche Ernst zu Beginn des Gesprächs war von Sinzinger abgefallen. Mit unwillkürlichem Gehorsam, als müsse er vor Gericht Auskunft geben, beantwortete er Kajetans Fragen. »Ein paar Leut
haben gemeint, der Eglinger – also der, der erstochen
worden ist – hätt zuvor mit einem anderen gestritten.
Aber dieser andere hat ein Alibi gehabt. Drum hab ich

nicht soviel drauf gegeben. Die Leut waren ganz narrisch, noch ganz wirr im Kopf, weils kurz zuvor eine dermaßene Dürre gegeben und dann der Hagel alles zerdroschen hat. Aber auch der Aichinger Martl selber hat einen rechten Schmarrn dahergeredet und sich nicht mehr genau erinnert, wo er den Eglinger erstochen hat.«

»Haben Sie das Alibi des anderen Verdächtigen überprüft?« fragte Kajetan schnell.

»Ich hab nachgefragt, ja.«

»Und?«

Sinzinger starrte Kajetan an. »Ist bestätigt worden von einer Persönlichkeit, die über jeden Verdacht erhab... aber, sagens ...« Er atmete plötzlich schwer. Ein verborgenes Entsetzen schien seine Stimme zu brechen. »Sind Sie epper auch ...?«

»Ein Polizist? Wie kommens da drauf? Hab Ihnen doch gesagt, was ich bin?«

»So redt kein Notari! – Sind Sie einer?«

»Ich ein Kollege von – Ihnen? Schau ich so aus?«

»Nein ..., aber ...«

»Sehns, Herr Sinzinger.«

Kajetan wußte nicht, welchen Zweck es haben sollte, dem Alten etwas vorzuspielen. Aber er genoß den Verdacht, den Sinzinger geäußert hatte, erhob sich mit vielsagender Miene und verabschiedete sich mit einer angedeuteten militärischen Geste.

Sinzinger sah ihm stierig nach, bis die Schritte des Besuchers verklungen waren. Er senkte geschlagen den Kopf und starrte lange auf seine geöffnete Hand, bis sie unter seinem Blick zu brennen schien.

Eine Weile saß er bewegungslos. Schließlich machte er eine Bewegung, als wolle er mit der Kante seiner halbgeöffneten Hand den Tisch abwischen.

Er stand auf, ging mit bedächtigen Schritten im Haus herum, richtete hier etwas gerade, zupfte dort an einem

Tuch. Dann hatte er sich entschlossen. Er wußte, was er zu tun hatte. Und auch, wie er es tun würde.

*

Kajetan öffnete seinen Mantel. Es war heiß, doch gelegentlich durchfächerte die Strömung eines wohltuend kühleren Windes, der vom Flußtal heraufzog, die Luft. Vor einigen Türschwellen schliefen Hunde. Sie hoben uninteressiert ihre Augenlider, als Kajetan vorüberging. Es war still; nur das helle Dengeln aus einer Schmiede sang durch eine Gasse.

Er blieb stehen und dachte nach. Bis jetzt wußte er nur, daß Mia auf dem Gemeindeamt gewesen war und dort von einer testamentarischen Bestimmung erfahren hatte – eine Nachricht, mit der sie vermutlich nicht allzuviel anfangen konnte. Sie hatte bestimmt nicht vorgehabt, dieses Wohnrecht auszuüben. Vor allem konnte es kein Grund dafür gewesen sein, daß sie anschließend so verstört nach München zurückkehrte. Wenn sie dieses Recht auch nicht selbst wahrnehmen wollte, so hätte sie es sich ablösen lassen können. Viel Gewinn wäre nicht zu erwarten gewesen, aber einige Mark hätte es sicherlich ausgemacht.

Vom Schicksal ihres Vaters hatte ihr der Gemeindediener nichts erzählt. Und mit anderen Sarzhofenern war sie angeblich nicht zusammengetroffen. Blieb also nur noch die Totenpackerin übrig. Von ihr mußte sie erfahren haben, daß ihr Vater im Zuchthaus gestorben war und ihre Mutter zuvor in einer Irrenanstalt, und diese Nachricht mußte es gewesen sein, die wie ein Schock auf sie gewirkt haben muß.

Eigenartig war jedoch, daß es hier eine Beziehung zwischen ihr und Fritz Urban zu geben schien, dessen Vater das Wohnrecht hatte eintragen lassen. Ein schöner Zug des Alten, zweifellos.

Er mußte mit der Totenpackerin sprechen. Danach würde er eigentlich wieder zurückfahren können. Er griff sich an seinen Nacken und massierte ihn langsam. Als er seinen Weg fortsetzen wollte, hörte er hinter sich Schritte.

»He da! Bleibens einmal stehen.«

Kajetan wandte sich um. Ein kräftig gebauter Mann in der Uniform der Landpolizei kam auf ihn zu. Der Gendarm schob seine Rundbrille zur Nasenwurzel, legte seine Hände hinter dem Rücken übereinander und musterte ihn düster.

»Wachtmeister Kaneder«, stellte er sich mißlaunig vor. »Was hat Er da in Sarzhofen zu tun?«

Kajetan hob erstaunt die Augenbrauen.

»Hab ich was angestellt?«

»Ich frag, was Er in Sarzhofen sucht!« Die Gläser fingen blitzend das Sonnenlicht.

Er sei im Auftrag eines Münchner Notars hier, um nach Angehörigen einer Verstorbenen zu forschen, log Kajetan. Der Wachtmeister griff zwischen Hals und Kragen und kratzte sich.

»So?« sagte er mißtrauisch.

»Ich versteh nicht ganz«, sagte Kajetan, »ist es verboten, in Sarzhofen über den Marktplatz zu gehen?«

Der Wachtmeister sah ihn kalt an.

»Für gewisse Leut schon.«

»Und ich komm Ihnen vor wie gewisse Leut?«

Der Wachtmeister schien zu überlegen. »Fragens nicht so dumm«, knurrte er schließlich, drehte sich mit einer brüsken Bewegung um und stapfte mit breit gesetztem Schritt davon.

Kajetan sah ihm kopfschüttelnd nach und setzte seinen Weg fort.

Auf dem Weg zum Friedhof hatte er die Abzweigung entdeckt, die zur Höllmühle führte. Hatte Mia die alte

Müllerin besucht? Niemand im Ort hätte sehen können, wohin sie ging, nachdem sie den Ort verlassen hatte.

*

Die Schotterstraße, die von den Feldern über dem Inn in das Höllbachtal führte, wurde nicht mehr häufig befahren. Den sich in breiten Windungen in die Tiefe schlängelnden, mit Schlaglöchern übersäten Weg zerteilte ein grasbewachsener Wulst. Verwildertes Gebüsch und Unkraut drängte an den Wegrand. Die Bäume hatten ihre Äste ausladend über die Straße gestreckt, wo sie sich mit denen der Gegenseite zu einem grünen, schattigen Gewölbe verschränkten. Je mehr sich Kajetan dem Talgrund näherte, desto würziger roch die Luft nach feuchter Erde. Es war angenehm kühl. Das Geräusch eines Wasserlaufs nahm zu, und bald hatte er die Brücke erreicht, die über ein düsteres Gewässer führte. Ein kühler Luftstrom dampfte empor. Nach wenigen Schritten tauchte die alte Mühle aus dem Wald.

Das sonnenbeschienene, massige Gemäuer dämpfte das Brausen des Baches, der hinter ihm in den Mühlkanal gezwängt worden war, und außer seinem stumpfen Gemurmel, dem Summen von Mücken und Fliegen und dem zufriedenen Gesang der Vögel war kein anderer Ton zu hören. Doch das Haus war bewohnt. Ein umzäunter und offenbar kundig angelegter Gemüsegarten an der Hausseite und das Fehlen des Unkrauts, das sich schon nach kurzer Zeit an den Fundamenten verlassener Häuser emporrankt, waren die Zeugen.

Kajetan klopfte an die Tür. Als er keine Antwort erhielt, schob er die Tür einen Spalt auf und rief nach der Müllerin. Nach einiger Zeit hörte er Schritte. Eine brüchig klingende Stimme wollte wissen, wer gekommen sei. Kajetan nannte seinen Namen.

Die Müllerin stand plötzlich vor ihm und setzte sich umständlich eine Brille auf. Während sie ihn in die Stube der Mühle bat und mit schlurfenden Schritten voranging, betrachtete er sie verstohlen. Wie alt mochte sie sein? Ihre Bewegungen wirkten nicht gebrechlich. Sie war klein. Ihre dünnen Haare waren sorgsam zu einem Dutt gesteckt, und über dem Rock und der über die Ellenbogen gekrempelten Bluse trug sie einen ausgewaschenen, blauen Arbeitsschurz.

Für einen Moment hatte Kajetan das Gefühl, sie bereits einmal gesehen zu haben.

Sie lächelte dünn und schob ihm einen Korb mit ausgeschnittenen Äpfeln hin. Ihre Hände zitterten leicht.

»Mögens?«

Kajetan lächelte und hob abwehrend die Hand. »Dankschön, Müllnerin. Ich hab grad gegessen.« Sie nahm auf einem Sessel Platz und faltete die Hände in ihren Schoß. Kajetan wußte nicht, wie er beginnen sollte und setzte sich auf die Bank.

»Ist ... ist die Mühle schon lang außer Betrieb?«

Sie neigte den Kopf zur Seite, als würde sie nicht mehr gut hören können. Schließlich schien sie verstanden zu haben.

»Tragt längst nimmer«, antwortete sie.

Kajetan nickte verstehend.

»Das ist schad«, sagte er. Sie sah auf ihren Schoß.

»Müllnerin, du hast die Aichinger Mia doch gekannt, gell?«

Sie drehte den Kopf, als könne sie so besser hören. »Wen?«

Kajetan wiederholte den Namen. Sie schob ihr Kinn nach vorne und blickte zur Decke. Sie schien sich zu erinnern.

»Ja ... die hab ich gekannt«, sagte sie mit unbeteiligter Stimme.

»Ist es denn wahr, daß der Vater ein Zuchthäusler gewesen ist?«

Sie führte einen Finger an ihr Ohrläppchen.

»Ob es wahr ist, daß der Vater im Zuchthaus gewesen ist!« rief Kajetan.

Sie nickte trübe.

»Er hat büßen müssen, ja ...«

»Aber gleich so lang! Zwanzig Jahr!«

»Lang, ja ...«

»... und die Leut sagen auch, daß es ihm keiner zugetraut hätte.«

Sie zuckte mit den Schultern und sah aus dem Fenster.

»Er hat büßen müssen«, wiederholte sie mit einfältiger Demut, »es kommt alles, wies kommen will«, sagte sie leise, »... wies der Herrgott halt will.«

»Und seinem Kind, der Mia, ist es ja auch nicht so gut ergangen.«

Sie neigte wieder den Kopf. »Jaja ... die Mia ... ein braves Kind ist das.«

Ist das? Wußte sie womöglich noch nicht, daß Mia tot war? Sollte er es ihr sagen? Kajetan war unschlüssig.

»Es geht ihr nicht so gut«, wiederholte er. Es schien sie wenig zu berühren.

»Man kann sich nicht so umtun um die Kinder von andere Leut. Was anderes ist, wenn eins zur Familie gehört.«

Kajetan senkte enttäuscht den Kopf. Mia schien sehr wenig Glück im Leben gehabt zu haben, und auch mit dieser Godin hatte sie kein großes Los gezogen. Aber vielleicht war die Alte bereits zu hinfällig, um zu begreifen, was um sie herum vor sich ging.

»Ist sie bei dir gewesen vor ein paar Tagen?«

»Was?«

Kajetan wiederholte die Frage lauter.

»Die Mia? Nein. Die hab ich zuletzt als ein kleines Dirndl gesehen.«

Ein kindisches Grinsen zog über ihr Gesicht. »Sie fragen fei wie ein Gendarm«, kicherte sie, »sinds epper gar einer?«

Kajetan wies es weit von sich.

»Was sinds denn dann?«

Kajetan zögerte, doch dann erzählte er seine Geschichte von Mias angeblichem Nachlaß und daß er auf der Suche nach Angehörigen sei.

»Nachlaß? Das ... versteh ich nicht, Herr«, sagte sie.

»Was?«

»Ich versteh es nicht.« Sie sah ihn dümmlich an. Ihre Lippen bewegten sich, als versuche sie, eine Frage zu formulieren. Doch schließlich schien sie selbst die Antwort gefunden zu haben.

»Sie lebt nimmer«, stellte sie fest.

Kajetan nickte. »Sie hat sich vergiftet.«

»Vergiftet«, sagte sie tonlos. »Die Mia lebt nimmer ...«

»Aber das macht dir ja nicht soviel aus. Sie ist ja ein Kind von anderen Leuten, gell?« sagte Kajetan halblaut.

Sie schüttelte stumm den Kopf. Kajetan stand auf und ging zur Tür. Dort drehte er sich noch einmal um.

Die Müllerin saß mit gefalteten Händen in ihrem Sessel. Sie sah ihn nicht an.

»Es kommt alles, wies kommen muß«, wiederholte sie einfältig.

»Sonst fällt dir nichts dazu ein, Müllnerin?«

»Was soll mir einfallen, Herr?« antwortete sie dumpf. »Der Mensch kann da nichts machen. Es kommt alles, wies kommen muß ... und wies der Herrgott für uns einrichtet ...«

Sie sah auf und lächelte hilflos.

Die Wut auf den gottgläubigen Fatalismus der Alten schwächte Kajetan. Er stand müde auf und verabschiedete sich grußlos. Er würde nur noch mit der Totenpackerin sprechen und dann wieder nach München zurückkehren.

✳

Während Kajetan schweratmend und schwitzend den steilen Weg von der Mühle zum Markt emporging, schrillte das Telephon des Gemeindeamtes. Der Gemeindediener, der gerade gehen wollte, weil auf dem heimatlichen Hof ebenfalls noch Arbeit auf ihn wartete, nahm verärgert den Hörer ab.

Die Bezirksinspektion der Gendarmerie Ödstadt meldete sich und bat um eine Auskunft.

»Wenns schnell geht, von mir aus. Was wollens denn wissen?« Der Gemeindediener hakte die Pfeife aus der Zahnlücke. »Ob der Aichinger Martin im Jahr Elf geheiratet hat? – Der Martl? Muß ich nachschauen – Halt! Schmarren, das brauch ich gar nicht. Das kann ja gar nicht sein, der hat längst vorher geheiratet. Im neunundneunziger Jahr war das. Außerdem – im elfer, da war er längst im Zuchthaus. Müssens es genau wissen, wann er geheiratet hat?«

»Nein, das langt mir schon. Ich habs mir eh denkt.«

»Wie kommens überhaupt drauf?«

»Geht Ihnen nichts an.«

Der Gemeindediener war beleidigt. »Das werd ich das nächste Mal auch sagen, wenns mich anrufen, Herr Inspektor. Ich weiß schon, in der Bezirksinspektion, da ist man halt was Besseres!«

»Na, von mir aus«, schnarrte die Stimme aus dem Hörer, »wir haben das Zeug vom Aichinger Martin ...«

»Der im Zuchthaus verbrannt ist.«

»Genau! Wir haben das Zeug endlich aufräumen wollen. Und da war auch sein Ehering darunter. Eher aus Zufall haben wir gschaut, was drauf steht. Und da ist ein Heiratsdatum eingeprägt gewesen. 10. August 1911.«

Der Gemeindehelfer schwieg verdattert.

»So? Komisch«, sagte er dann.

»Ich wüßt noch was viel Komischeres.« Der Anrufer legte auf.

✳

Kajetan hatte sich von einem Knecht, der ihm mit einem Ochsengespann entgegengekommen war, den Weg nach Allerberg erklären lassen. Es sei nicht weit, hatte der Fuhrmann erklärt, in weniger als einer Stunde sei er dort. Außerdem sei es schließlich nicht mehr so heiß wie am Mittag.

Er hatte beschlossen, doch noch Kontakt zum Besitzer jenes Hauses aufzunehmen, für das Mia ein Wohnrecht zugesprochen worden war. Vielleicht hatte sie versucht, sich dieses Recht ablösen zu lassen? Hatte sie dort etwas über ihre Mutter erfahren, die in der privaten Irrenanstalt in Allerberg gestorben war? Vielleicht hatte es Mia interessiert, an welcher Krankheit sie gelitten hatte?

Die private Irrenanstalt des Doktor Kroepius war in einem alten Herrenhaus untergebracht, welches früher einmal zum Sarzhofener Kloster gehört hatte. Es lag friedlich im warmen Licht der späten Nachmittagssonne. Als Kajetan an das hohe Gittertor trat und an der Glocke zog, sah er, daß die Fenster trotz der warmen Witterung verschlossen, die meisten sogar vergittert waren.

Vor Anstrengung keuchend und mit heftig rudernden Armbewegungen kam ein alter Wärter in einem abgetragenen Arbeitsmantel an das Tor. Kajetan wiederholte das Märchen von Mias Nachlaß und fügte hinzu, daß die

Interessen der Anstalt, falls diese noch Ansprüche an die verstorbene Insassin hätte, bei der Testamentseröffnung auf jeden Fall berücksichtigt werden müßten. Er hätte sich die Lüge sparen können; der Alte verstand nur das Wort »Nachlaß«, ließ ihn dienstfertig ein und begleitete ihn zum Portal. Er müsse einen Augenblick warten, kündigte er an, der Doktor befände sich gerade bei einer Behandlung, würde aber bald damit fertig sein.

Beide betraten das kühle und menschenleere Foyer. Das Gebäude war offensichtlich seit längerem nicht mehr renoviert worden; ein stechender Geruch von Reinigungsmitteln drang an Kajetans Nase. Der Wärter führte ihn durch einen Flur, öffnete eine Tür und wies gnädig auf einen Sessel.

»Nehmens doch solang Platz. Wenns entschuldigen – ich muß noch ein paar Schreibereien zu End machen.«

Er ging hinter einen massigen Schreibtisch und zog einen Stapel Blätter zu sich. Kajetan hatte sich gesetzt und sah sich unauffällig um. Das Gebäude erinnerte ihn an ein Gefängnis.

Er versuchte, mit dem Alten ins Gespräch zu kommen. »Ist allerweil viel zu schreiben in einem Krankenhaus, gell?«

»Jaja«, seufzte dieser, »es bleibt allerweil an mir hängen.«

»An Ihnen? Verzeihens – wie ich Sie zum ersten Mal gesehen hab, hab ich gedacht, Sie gehören zum ärztlichen Personal?«

Der Wärter schüttelte geschmeichelt den Kopf. »Das hör ich öfters.«

Kajetan tat ungläubig. »So kann man sich täuschen. Aber Sie sind schon lang hier, stimmts?«

»Das kann einer laut sagen«, nickte er. »Länger als der Herr Doktor«, fügte er mit eigenartigem Ton hinzu, »um einiges sogar.«

232

»Er wird froh sein um jemanden mit Ihrer Erfahrung.«

Der Wärter sagte nichts. Bitter verzog er den Mund, griff nach einem Stift und führte ihn an ein Schriftstück.

»Und bestimmt haben Sie auch die Verstorbene gekannt, wegen der ich hier bin.«

Der Alte sah nicht auf. »Die Aichingerische meinens?«

»Keine leichte Person, nehm ich an.«

»Wir haben lauter Leut, die nicht sehr leicht sind, Herr.«

»Aber mit Ihrer Erfahrung ...«

Er schmunzelte eitel. »Da habens nicht unrecht. ... Ich erinner mich noch gut, wie sie gebracht worden ist. Eine renitente Person! Ich hab gleich zum Herrn Doktor gesagt: Herr Doktor, keine Red – das Sulfonal und Trional oder auch das Morphium hydrochlorium, das können wir uns sparen. Bei der da helfen nur die guten alten Methoden!«

»Und er hat Ihnen zustimmen müssen!«

Ein bitterer Zug spielte um den Mund des Wärters. »Nicht immer gilt Erfahrung, Herr! Erstmal, meinte er, würde er es mit der Jauregg-Methode ausprobieren. Er hätte davon gelesen und wolle sie einmal erproben.«

»Welche Methode?«

»Eine Infizierung mit Malaria-tertiana- oder Tubercullin-Bazillen, die ein künstliches Fieber erzeugen, das schließlich mit Chinin wieder niedergeschlagen wird.«

»Das ..., das soll helfen?« fragte Kajetan entgeistert.

»Natürlich nicht! Er hat sich getäuscht, der Herr Doktor!« triumphierte der Alte. »Statt daß diese Behandlung auf Dauer angeschlagen hätt, ist es von Monat zu Monat schlimmer mit ihr geworden. Sie hat um sich hauen können, da hab ich nicht bloß einmal einen blauen Fleck mit heimgebracht! Bis dann der Doktor endlich eingesehen hat: Jetzt muß eine andere Methode angewandt werden.«

»Weshalb war sie denn so renitent?«

»Sie wollt unbedingt raus! Hat allerweil was von einer Tochter erzählt, auf die sie Obacht geben müßt. Und ihren Mann müßt sie aus dem Zuchthaus holen! Sie tät auch schon wissen, wie sie das anstellen würde. Da hab ich gesagt: Vroni, bevorst probierst, daß deinen Mann aus dem Zuchthaus holst, müßtest erst einmal selbst da raus kommen! Ha! hats bloß gelacht.«

»Ist sie einmal abgehauen?«

»Zwei- oder dreimal schon. Aber schon ein paar Stunden später hat sie ein Bauer wieder retour gebracht. Sie hätts dann noch ein paarmal probiert, bis der Doktor narrisch geworden ist und zu mir gesagt hat, daß das ein Fall für den Tranquillizer ist.«

»Für den – was?«

Der Wärter genoß die Rolle des Experten. »Das ist eine alte und sehr bewährte Methode. Eine Art Drehstuhl, vielleicht können Sie sich das dann besser vorstellen. Da wird der Patient draufgebunden, ich dreh eine Kurbel, und der Stuhl rotiert immer schneller um die eigene Achse. Erst wird noch geschrien wie wild, aber am End sinds alle ganz still. Die Achingerin wars auch. Ganz still wars auf einmal, fast zu still. Jahrelang haben wir kein Geschiß mehr mit ihr gehabt.«

»Ist das ... eine gebräuchliche Methode, dieser Stuhl?«

»Durchaus. In den neueren Häusern allerdings, da wird recht drauf geschimpft. Aber wennst genau hinschaust: Die bringen auch nichts Besseres zuweg. Nein – unser Doktor kennt da jetzt nichts mehr. Wenn einer zu aufsässig wird, dann gehts in den Keller. Das ist der Vorteil, wenn ein Haus privat ist. Da gibts kein Hineinreden, von wegen neue Methoden und so.«

»Das versteh ich«, log Kajetan, »aber woran ist sie dann eigentlich verstorben? Ich mein, angehen tuts mich ja nichts. Nur der Neugier halber. Ich interessier mich nämlich privat für das Thema.«

»Die Aichingerin? Woran die gestorben ist? Einmal gehts doch mit jedem zu End, oder nicht?«

»Aber sie war doch noch keine fünfzig Jahre alt.«

Der Wärter schnaufte ungeduldig. Er warf einen Blick auf die Uhr, die über der Tür hing, und schüttelte den Kopf.

»Er müßte schon da sein. Entschuldigens.«

»Macht gar nichts. Es ist recht interessant, was Sie über Ihre Erfahrungen erzählen. Man hört ja draußen nichts davon.«

»Das ist wahr«, sage der Alte geschmeichelt. »Nichts wissen die Leut, gar nichts.«

Der Alte erzählte nun, daß die Kranke vor etwa einem Jahr plötzlich aus ihrer Apathie erwacht sei. Warum, habe sich keiner erklären können. Eine Aushilfsschwester habe damals angegeben, daß es damit zusammenhängen könne, daß sie im Park von einem spielenden Kind angesprochen worden sei, dessen Eltern einen Patienten besuchten. Das Kind sei erschrocken davongelaufen, als die Kranke zu weinen begonnen hatte. Andere vermuteten, daß ein vorheriger schwerer Sturz dafür verantwortlich gewesen sein könnte, doch niemand konnte sich die Änderung wirklich erklären. Vroni hätte sich in ein kaum noch zu bändigendes, aggressives Wesen verwandelt, das die unglaublichsten Beschuldigungen gegen alle Welt ausgesprochen hatte und sich jeder Behandlung widersetzte. Nachdem sie bei einem erneuten Ausbruchsversuch ertappt worden war, begann man, sie nachts an das Bett zu binden. Ihr Toben hörte nicht auf, und so hatte der Doktor entschieden, daß nun wieder der Stuhl an der Reihe sei. Für ihn, den Alten, sei das schon zu anstrengend gewesen, aber er habe gehört, daß sie einem jungen Wärter ein Stück Fleisch aus der Schulter gebissen, ihn fast ohnmächtig geschlagen und den Stuhl mit einem abgebrochenen Tischfuß zerstört hätte. Seit diesem Tag wurde sie auch tagsüber gefesselt. Die meisten Pfleger haßten und fürchteten sie. Um die anderen Patienten nicht zu sehr zu belasten, wurde sie in einem Raum abseits des Haupttraktes separiert. Die Fesseln wurden schließlich nicht mehr gelöst, bis der Arzt eines Tages feststellen mußte, daß die Haut unter den steifen Bändern bereits bis auf den Knochen vereitert war. Schließlich trat eine Blutvergiftung auf. Ihr geschwächter Körper konnte sich nicht mehr dagegen wehren. Es habe so manchen gegeben, der froh gewesen sei, daß die Sache zu Ende gekommen sei.

Der Alte schloß die Schilderung ab. Er grinste unsicher. »Das ist schon komisch.«

»Komisch?« fragte Kajetan mit rauher Stimme. Mit wachsender Wut hatte er der Erzählung des Alten zugehört.

»Da kommt ein wildfremder Notari daher, mit dem man eigentlich gar nicht reden will, weil ein Haufen Arbeit da ist, aber dann redet und redet man auf einmal. Das ist ... – Augenblick!«

Der Alte hatte ein Geräusch im Nebenzimmer gehört. Er stand eilfertig auf, klopfte und ging durch eine Verbindungstür in das Büro des Arztes. Nach wenigen Minuten kam er zurück. Kajetan könne eintreten.

Der Doktor, ein freundlich über den Kneifer lächelnder Herr, der sich bereits in den Sechzigern befinden mußte, trotzdem aber noch über volles, wenn auch ergrautes Haupthaar verfügte, reichte ihm die Hand und wies mit einer verbindlichen Handbewegung auf einen Stuhl.

»Es geht um den Nachlaß der Tochter einer unserer Patientinnen? Bitte nehmen Sie doch Platz.«

Kajetan blieb stehen. Der Arzt sah ihn irritiert an.

»Ich nehme an, es geht um eine höhere Summe, da Sie sich sonst nicht die Mühe machen würden, hierher zu kommen. Obwohl ich jetzt nicht im Detail informiert bin, würde ich sagen, daß natürlich noch jede Menge Forderungen aus der Behandlung der armen Frau Aichinger bestehen! Obwohl wir eine private Anstalt sind, haben wir bei dieser armen Frau eine Ausnahme gemacht. Jedoch, wenn ...«

Kajetan unterbrach ihn.

»War die Tochter der Frau Aichinger vor einigen Tagen hier?«

»Tochter? Welche Toch...?« flüsterte der Arzt entsetzt.

»Welche Krankheit hatte die Mutter, Doktor?«

Der Arzt kniff die Augenbrauen argwöhnisch zusammen. »Wenn Sie meinen, daß dies hierhergehört? Sie litt an Dementia praecox.« Er richtete sich energisch auf. »Noch einmal – was wollen Sie? Was ist mit diesem Nachlaß?«

»Die Tochter hat kein Geld hinterlassen«, sagte Kajetan schneidend, »ich bin hier, um Ihnen die erfreuliche Nachricht zu überbringen, daß das lästige Wohnrecht, das auf Ihrem Haus gelegen hat, damit endgültig erloschen ist. Sie können es endlich verkaufen.«

Das Gesicht des Arztes war fahl geworden. »Was reden Sie da? Wer ... sind Sie? Was wollen ... ?«

»Nichts!!« brüllte Kajetan, »außer Ihre Visage zu sehen, wenn ich Ihnen sage, daß Sie diese Frau auf dem Gewissen haben.« Der Arzt floh erschrocken hinter seinen Schreibtisch und fingerte an seinem Mund. Kajetan wandte sich zur Tür und sagte angewidert: »Sie brauchen keine Angst mehr zu haben. Niemand wird Sie anklagen, weil Sie eine hilflose Frau mit mittelalterlichen Methoden und einer Nachlässigkeit, die jeder Vorschrift spottet, zu-

grunde gerichtet haben! Es hat sich ja schließlich um –
wie sagt man in Ihren Kreisen? – unwertes Leben gehandelt.«

»Das hat nichts, aber auch gar nichts mit dem Wohnrecht zu tun!« schrie Kroepius mit hoher, zitternder Stimme. »Damit bin ich hereingelegt worden! Ich habe das Haus im guten Glauben gekauft, ohne zu wissen, daß dieses Recht darauf liegt! Der Halunke, dem ich vertraut habe, weil ich seinen Vater gekannt habe, hat mir nichts von dieser Einschränkung erzählt und mich gedrängt, den Kauf so schnell wie möglich durchzuführen, weil er noch viele andere Interessenten hätte.« Die Stimme des Arztes wurde weinerlich. Sein Kinn bebte. »Ich bin zur Gemeinde gegangen und habe mich erkundigt, ob auf dem Haus irgendwelche Eintragungen vorhanden wären, aber der Gemeindediener erklärte mir im Brustton der Überzeugung, daß er davon nichts wisse! Erst der Notar hat mich darüber aufgeklärt! Da hatte ich bereits eine hohe Anzahlung geleistet! Natürlich hätte ich zur Polizei gehen können – aber der Verkäufer hatte alles längst verspielt! Hätte ich den Kauf rückgängig gemacht, wären mein Geld und das Haus verloren gewesen. So habe ich es schließlich behalten müssen! Was hätte ich denn tun sollen? Ich« – er schlug sich mit der flachen Hand auf die Brust und begann, vor Selbstmitleid überwältigt, zu schluchzen –, »ich bin das Opfer! Ich allein!«

Kajetan drosch die Tür hinter sich zu.

Die Dämmerung hatte eingesetzt, als Kajetan wieder in Sarzhofen eintraf. Er hatte den ganzen Weg zu Fuß zurückgelegt und dabei vergeblich versucht, seine Gedanken zu ordnen. Immer wieder mußte er voller Bitterkeit und hilfloser Wut an das Schicksal von Mias Mutter denken. Er hätte den Arzt am liebsten verprügelt. Ein junger Fuhrknecht, der ihn überholte und seine Fahrt verlangsamt hatte, vermutlich, weil er ihm anbieten wollte, ihn ein Stück Weges mitzunehmen, hatte nach einem Blick in Kajetans von Haß gezeichnetes Gesicht die Pferde wieder angetrieben.

Die körperliche Anstrengung des langen Marsches hatte seine Aufregung schließlich besänftigt. Unterhalb des Ortes überquerte er die Flußbrücke und betrat den schmalen Fahrweg, der zum Haus der Totenpackerin führte.

Der alte Bader saß sinnend auf der Hausbank und blickte in die untergehende Sonne. Kajetan legte seinen Finger an die Schläfe.

»Habe ich die Ehre mit dem Bader-Vinz?«

Der Bader bewegte sich nicht. »Mhm«, grunzte er stillversunken.

»Ist Er es selber?«

»Mhm.«

»Ah – ich bin auf der Suche nach der Totenpackerin. Ist sie daheim?«

»Mhm.«

Kajetan ging einen Schritt auf die Haustür zu. Das »Mhm!« des Bader klang kehliger.

Kajetan verstand. »Ahso ... ja, aber auf dem Friedhof ist sie auch nicht!«

»Hm.«

»Ist sie vielleicht fortgegangen?«

»Mhm.«

Es mußten überwältigende Gesichte sein, die den Bader in ihren Bann gezogen hatten.

Kajetan blickte erschlagen zum Himmel. Doch die helfende Auskunft kam nicht von dort, sondern von einem Geräusch hinter dem Haus. Kajetan betrat den seitlich gelegenen Hausgarten und sah die Leichenfrau in einem

Gemüsebeet werkeln. Sie richtete sich auf und empfing ihn mit einem neugierigen, doch freundlichen Blick.

Kajetan grüßte, stellte sich vor und bat sie darum, ihm von ihrem Gespräch mit Mia zu erzählen. Sie legte einen Bund Zwiebeln zur Seite, wischte sich die Hände an ihrer Schürze ab und schlug nach einer Schnake an ihrem Nacken. Warum er das wissen wolle? Was – auch Vronis Tochter sei gestorben? Welcher Verdruß!

»Bittschön, Totenpackerin ... «, flehte Kajetan.

Sie begann zögernd.

»Also ... ich bin im Schauhaus, da seh ich auf einmal, daß da eine im Friedhof umeinandersucht und zum Schluß akkurat vor der Vroni ihrem Grab stehenbleibt. Und ich werd neugierig, weil doch ein jedes gedacht hat, daß es da keine Verwandten mehr gäb. Also gehst hin und fragst, sag ich mir. ›Wer bistn nachert du‹, frag ich.

›Die Tochter‹, sagts.

›Was‹, sag ich, ›lüg mich nicht an.‹

›Joh‹, sagts, ›ich bins schon.‹ Und erzählt, warums nicht hat kommen können zur Beisetzung, wegen der Post, die wo den Brief zu spät gebracht hätt oder sie nicht gefunden hat.

›Ja so was‹, sag ich! ›So ein Verdruß.‹

›Das ist wahr‹, meints ganz trüb.

›Erst die Mutter‹, sag ich, ›dann der Vater!‹

Und da – da schauts mich auf einmal an. Mit Augen, größer wie ein Wagenradl.

›Was für ein Vater?‹ fragts und schaut ganz gspaßig.

›Ja, Weibi‹, sag ich, ›hast das epper nicht gewußt? Der ist doch ..., ja, weißt du des wirklich nicht?‹ frag ich.

Sagt sie: ›Tu nicht umeinander, was soll ich nicht wissen. Was ist mit meinem Vater?‹

Dann hab ich halt nimmer anders können und hab ihr alles gesagt. Daß der Martl ihr Vater gewesen ist, dort drüben – ich hab hingedeutet – sei er eingegraben, und verbrannt sei er im Zuchthaus.

›Wegen was‹, wollts wissen.

›Umbracht hat er einen‹, sag ich.

›Und die Mamma‹, fragts mich. ›Was war denn mit der gewesen? Sie ist doch noch keine fünfzig Jahr gewesen.‹

Und da penzt sie mich auch so lang an, bis ich ihr sagen muß, daß sie im Irrenhaus in Allerberg gewesen ist, fast zwanzig Jahr lang.

Auf einmal seh ich, daß sie käsweiß geworden ist. Und dann fangts zu tränzen an.

›Mia, tu beten‹, sag ich, weil mir nichts Gescheiteres einfallt.

›Beten?‹ sagts. ›Zu wem? Zu dem epper, der mich so umeinanderhaut?‹

›Tu dich nicht versündigen, ich bitt dich in aller Heiligen Nam‹, sag ich.

Aber sie schaut mich bloß an wie einen Geist, dreht sich um und rennt fort. Ich seh grad noch, wie sie am Fluß entlang zur Brücken geht. Gottswillen, denk ich mir, sie wird sich doch nichts antun. Aber dann hab ich sie auf der anderen Seiten gesehen. Ganz langsam ist sie gegangen mit ihrem Tascherl in der Hand, immer kleiner ist sie geworden und dann wars ganz fort.«

Die Stimme der Totenpackerin wurde weich. »Da ... da hab ich auch recht tränzen müssen.« Sie schluchzte. »Und iatz ... hat sie sich doch das Leben genommen. Hätt ich doch bloß mein dummes Maul gehalten ...«

Der Bader mußte alles gehört haben. Er ging still zu ihr, umarmte sie und klopfte ihr sanft auf den Rücken. Nach einer Weile fand sie ihre Fassung wieder. Sie schneuzte sich. Kajetan räusperte sich.

»Bader-Vinz«, sagte er, »was hat denn die Aichinger Vroni eigentlich gehabt?«

Der Bader wandte den Blick nicht von seiner Frau.

»Die Fallsucht«, sagte er schlicht. »Epilepsia tarda, wenn Sie sich damit auskennen.«

Die Totenpackerin blickte stolz auf ihren Mann. »Dazugekommen ist eine Schwermut«, ergänzte er, »was bei dem, was sie durchmachen hat müssen, eine fast gesunde Reaktion ist, wenn man nicht grad ein Fischblut hat wie manch andere.«

»Damit hat sie im Irrenhaus eigentlich gar nichts verloren gehabt, oder?«

»Nein«, bestätigte der Bader. »Überhaupt nicht. Die Fallsucht kriegst zwar nicht los, aber da gibts einfachere Mittel, damitst fast wie ein Gesunder weiterleben kannst – und solche, die keinen Pfennig kosten. Ich bin den alten Urban auch noch angegangen, daß er sie da rausholt, weil ich das selber nicht tun kann. Aber er hat gesagt, mit einem Dorfbader wie mir redet er nicht über so was. Wie meine Frau und ich noch überlegen, was wir da tun können, haben sie sie tatsächlich närrisch gemacht in Allerberg.«

Er klatschte nach einer Schnake, die sich auf seine Stirn gesetzt hatte.

Kajetan hatte beschlossen, wieder zurückzufahren. Was er wissen mußte, hatte er erfahren. Mia muß verzweifelt gewesen sein. Vielleicht wollte sie nicht sterben – hätte sie sonst versucht, ihn zu erreichen? Vielleicht war es ein Versehen, vielleicht ersehnte sie – nur für einige Stunden, für eine Nacht, deren Dunkelheit nicht mehr zu ertragen war – diesen endlichen Frieden, den die Lebenden den Toten zudichten.

Er mußte sich beeilen, wollte er den letzten Zug nach München noch erreichen. Mit weiten Schritten ging er am Haus des alten Polizisten vorbei. Sinzinger schien nicht zu Hause zu sein; die Fenster waren unbeleuchtet, während in den Häusern um den Marktplatz bereits Lichter angegangen waren.

Wieder sah Kajetan vor seinen Augen das mühsam unterdrückte Entsetzen des alten Gendarmen vor seinen Augen. Wovor hatte Sinzinger Angst? Es mußte mit den Ermittlungen zusammenhängen, die er vor zwanzig Jahren durchgeführt hatte. Hatte er mit nachlässig recherchierten Ergebnissen dazu beigetragen, daß das Urteil gegen Mias Vater so entsetzlich hart ausfiel?

Vielleicht gab es ein Motiv, das dessen Tat verständlicher gemacht hätte. Sinzinger hatte vermutlich versäumt, sich darum zu kümmern und es den Geschworenen leicht gemacht, einen Totschlag als vorsätzlichen Mord zu werten. Was aber konnte dieses Motiv gewesen sein? Gab es vielleicht eine verborgene Beziehung des Opfers zu seinem Mörder? Hatte es mit seiner Frau zu tun, mit seiner Tochter? Martl selbst muß dazu geschwiegen haben – doch wie wäre es jetzt noch möglich, dieses Geheimnis zu lüften? Alle Beteiligten, die darüber Auskunft hätten geben können, waren tot. Die Tat lag zwanzig Jahre zurück; nie mehr würde sie aufgeklärt werden können.

Fast hätte Kajetan den Ortspolizisten übersehen. Kaneder stellte sich ihm mit finsterer Miene in den Weg, schob seine Brille mit einer hastigen Bewegung zurecht und atmete heftig. Kajetan blieb verwundert stehen.

Kaneder war noch nie ein Freund vieler Worte gewesen. Er patschte an seinen Hals.

»Hauens ab«, befahl er.

Kajetan wurde ärgerlich. »Wenn Sie zur Förderung des Fremdenverkehrs beitragen wollen, dann stellen Sies falsch ...«

»Werdens nicht frech. Sonst zieh ich andere Saiten auf.«

»Außerdem haben Sie kein Recht dazu. Ich hab mir nichts zuschulden kommen lassen. Beim Wirt zahl ich meine Zeche, und ich hab auch nicht die Häuser ausgeräumt. Ich bin beruflich hier und ...«

Der Wachtmeister unterbrach ihn grimmig. »Kein Recht? Er kennt sich also aus? Hat Er womöglich schon einmal was mit der Polizei zu tun gehabt? Mir kommts fast so vor.« Er sah ihn lauernd an.

»Da weiß ich mir Schöneres.« Kajetan griff unwillkürlich an seine Wange. Ein Schmerz, als hätte ihn eine glühende Nadel gestochen, dehnte sich aus.

Auch Kaneder schlug sich wieder klatschend an die Stirn. Er trat einen Schritt näher und legte seine linke Hand drohend auf den Knauf seines Säbels. »Sie verschwinden von hier, habens mich verstanden? Es treibt sich zu viel Gesindel in der Gegend herum. Wenn Sie sich nicht augenblicklich schwingen, dann nehm ich Sie mit auf die Station, und dort werd ich einmal schauen, ob sich nicht rausstellt, daß Sie vielleicht ganz andere berufliche Interessen haben. Es ist nämlich durchaus nicht so, daß die Polizei da heraußen aufs Hirn gefallen ist. Es gibt Hinweise, daß hier in der Gegend gern Geschäfterl aller Art gemacht werden.«

Kajetan riß die Augen auf. Was meinte er damit?

»Ah? Da schaut Er aber spaßig!« bemerkte Kaneder mit höhnischer Zufriedenheit und verschränkte die Arme.

Kajetan hatte sich wieder im Griff. »Weil es ein Schmarren ist.«

Der Ortspolizist schien es gar nicht gehört zu haben. Er richtete seinen Zeigefinger gegen Kajetans Brust. »Bildets euch bloß nicht ein, daß ich euch nicht dahinterkomm«, drohte er.

»Auf was denn bloß?« Kajetan zuckte unmerklich zusammen und hob seine Stimme. »Herr Wachtmeister, Sie haben erstens nicht den geringsten Beweis für irgendwas und darum zweitens nicht das Recht, mich einzusperren.«

»Da hat Er recht«, bestätigte Kaneder unbeeindruckt und kratzte sich, »es ist auch nur ein guter Rat.«

»Dann muß ich Dankschön sagen.«

»Ich tät ihn an Seiner Stelle nicht ablehnen«, sagte Kaneder finster. Wieder schlug er mit einer lächerlich unbeherrschten Bewegung an seine Backe. Doch dieses Mal fühlte er den körnigen Körper einer vollgesogenen Mücke unter seiner Handfläche. Befriedigt rollte er sie über seine Wange, zerkrümelte sie zwischen seinen Fingern und wischte sich mit dem Handrücken über die blutfeuchte Stelle. Er drehte sich um und ging über den Platz zur Gendarmerie. Kajetan sah ihm wütend nach.

Was ging in Sarzhofen vor? Was meinte der Gendarm, als er von irgendwelchen Geschäften gesprochen hatte? Etwa Urbans Waffenverkäufe?

Kajetan wurde zornig. Nein, er würde nicht fahren, dachte er trotzig.

Wieder spürte er einen Stich. Der Schmerz weitete ihn pochend. Verzweifelt fuchtelnd lief Kajetan über den Platz. Als er die Tür des Gasthofs erreicht hatte, schlug die Turmuhr acht mal. ›Sehr gut‹, dachte er, ›den letzten Zug hab ich leider versäumt.«

Er betrat die Gaststube, grüßte die wenigen Gäste, die sich zum Kartenspiel an einem der Tische niedergelassen hatten, und bestellte etwas zu essen. Der Wirt betrachtete bedauernd Kajetans zerbissene Wange. »Kaltes Wasser oder, noch besser, Speichel!« riet er, brachte wenig später einen Teller mit geräuchertem Speck, wobei er nicht vergaß zu erwähnen, daß dieser aus seiner eigenen Metzgerei stammen würde, und stellte ihm ein Glas Rotwein daneben.

Während Kajetan gedankenverloren aß, fiel sein Blick auf einen sonderbar dreinblickenden alten Mann, den die anderen mit den Namen »Wegmacher« anredeten. Der Greis versuchte offensichtlich, sich Gehör zu verschaffen, was die Männer jedoch zu belästigen schien. Kajetan achtete nicht mehr darauf. Während der Streit um den Alten zuzunehmen schien, verspürte er eine plötzliche, in ihrer Maßlosigkeit unerklärliche Erschöpfung. Er stand auf und verabschiedete sich.

»Sinds müd, gell«, bemerkte der Wirt. Kajetan nickte und grüßte wortlos. Als er bereits im Hausflur stand und die Treppe zum ersten Stock betreten wollte, kam ihm der Nauferger nach.

»Sie, Herr, was ich Ihnen noch sagen wollte, glatt hätt ichs vergessen: Wenns in die Kammer gehen und das Licht aufreiben, müssens verkehrt herum drehen!« Er versuchte, es mit einer Handbewegung zu demonstrieren.

Kajetan sah ihn erstaunt an. Er hätte das Elektrische erst seit kurzem, erklärte der Wirt, lang hätt er sich dagegen gesträubt, denn früher sei es ja auch gegangen. Aber im Ort gäbe es da einen Machler, der ihm das aufgeschwatzt habe, das mit dem Elektrischen. Hochinteressant sei das, meinte Kajetan gähnend.

Er mußte sich noch anhören, daß die Hausmagd noch viel mehr gegen das Elektrische sei, weil sie jedes Mal einen Schlag bekäme, wenn sie mit dem nassen Putzlappen die Lampen säubere. Nach einigen Verwünschungen gegen den Sarzhofener Edison – die Lampe ging nicht an, egal, ob er nach links oder nach rechts drehte – konnte Kajetan sich endlich in das Bett fallen lassen. Er schlief sofort ein.

✳

Es mußte weit nach Mitternacht gewesen sein, als er plötzlich erwachte. Er lauschte angespannt in die Dunkelheit, stand auf, tappte zum Fenster, öffnete es und beugte sich hinaus. Der Marktplatz lag friedlich im Mondlicht. Aus der Ferne drang das Rauschen des Flusses heran. Einige Grillen zirpten unruhig. Er sah den Wirt, der in einem langen Nachthemd vor der Haustür stand. Der Wirt hob den Kopf zu ihm.

»Sinds auch wach geworden?« fragte er mit verhaltener Stimme.

»Was ist denn gewesen?«

»Weiß nicht«, gab der Wirt zurück, »mir ist es vorgekommen, als hätt irgendwo einer geschossen. Aber jetzt ist es wieder ruhig. Ich werd mich getäuscht haben.« Er streckte sich gähnend. »Ich leg mich wieder hin. Gute Nacht.«

Kajetan schloß das Fenster, ging wieder ins Bett und deckte sich zu. Morgen abend würde er vermutlich nicht mehr hier sein, um überprüfen zu können, ob auf der Speisetafel irgendeiner Gaststätte Wildfleisch auftauchen würde.

Er versuchte noch darüber nachzudenken, was er am nächsten Tag tun sollte. Er wußte nicht einmal mehr, warum er überhaupt noch etwas tun sollte.

Es war nichts als das eigenartige Verhalten des Ortspolizisten, das ihn mißtrauisch gemacht hatte. Aber wie sollte er vorgehen? Wen sollte er erneut aufsuch ... Er schlief ein.

Aufgeregte Rufe drangen an das Fenster der Kammer. Kajetan erwachte, zog sich hastig an und ging nach unten. Es war bereits früher Vormittag. Der Wirt stand in der Außentür und sprach heftig gestikulierend mit einem Mann, der ihm ungläubig zuhörte. Schon auf der Treppe konnte Kajetan hören, daß es um eine Schießerei ging, die in der vergangenen Nacht stattgefunden haben mußte. Er blieb stehen und lauschte dem Gespräch mit wachsender Neugier.

»Stell dir vor, Stadler«, rief der Wirt, »gleich zwei sind bei der Mühle drunten gelegen. Maustot! Alle zwei! Ein Bazi von München ...«

»Woher willst denn das wissen?«

»Der Kirchbäck hat gehört, wies einer von die Gendarmen aus Ödstadt zum Kaneder gesagt hat!«

»Und warum sagst: Zwei sind dagelegen ...?«

»Weil der andere nicht von München war. Sondern – jetzt rat einmal!«

»Doch nicht von da? Wer?!«

»Der Aichinger Martl!«

»Der Ai ...?«

»Kannst dein Maul schon wieder zumachen, Stadler! Der Aichinger Martl! Wie ich dirs sag! Von dem es geheißen hat, er sei im Zuchthaus verbrannt! Ist der doch glatt hergegangen, hat den Wärter umgebracht, seine Uniform angezogen, das Zuchthaus in Brand gesteckt und ist im ganzen Durcheinander abgehauen. Die ganze Welt hat gemeint, er wär verbrannt – dabei war der, dens gefunden haben, der Wärter!«

»So ein Hund!« rief der Stadler bewundernd. »Da mußt erst einmal draufkommen! Aber ... wie kann denn der ein Zuchthaus in Brand stecken?«

»Die von Ödstadt sind schon dagewesen! Die haben es rausgekriegt: Er hat sich das Karbid von den Radln gestohlen und hat damit eine Bomben gebaut!«

Der Stadler erinnerte sich. »Der Aichinger Martl war ja immer ein Machler«, sagte er anerkennend, »nichts, was der nicht zusammengekriegt hätt!«

»Danach muß er sich bei der Müllner Marie versteckt haben. Erst jetzt geht mir auf, warum sie auf einmal so gspaßig getan hat, mit keinem mehr hat reden wollen und fast gar nimmer aus ihrer Mühl herausgekommen ist.«

»Aber, wie paßt das alles zusammen? Was hat denn der Martl mit dem von München zu tun?«

»Das sag ich dir, Stadler. Der hat die Marie ausräubern wollen. Da hat der Martl gar nicht anders können, als ihr zu helfen. Und dabei hats ihn selber erwischt! Zuvor aber hat er dem Halunken so eingeheizt, daß der das auch nicht überlebt hat!«

»So ein Hund!« wiederholte der Stadler. »Nauferger, jetzt bin ich platt.«

Der Wirt wischte sich mit dem Handrücken über die Stirn. Kajetan trat näher. Der Nauferger wandte sich ihm zu.

»Wir haben uns doch nicht verhört gestern nacht«, rief er, »es ist geschossen worden, unten bei der Höllmühl! Stellens Ihnen so was vor!«

Der Stadler griff an den Arm des Wirts.

»Und? Red halt weiter! Was ist mit der Müllner Marie geschehen? Hat der Halunk sie etwa ...?«

Der Wirt schüttelte den Kopf. »Die hat die ganze Gaudi überlebt. Aber sie ist, scheints, narrisch geworden. Seit der Nacht dreht sich das Mühlradl wieder. Die Leut aus der Nachbarschaft haben ihr beistehen wollen, sind zu ihr hingegangen und haben gesagt: Marie, was läuft denn dei Mühl? Aber sie hört gar nimmer, tut nichts und sagt nichts, und keiner weiß, was ihr geschehen ist. Der Gendarm ist auch hin zu ihr und wollts ausfragen, aber ...«

»Sie redt nichts ...«, ergänzte der Stadler verstehend.

»Müllner Marie, haben die Leut gesagt«, wiederholte der Nauferger und seufzte, »... Müllner Marie, was läuft denn dei Mühl?«

Kaneder brüllte so laut, daß die Männer zusammenzuckten. »Ist der Bazi allerweil noch da?! Jetzt ghörst der Katz!«

Mit stampfenden Schritten kam er über den Marktplatz gelaufen und baute sich mit zorngerötetem Gesicht vor Kajetan auf. Der Wirt blickte verdattert von einem zum anderen.

»Geh weiter, Mannderl! Auf!« Kaneder packte Kajetans Arm. »Und dann erzählst mir, wo du in der Nacht gewesen bist!«

»Im Bett bin ich gewesen!« verteidigte sich Kajetan wütend und versuchte, sich aus dem Griff des Polizisten zu winden.

»Ah was!« schrie Kaneder. »Wenigstens eine bessere Ausred könntest dir einfallen lassen! Geh weiter.« Er zerrte Kajetan aus dem Stand.

Der Nauferger hatte sich von seiner Verblüffung erholt. »Es stimmt, Kaneder!« Vor Aufregung verfiel er ins Du. »Es ist wahr! Du bist auf dem Holzweg! Wenn einer nichts damit zum tun hat, dann ist es der Herr da! Ich hab ihn ja selber gesehen!« Er erzählte dem Gendarm davon, wie sie beide in der Nacht durch die Schüsse erwachten. Mißtrauisch hörte der Wachtmeister zu. Er lockerte den Griff und atmete schnaubend.

»Lügst mich nicht an, Nauferger?«

»Lügen? Ich?« Der Wirt schnappte empört nach Luft.

Der Gendarm trat einen halben Schritt zurück. Noch immer hob und senkte sich seine Brust erregt. »Dann gebens mir auf der Stell Ihren Ausweis«, sagte er finster, »und danach möcht ich Sie nicht mehr da sehen!«

Während Kajetan in seine Tasche griff, stellte sich der Wirt vor den Wachtmeister. »Also, Herr Wachtmeister, das muß ich schon sagen: Wie Sie mit meinen Gästen umgehen!« Er wies mit dem Daumen zu Kajetan. »Meinen Sie vielleicht, daß der noch einmal zu uns herkommt?«

»Mir wurscht«, knurrte der Gendarm, während er Kajetans Papier in Empfang nahm und sich daraus Notizen machte. »Seit der da ist, ist eine Unruh in Sarzhofen. Wie wenn er den Verdruß anziehen würde.«

Er gab die Papiere zurück.

»Und jetzt«, befahl er mit einer Stimme, die keinen Widerspruch duldete, »sinds dahin! Auf der Stell!«

»Wenns meinen, Herr Kommissar!« sagte Kajetan spitz. Bevor der Wachtmeister explodieren konnte, befand er sich bereits auf der Treppe, die zu seinem Zimmer führte. Wenig später beglich er seine Rechnung und verabschiedete sich. Der Wirt beteuerte, wie unangenehm ihm der Auftritt des Gendarmen gewesen sei. Kajetan möge doch, bat er, eher sein ausgezeichnetes Geselchtes in Erinnerung behalten als diese peinliche Szene. Eigentlich sei Sarzhofen ein friedlicher Ort und Fremde seien jederzeit gerne gesehen.

Aber auch beim Wirt hatte Kaneders Auftritt Mißtrauen gesät. Er atmete erleichtert auf, als Kajetan das Haus verlassen hatte.

*

Wenige Minuten, nachdem Kajetan den kleinen Bahnhof erreicht hatte, stampfte auch schon die Lokomotive heran. Stationsvorsteher Thomas sah mißbilligend auf die Uhr: Der Zug war vier Minuten zu spät angekommen. Er, Thomas, würde seinen Ehrgeiz dransetzen, daß er wenigstens pünktlich die Station verlassen würde. Wenn andere unfähig wären, die Züge rechtzeitig abzufertigen – an ihm sollte es nicht liegen. Ihm würde man nichts nachreden können.

Doch niemand hörte zu, als er über die Mentalität dieser Kollegen, die seiner Ansicht nach eher zu den Kameltreibern im Orient, aber nicht in das Deutsche Reich passen würden, schimpfte und mit nervöser Antreiberei versuchte, die Fahrgäste zur Eile zu bewegen. Die Menschen, die sich gemächlich an ihm vorbeibewegten, scherten sich nicht um ihn. In aller Gemütsruhe und mit vielerei Wünschen, Warnungen und Aufträgen, die wieder und wieder in nur unwesentlichen Variationen (»Tu brav sein in der Stadt – ja, Mutter – daß du mir ja brav bist in der Stadt drin – wiesd meinst, Mutter – mach uns keine Schand nicht – ist schon recht, Mutter ...«) heruntergeleiert wurden, verabschiedeten sie sich und stiegen ein.

Aus dem Fenster seines Abteils gelehnt, konnte Kajetan sehen, wie sich am Ende des Zugs einige Bauernknechte mühten, Rinder in einen Viehwaggon zu treiben. Der Geruch von Kuhmist erfüllte die Station. Der Vorsteher lief voller Ungeduld auf und ab. Fahrig steckte er die Trillerpfeife in den Mund, hielt die Luft an, nahm sie wieder heraus und schüttelte, von Minute zu Minute verzweifelter, den Kopf. Die Tiere brüllten.

Kajetan setzte sich langsam auf die hölzerne Bank, beugte sich vor, nahm seinen Kopf in seine Hände und schloß die Augen. Er war müde und ratlos. In seinem Kopf tollten Gedanken. Mias Vater ausgebrochen ... In Brand gesteckt, das Zuchthaus ... Einbrecher, die mit dem Auto kommen ... ein Wagen mit Münchner Kennzeichen ... Mias Vater tot ... die alte Müllerin hatte ihn versteckt ... dieselbe Müllerin ist Mias Godin gewesen ... eine Godin, der das Schicksal ihres Godkindes nahezu egal war, weil sie nicht zur eigenen Familie gehörte ... das Gesicht der alten Müllerin ... irgendwo hatte er es schon einmal gesehen ... Wo? Plötzlich wußte er es.

Ruhe überkam ihn. Wie jener rückwärtslaufende Film im Kino am Isartor, den der Operateur einmal versehentlich falsch eingelegt hatte und der eigentlich das Zerspringen eines von einer Kugel getroffenen Spiegels zeigen sollte, statt dessen aber dem fasziniertem Publikum vorführte, wie sich Splitter um Splitter wieder zu einer blanken Fläche fügten, und wie die unbeirrte, gleichmäßige Unruhe einer Uhr, so fügte sich nun Bild an Bild, Wort an Wort.

Der Stationsvorsteher gab das Signal zur Abfahrt. Der Zug setzte sich in Bewegung. Kajetan schüttelte wie betrunken den Kopf, als er es bemerkte. Mit einem Schrei hechtete er aus dem Abteil, rannte durch den Gang, stieß dabei eine voluminöse, noch unschlüssig nach einem Sitzplatz suchende Bäuerin um und riß die Waggontür auf. Die Gräser am Rande des Gleisdamms glitten vorbei. Kajetan holte tief Luft.

Der Stationsvorsteher Thomas hatte sich, seit er auf diesen Posten befördert worden war, ein Benehmen zugelegt, wie es sich eben für eine Amtsperson gehörte, welche es nicht mehr nötig hat, sich mit dem Pöbel gemein zu machen. Wenn auch der Sarzhofener Bahnhof nicht unbedingt mit dem einer Metropole gleichzusetzen war und er selbst, außer beim Militär, kaum je einen Fuß aus dem Bauernland gesetzt hatte, so bestand doch sein Ehrgeiz darin, den Sarzhofenern zu zeigen, wie es in der großen Welt zugeht – und vor allem, mit welch angeborener Noblesse sich die Elite der bayerischen Beamtenschaft darin zu bewegen weiß.

Als er jedoch diesen Verrückten aus dem bereits anfahrenden Zug springen sah, vergaß er, daß er sich vornehm von der Ungehobeltheit der ländlichen Bevölkerung absetzen wollte. »Sag einmal! Du Hornochs, du saublöder!« tobte sein Vilshofener Temperament, »ja, hats den jetzt? Springt der einfach aus dem Zug?« japste er und rief dem Flüchtenden, der mit fliegendem Mantel über das Feld in Richtung des Höllgrabens zu rannte, noch einige mehr als anrüchige Bezeichnungen hinterher.

✳

Es war Urbans Buick, der noch im Hof stand. Die Frontscheibe war zerschossen, die Seitenscheiben mit kreisrunden Einschüssen übersät, auch die Reifen hingen schlapp um die in den Kies gesunkenen Felgen. An mehreren Stellen der Karosserie waren Löcher in einer Größe zu erkennen, die von Kugeln einer großkalibrigen Waffe stammen mußten.

Kajetan war außer Atem. Mit schnellen Schritten rannte er zum Haus. Er hatte die schwere Tür zum Mühlenraum so heftig aufgestoßen, daß sie zurückschwang und an die Wand krachte. Er taumelte erschöpft einige Schritte vorwärts.

»Müllner Marie!« brüllte er. Sein Atem rasselte.

Unter ihnen wummerte dumpf das Mühlwerk; es stampfte, summte, schabte wie ein riesenhaftes, verborgenes Uhrwerk. Mit langsamen Bewegungen drehten sich die Mahlstühle. Rhythmisch klackten die Adlerkrallen der Transmissionsbänder auf die Blankflächen der Antriebsscheiben. Von außen malte das matte Frühlicht gelbe Muster auf den Fußboden; feiner Staub tanzte aus den Ritzen der Bohlen.

Die Müllerin saß bewegungslos am Ende des Raums und schien ihn nicht zu bemerken. Das Glas ihrer Brille blitzte sekundenkurz auf. Mit schweren Schritten ging Kajetan in die Mitte des Raums. Er blieb mit ausgestellten Beinen stehen und wiederholte ihren Namen.

»Müllner Marie!«

Ihr Blick war leer, und ihr alter Kopf hing zwischen den Schultern. Kajetan trat näher.

»Godin, schlechte!« rief er schneidend.

Ihre Lider hoben sich unmerklich. Die Knöchel ihrer Hand wurden weiß.

»Laßts mir doch meinen Frieden«, sagte sie mit brüchiger Stimme. Ihre Lippen bewegten sich kaum.

»Warum, Müllnerin? Magst nicht hören, daß du eine schlechte Godin bist? Heißt es denn nicht, daß eine Godin auf ihr Godkind Obacht gibt?«

Mit einem wilden Ruck hob sie den Kopf.

» ... aber die Müllnerin hat nicht getan, was eine Godin zu tun hat! Sie hat ihr Godkind im Stich gelassen, hat zugeschaut, wie es untergeht, und hat nichts getan!«

Sie schnellte tierhaft hoch. Kajetan wich unwillkürlich zurück.

»Was weißt denn du?« schrie sie. »Was weißt denn du, wie das alles gewesen ist? Wie ... wie ...« Ihre Stimme schien zu brechen. Sie rang nach Luft. Ihre Brust bebte.

»Kann schon sein, Müllnerin! Wenn du weiter die Närrische spielst, wird es nie einer erfahren!«

Erschöpft tastete sie nach der Lehne ihres Stuhles, sank auf den Sitz zurück und starrte ihn an. Plötzlich sickerten Tränen aus ihren Augenwinkeln. Ihr Blick wurde schwarz. Sie schlug die Hände heftig vor ihr Gesicht und begann leise zu schluchzen.

Kajetan stützte sich auf die Lehne und beugte sich zu ihr.

»Red, Müllnerin«, sagte er berührt.

Sie wischte sich mit dem Handrücken über ihre Wangen. Dann hob sie ihr Gesicht zu ihm und betrachtete ihn fragend.

»Du hast sie ... gut ... gekannt, die Mia?«

Kajetan nickte stumm und wandte das Gesicht zur Seite. Als er sie wieder ansah, ruhte ihr Blick noch immer auf ihm. Er richtete sich heftig auf, ging zum Fenster und blieb mit dem Rücken zu ihr stehen. Seine Schultern bebten unmerklich. Er senkte den Kopf. Die Sonne flirrte durch sein zerwühltes Haar.

Sie verstand.

»Geh her zu mir«, seufzte sie. Er drehte sich langsam um, ohne den Kopf zu heben.

»Da, hock dich her zu mir. Ich werd dir erzählen, wie alles gewesen ist.« Sie wies auf einen Schemel. »Wenn du es nicht eh schon weißt – oder dir wenigstens denkst.«

Er nahm Platz. »Der Aichinger Martl, der Vater von

der Mia, hat nie einen umgebracht. Er ist für einen anderen im Zuchthaus gesessen. Und der andere, das war der junge Urban. Stimmts, Müllnerin?«

»Ja. Der Martl ist beim alten Doktor in Arbeit gewesen und hat auch in einem seiner Häuser wohnen dürfen. Einmal mitten in der Nacht haut der Doktor an seine Tür und sagt ihm, er möcht sich sofort anziehen und zu ihm kommen. Und dann sagt er ihm, daß sein Bub, der Fritz, eine furchtbare Dummheit begangen hätt, und er tät ihm, dem Martl, jetzt einen Vorschlag machen.«

»Und der war, daß der Martl zum Gendarm gehen soll und zugeben soll, den Fuhrknecht Eglinger erstochen zu haben. Aber wie konnt er bloß so blöd sein und darauf eingehen?«

Die Müllerin seufzte. »Er ist so todfroh gewesen, daß ihn der Doktor in Arbeit gehalten hat. Seine Frau ist doch krank gewesen. Fast das ganze Geld, das er verdient hat, ist durch die Medizin draufgegangen. Und da ist auch noch das Kind gewesen. Die zwei waren am Schluß so bettelarm, wie sich das gar keiner vorstellen kann. Ich hab ihnen freilich hie und da ein Gemüs und ein Mehl zukommen lassen, aber er ist mir fast bös gewesen deswegen. Einmal hat er sich grad und hoch vor mich hingestellt: Einen Stolz hätt er schon auch noch und tät keine Bettelgab nicht brauchen. Was tust da, sag?«

Kajetan wußte keine Antwort.

»Aber nicht, daß du meinst, daß der Martl je geklagt hätte. Da ist eine Lieb gewesen bei den zweien, und eine Freud wars zum schauen, so schön wie die sich getan haben. Die Vroni und das Kind, die waren dem Martl sein ein und alles. Aber es ist schlimmer und schlimmer geworden. Die Vroni ist es schließlich gewesen, die immer öfter gesagt hat, sie sei ihm doch bloß eine Last. Und Tage hat es gegeben, wo sie nur noch geweint hat. Und schließlich ist sie gemütskrank geworden.«

Kajetan schüttelte den Kopf. »Ich versteh das nicht! Gerade deswegen hätte der Martl doch diesen Vorschlag ablehnen müssen!«

»Sagst du. Ich auch«, sagte sie bitter, »aber der Doktor hat ihm ja auch was angeboten. Wenn der Martl ihm diesen Gefallen tun würde, dann würde er ihm das Häusl, in dem er jetzt wohnt, überschreiben. Außerdem sei, so hat er versprochen, für die Vroni und das Kind so gut gesorgt, daß er sich nie mehr eine Sorg zu machen braucht, sogar den besten Doktor, den es für die Krankheit von der Vroni gibt, tät er bezahlen. «

»Das mit dem Haus hat der Urban doch gar nicht eingehalten!« rief Kajetan empört. »Im Grundbuch ist doch bloß ein Wohnrecht eingetragen! Wie kann sich der Martl da drauf einlassen?!«

»Der Alte war eine Sau. Mit einem Herz wie eine Maschine, kalt zum Erfrieren, ohne ein Mitleid und ohne ein Erbarmen. Wenn er das jetzt gleich tun würde, hat er dem Martl gesagt, dann würd das verdächtig ausschauen. Drum sollt er noch ein paar Jahre warten, bis es nicht mehr auffallen tät. Und der Martl, der hat dem Doktor immer vertraut. Aufgeschaut hat er zu ihm wie zu einem Vater.«

»Trotzdem«, sagte Kajetan. »So dumm kann keiner sein.«

»Hast du einen Dunst, wie der alte Urban die Leut hat einseifen können! Der hat sie ausgeschmiert nach Strich und Faden, hat ihnen Grund um Grund abgeschwindelt, bis er einer der reichsten Leut in der Gegend gewesen ist. Und trotzdem haben sie ihn immer gewählt. Ich kann mir außerdem vorstellen, was er ihm noch gesagt hat: Nämlich, daß sich der Martl überlegen soll, daß er, der Doktor, ruiniert wär, wenn alles aufkäm und dann gar nicht anders könnt, als ihn auszustellen.«

Kajetan ballte die Fäuste und legte sie an seine Schläfen.

»Und der Martl«, fuhr sie fort, »der hat sich schließlich überlegt: Ich hab eh eine Höll und werd sie bis zu meinem End haben. Dabei gehen meine Frau und das Kind auch zugrund. Wenn ich aber zusag, dann habe ich zwar ein paar Jahr eine noch schlimmere Höll, aber wenigstens nachher ein Leben. Und er ist zum Gendarm gegangen und hat es zugegeben.«

»Ein paar Jahr? Wie kommt er auf ›ein paar Jahr‹ für Mord?«

»Das hat ihm der Doktor so weis gemacht. Natürlich könnt der Martl den besten Advokaten haben, hat er gesagt. Dem sei es ein leichtes, die Sach als Notwehr hinzudrehen. Aber es ist halt ganz anders ausgegangen.«

Kajetan schüttelte den Kopf. »Er ist über zwanzig Jahr im Zuchthaus gesessen. Dieser Narr!«

»Dann ist die Gerichtsverhandlung gewesen. Ich hab zugeschaut – es muß rauskommen, daß er es nicht getan hat, hab ich mir gedacht, es muß! Der Rechtsanwalt hat es zuerst nicht dumm angepackt. Aber da war dann so ein neuer Staatsanwalt, jung, und eine Stimme wie eine Hacke. Er hat den Martl ausgefragt. Und der Martl hat auf einmal Angst gekriegt, hat zu stottern angefangen, hat sich widersprochen und ist am End dagestanden wie der unehrlichste Mensch auf der ganzen Welt. ›Wie ist das eigentlich bei Ihnen auf dem Lande‹, fragt der Staatsanwalt, ›hat man denn da immer ein Messer dabei, damit man es anderen bei der nächsten Gelegenheit in den Bauch stoßen kann?‹ Er hätt bisher gedacht, das wär bloß bei den Negern so üblich. Er sei aber keiner, hat der Martl drauf gesagt. ›Sie tragen also nicht andauernd ein Messer mit sich, um es anderen bei nächster Gelegenheit in den Bauch zu stoßen?‹ ›Nein!‹ weint der blöde Martl. ›Interessant‹, sagt der Staatsanwalt drauf, ›sehr interessant‹. So hätt er sich schon immer eine Notwehr vorgestellt: Da läuft einer erst nach Hause, holt ein Messer und geht dann wieder zu seinem Widersacher zurück. Und so ist es dahingegangen. Der Martl hat sich immer tiefer verwickelt, bis das Ganze als der hinterhältigste Mord dagestanden ist, den je ein Mensch begangen hat. Zum Schluß hat der Richter noch eine Ansprach losgelassen, wo es bloß noch um das Aushacken, Ausbrennen und Ausrotten von diesen verfaulten Trieben im Volkskörper gegangen ist. Da ist der Martl umgefallen und hinausgetragen worden. Der Urban ist ihm gleich nach. Der Advokat ist ins Schwitzen gekommen; grad, daß er noch erreichen hat können, daß der Martl lebenslänglich gekriegt hat.«

Kajetan stützte seinen Kopf in seine Hände und stöhnte auf. »Aber ... warum hat er da immer noch nichts gesagt? Jeder tät doch da schreien: Ich bin es nicht gewesen! Ich bin hereingelegt worden!«

»Ach! Es ist doch schon zu spät gewesen. Der Martl ist schon viel zu tief drin in der Fallen gesessen. Wie er aufgewacht ist, hat der Doktor ihm gesagt, daß der Martl sich überlegen muß, daß er schon jetzt eine hohe Strafe kriegen tät, nämlich wegen seiner falscher Aussage. Und wenn er jetzt alles abstreiten würde, dann wär auch alles umsonst gewesen, dann gäbs erst recht keine Belohnung mehr, weil auch dann er, der Doktor, ruiniert wär. Außerdem hätt das nur an diesem einen, dem neuen Staatsanwalt gelegen, er wär ja selber überrascht gewesen, denn mit demjenigen, der ursprünglich für diese Verhandlung vorgesehen gewesen sei, hätt er bereits alles beredet. Bei einer neuen Verhandlung, hat er ihm Hoffnungen gemacht, käm bestimmt ein ganz anderes Urteil heraus. Das sei immer so. Der Martl war ganz zerschlagen. Er hat nicht mehr gewußt, was er tun soll. Und noch einmal hat er dem Doktor geglaubt. Woher soll er auch

wissen, was auf dem Gericht der Brauch ist? Der grund-
gute Lapp hat doch nie in seinem Leben mit so was zu
tun gehabt!«

»Aber eine zweite Verhandlung hat es nie gegeben.«

»Die ist nach ein bisserl hin und her abgelehnt worden. Aber da ist der Martl schon fünf Jahre im Zuchthaus gesessen. Wer hätt ihm jetzt noch geglaubt?«

»Hat ihn nie einer besucht?«

»Die Leut hier tun das nicht. Wenn einer im Zuchthaus ist, ist der für die Leut wie ein Gestorbener. Ich bin
einmal hingefahren zu ihm, weil ich einfach nicht hab
glauben wollen, daß er es war. Aber er hat bloß wissen
wollen, ob es der Vroni und dem Kind gut geht und ob
sie im Haus bleiben können. Sonst nichts. Wie ich dann
ein zweites Mal hinwollt, läßt er mir schon an der Pforte
ausrichten, daß er keinen mehr sehen will. Mich auch
nicht, frag ich. Nein, heißts, Sie auch nicht. Es war grad
so, als hätt er sich selber eingegraben. Fast versteh ichs –
wenn einer unschuldig im Zuchthaus sitzt, dann kann
der wenigstens noch kämpfen, weil er ein Gegenüber hat.
Aber wenn du dir allerweil sagen mußt, daß du selber es
gewesen bist, der diesen furchtbaren Fehler getan hat,
dann hast du keine Kraft mehr dafür ...«

Das Geräusch der Mühle schien in weite Ferne gerückt
zu sein. Die beiden hörten es kaum noch. Kajetan atmete
tief ein. Er mußte aufstehen und versuchte, seiner Erregung Herr zu werden. Ungläubig schüttelte er immer
wieder den Kopf. Schließlich setzte er sich wieder auf den
Schemel.

»Und aus dem jungen Urban? Was ist aus dem geworden?«

»Er ist noch eine Zeitlang in Sarzhofen geblieben,
nachdem sein Vater gestorben ist. Lang hats nicht gedauert, bis er alles zugrund gerichtet hat. Er hat alles verkaufen müssen. Dann hat man ewig nichts mehr von ihm

gehört. Im neunzehner Jahr ist er kurz gekommen, aber da hat er ein paar Watschen gekriegt ...«

» ... die Geschichte beim Wirt, wo er Revolution machen wollt?«

Die Müllerin nickte verächtlich. »Der hat sich allweil bloß dahingestellt, wo es warm rauskommt. Auf jeden Fall – eines Tages ist kaum mehr was dagewesen, und da wollt er am liebsten auch noch das Haus verkaufen, in dem die Vroni und die kleine Mia gewohnt haben. Es wollt natürlich keiner haben mit den beiden. Und dann ...«, wieder füllten sich ihre Augen mit Tränen, »hat es auf einmal geheißen: Die Vroni hat sich was angetan. Keiner hat genau gewußt, was passiert ist, bloß ein paar Leut haben den jungen Urban gesehen, wie er kurz zuvor aus dem Haus gekommen ist. Die Vroni ist dann in das Krankenhaus in Allerberg eingeliefert worden. Da ist sie nie mehr herausgekommen.« Ihr Kinn bebte.

»Und die Mia ...«

»Wart ein bissel«, bat die Müllerin. » ... ich muß weinen, sonst ... sonst erstick ich ... solang hab ich bloß ... einen Haß gehabt ... und ... jetzt erbarmt mich alles so ohne End ...« Sie schluchzte auf.

Kajetan brachte kein Wort heraus. Er legte seine Hand auf ihre Schulter. Die Müllerin ergriff sie und hörte auf zu weinen.

»Ist schon vorbei«, flüsterte sie.

»Brauchst nicht weiterreden, Müllnerin. Hör auf.«

»Bloß noch ... wegen der Godin, die nicht Obacht gibt ...«

»Laß, Müllnerin. Ich habs bloß gesagt, weil ich dich zum Reden bringen wollt.«

»Du ... Halunk«, schmunzelte sie unter Tränen, »du ausgschamter Halunk! So ... raffiniert ist ja nicht einmal ein Gendarm.« Er lächelte entschuldigend. Sie richtete ihren Oberkörper wieder gerade. Sie warf einen kurzen

Blick auf die Mahlstühle, die noch immer gleichmäßig arbeiteten.

»Die Geschichte ist noch nicht ganz aus.«

»Aber das mit der Godin war nicht so gemeint.«

Sie ergriff ihre Schürze und wischte sich die Tränen aus dem Gesicht. »Ich glaubs dir ja. Aber vorher wars wichtig für dich. Was ich jetzt sag, ist wichtig für mich.« Sie neigte den Kopf in den Nacken und schloß kurz die Augen. Dann sah sie auf ihre Hände, die sie auf den Schoß gelegt hatte.

»Es ist zu der Zeit gewesen, wie es dem Hans den Arm ausgerissen hat.«

»Den Arm aus ...?«

Sie nickte trübe. »Ja, der Müllner, und das ist ja jetzt auch schon gute zwanzig Jahr her, hat einmal probiert, eine rausgeschlupfte Transmission wieder aufzuspannen. Hans, sag ich, laß es bleiben, aber er hört nicht. Das Mühlwerk darfst ja nicht abstellen, wenn der Mahlstuhl voll ist. Da hats ihm den Arm abgerissen, und danach ist er nicht mehr zum gebrauchen gewesen, bis er dann vor ein paar Jahren gestorben ist. Ich habs eine Zeitlang probiert. Allein. Die Bauern haben die Säck selber eingefüllt, und wenns mir einen Kämbden rausgehauen hat, hat ihn mir der Gabelmacher Irg wieder gerichtet. Bis ich einmal nicht aufgepaßt hab, weil ich im Stall draußen zu tun gehabt hab. Da hats wieder einen Kämbden rausgeschlagen und weil ich nicht gleich die Wasserbühne hochdrehen hab können, hats gleich noch ein paar weitere abgerissen. Aber bis mir der Irgl die wieder gerichtet hat, sind die Bauern längst zum Hofmüller gegangen, und ich habs sein lassen müssen.

Sie haben ihn im Krankenhaus zwar wieder hergerichtet, aber danach ist er nicht mehr derselbe gewesen. Die Schmerzen haben ihn Tag und Nacht geplagt, und er ist immer böser geworden. Nur noch geflucht und angeschrien hat er mich, und ich bin ganz desparat geworden, weil ich nicht ausgekonnt hab. Er ist doch zuvor ein guter Mann gewesen. Ich hab ihn ja noch immer gern gehabt. Aber er ist bloß noch ein einziger Schmerz gewesen, ein einziger Zorn. Und da heißt es auf einmal: die Vroni hat sich was angetan, das Madl von der Vroni braucht ein Daheim, die Godin muß her, wer ist ihre Godin. Ich bin ihre Godin, sag ich. Der Doktor hat mich zur Seiten genommen und hat gesagt: Müllnerin, sinds vernünftig. Gebens das Kind weiter. Was hats denn bei Ihnen, wo der Mann doch so schlecht beieinander ist? Und außerdem: Da in Sarzhofen wirds ihr Lebtag bloß hören, daß ihr Vater ein Zuchthäusler und die Mutter eine Narrische ist. Er tät eine anständige Familie kennen, dort könnt sie hin. Nein, sag ich, ich bin die Godin, und ich hab sie genommen. Wie das Butzerl in die Mühl kommt, plärrt der Hans grad wieder so dermaßen, daß es gleich unter die Bank gekrochen ist vor lauter Fürchten. Es ist einen Tag gegangen, dann bin ich hin zum Doktor und hab gesagt, ich möcht mir die Familie anschauen, die das Kind aufnehmen tät. Die sind dann auch bald da gewesen, und sie haben mir schön getan. So hab ich das Kind ziehen lassen.«

Sie sah ihn fragend an. Er wich ihrem Blick aus.

»Aber später? Hast dann nie mehr nachgeschaut, wie es ihr geht?«

Ein leichter Ärger klang aus ihrer Stimme, als sie weitersprach. »Die haben in Straubing oben gewohnt, in einem recht noblen Haus. Ich bin hingefahren, so oft ich gekonnt hab. Bis mich die Madam einmal zur Seite nimmt und sagt, daß es nicht gut wär für die Kleine. Besser, sie tät nicht so genau wissen, woher sie sei, und außerdem hätten sie die Adoption schon eingeleitet. ›Geht das so einfach?‹ frag ich sie. ›Ja‹, sagts, ›das geht.‹ Von da an hab ich bloß noch von der Weiten geschaut.

Ich hab schon ein richtiges Versteck gehabt und hab gesehen, wie lieb sie daherwächst. Es ist dann schon nimmer bloß wegen der Godschaft gewesen, ein Kümmern
hätts da eigentlich gar nimmer gebraucht. Aber es hat
mir so gut getan, hin und wieder fortzukommen, und
wenn ich diesen Grund nicht gehabt hätt, dann hätt ich
es mir gar nicht zugestanden, daß ich den Hans einmal
allein laß. Da hätten die Leut gleich dumm geredet.«

Sie schaute verschmitzt. »Aber es hat mich auch ge-
freut, daß es die Mia so gut erwischt hat. Einmal, da hab
ich nicht aufgepaßt, da steht sie plötzlich vor mir, sagt
brav ›Grüß Gott‹ – und erkennt mich nimmer! Dann hat
auch schon der Krieg angefangen, und ich hab nicht
mehr fortgekonnt. Wie ich noch einmal hin wollt, hat jemand anderes dort gewohnt, und keiner hat mir sagen
können, wo die Familie hingezogen ist. Ins Fränkische,
hat einer gemeint, nein, auf München, ein anderer.«

Kajetan nickte. »Absolution, Müllnerin.«

Sie streifte ihn mit einem eigenartigen Blick, neigte
leicht den Kopf zur Seite, als lausche sie einem Geräusch.
Dann sah sie ihm wieder ins Gesicht.

»Du weißt schon, wie es weitergeht?«

Er nickte zögernd. »So ungefähr ...«

Als ihm der Pfarrer die Nachricht vom Tod seiner
Frau überbrachte, mußte Martl aufgewacht sein. War es
der Gedanke an seine Tochter, die er nun allein und
schutzlos wähnte, oder war es eine unbestimmte Ahnung, daß irgend etwas nicht stimmte – er nahm nach
langen Jahren wieder Kontakt zur Müllerin auf. Sie war
der einzige Mensch, dem er Vertrauen schenkte. Sie hatte
Angst vor diesem Zusammentreffen gehabt und erschrak
zutiefst, als sie ihm gegenübersaß. Sie erkannte das einge-
fallene Wesen, das einmal der junge Martl gewesen war,
nicht mehr. »Marie«, hatte er sie angefleht, »schau mir
nach, was mit der Mia ist.« »Was wird sein«, sagte die

Müllerin, »es geht ihr bestimmt gut. Ob sie dich nach so langer Zeit überhaupt noch kennt, ist ja auch nicht gewiß.« »Marie«, hatte er störrisch wiederholt, »du mußt schauen, was mit der Mia ist.« Und sie tat es schließlich. Sie erinnerte sich an jemanden, dem sie früher einmal sehr nahe gestanden war, und bat ihn um Hilfe. Nach kurzer Zeit war das Mädchen gefunden. Sie selbst hatte sich vergewissern müssen und eine Bettlerin im »Steyrer« gespielt.

Die Müllerin erzählte, wie sie Martl bei ihrem nächsten Besuch mitteilen mußte, wo sie Mia gefunden hatte.

»›Martl‹, sag ich und weiß gar nicht, wie ich es anfangen soll, ›Martl, es ist nicht gut gegangen mit der Mia. Sie ist in München ...‹ ›Ja‹, sagt er, ›und? Wie gehts ihr? Was hat sie für eine Arbeit?‹ ›Martl‹, sag ich, ›eine anständige Arbeit ist das nicht, was die Mia da tut.‹ ›Und wo‹, fragt er mich, ›ist sie da?‹ Ich erzähl noch, daß er den vielleicht kennt, mit dem ich sie gesehen hab. Der junge Urban wärs, der doch auch in Sarzhofen aufgewachsen ist. Da werden seine Augen auf einmal so groß, daß ich das Fürchten krieg. Und da hat er mir alles erzählt.«

»Du hast nichts geahnt zuvor?«

»Nichts hab ich gewußt, gar nichts.« Sie nickte erschüttert. »Und von da an hättest eher ein wildes Vieh einsperren können als den Martl daran zu hindern, daß er ausbricht. Eines Nachts ist er vor der Mühle gestanden. ›Was willst jetzt tun, Martl?‹ frag ich ihn. Er aber sagt nichts, nimmt sich ein Gewand vom Hans, sein Radl und fährt nach München. Einmal, gleich zu Anfang, hat er einen erwischt von den Luden, wie der in der Früh grad aus dem Haus ist, in dem sie gewohnt hat.«

Kajetan Puls schlug heftig. Sie bemerkte nichts.

»Aber er hat dann gemerkt, daß er nicht so einfach an den Urban herankommt. Schließlich ist er angeschossen

worden, als er dem Urban seine Wirtschaft anzünden
wollt. Ganz schwach ist er gewesen, wie er wieder bei
mir aufgetaucht ist. ›Martl!‹ sag ich, ›Martl! Du warst
zwanzig Jahr im Zuchthaus! Da war noch ein König
dran, dann der Krieg, die Revolution! Alles ist anders geworden! Vom erstbesten Auto läßt du dich zusammen-
fahren, du kennst dich nicht mehr aus, und da oben in
München, da kennst du dich erst recht nicht mehr aus.
Aber hier‹, sag ich, ›da kennst du dich aus, und da kenn
auch ich mich aus.‹«

»Was habt ihr vorgehabt?«

»Zu Anfang hab ich an den Martl hingeredet. ›Martl‹,
hab ich gesagt, ›der soll dir alles zurückzahlen, was er
dir schuldig ist. Die Mia ist keine Schlechte, und damit
kann sie ein anderes Leben anfangen und kommt raus
aus der Schand. Bring ihn auf‹, sag ich, ›bring ihn dazu,
daß er alles zugeben muß und daß er dir und der Mia alles zurückzahlt!‹ Er hat drüber nachgedacht. Wie ich
ihm aber sag, er soll ihn nicht umbringen, weil er dann
ist, zu was der Urban ihn damals gemacht hat – ein
Mörder nämlich, da schaut er mich bloß fremd an. Wie
ich dann das Gered in Sarzhofen hör, was im Zuchthaus
passiert ist und daß zwei andere Gefangene bei seinem
Ausbruch gestorben sind, da hab ich gewußt, daß es
schon zu spät ist. Ich hab anfangs auch falsch gedacht.
Vor dem Martl hat der Urban keine Angst gehabt, denn
der wär schnell als Närrischer abzutun gewesen. Ist
denn einer noch ernst zu nehmen, dem es erst nach
zwanzig Jahren einfällt, daß er doch kein Mörder ist?
Nein: Angst hat er davor gehabt, daß durch andere als
den Martl plötzlich ein Gered aufkommt, das irgendwann auch in München zu hören sein würd. Tja, und
dann bist eh du gekommen und hast uns gesagt, daß
auch die Mia nicht mehr lebt. Ich dacht, du bist ein Gendarm, der sich verstellt.«

»Im Verstellen bist du noch viel besser gewesen, Müllnerin!«

»Wenn du gewußt hättest, wie schwer das für mich gewesen ist. Ich hätt am liebsten geschrien. Hast du es nicht gespannt?«

»Nein. Ich hab bloß gespürt, daß etwas nicht stimmt. Du hast getan, als könntst kaum noch gehen, dabei hast den saubersten Gemüsgarten, den ich gesehen hab. Und du hast auch getan wie eine Betschwester – aber in der Stube ist kein Kreuz zu sehen gewesen.«

»Das hab ich im Krieg abgehängt«, sagte sie knapp.

»Und weiter ... wie habt ihr es anstellen wollen, daß der Urban sein Loch verläßt?«

»Das war ich. Ich hab mir ja dann auch alles zusammenreimen können – daß der frühere Gendarm auf einmal zu einem so großen Haus gekommen ist, das er sich sonst nie hätte leisten können, daß der Landthaler – der gesehen haben muß, daß der junge Urban und der Eglinger in die Gasse gelaufen sind – danach auf einmal die Fischgründe am Peuntnerbach gehabt hat. Ich hab dem Urban einen Brief nach München geschrieben, wo er meinen hat müssen, daß da einer von den Mitwissern ihn erpressen will, und ich habs billig gemacht, habs extra ungeschickt gemacht, damit er meint, damit hat er ein leichtes Spiel. Aber dann ist es dem Martl Tag um Tag schlechter gegangen. Nur noch gefiebert hat er. Da hab ich wieder mit dem geredet, der mir schon einmal geholfen hat, die Mia zu finden. Er hat mir zugesagt, daß er da ist, wenn der Urban kommt. Und zuvor hat er dafür sorgen wollen, daß es dem Urban warm wird und er spannt, daß alles kein Gspaß mehr ist.«

»Was hat er getan?«

»Er hat ihm seine Villa angezündet. Das hat geholfen. Aber – dann hat er es sich scheints doch noch überlegt. Er ist nicht gekommen. So ist schließlich alles auf mir und dem Martl gehangen, wie er letzte Nacht endlich gekommen ist, der Urban.«

✳

Der schwere Wagen rollte die vom Astwerk hoher Buchen überwölbte Schotterstraße in das Mühltal hinab. Knirschend spratzten Steine unter den Reifen hervor und schlugen an das Wagenblech. Das hohe Gras zwischen den Fahrrinnen schliff den Wagenboden.

Das hölzerne Geländer der Brücke, die über den Höllbach führte, tauchte auf. Der Wagen hielt an. Aus der Tiefe drang das gurgelnde Rauschen des Baches und übertönte das gleichmäßige Tuckern des Motors. Wenig später öffneten sich die Türen. Drei Männer verließen den Wagen, drückten die Türen sachte zu, warteten einen Augenblick, bis sich ihre Augen an die Dunkelheit gewöhnt hatten, und liefen, jeder in eine andere Richtung, in gebückter Haltung in den Wald. Zwei von ihnen blieben stehen und sahen vorsichtig um sich, nachdem der Wagen seine Fahrt fortgesetzt hatte.

Nach kurzer Zeit hatte er den Talgrund erreicht und bog in den Platz der Mühle ein. Der Motor erstarb.

Nachdem er die Scheinwerfer ausgeschaltet hatte, stieg Fritz Urban aus und blieb neben der geöffneten Fahrertür stehen. Er sah um sich. Die Mühle schien menschenleer zu sein. Ihre Mauern fingen das Licht des diesig verhangenen Mondes. Das Schindelwerk glänzte silbrig unter dem sternenlosen Himmel. Die Luft roch nach nasser Erde und Moder. Dort, wo der Bach die Talenge bereits wieder verlassen hatte, knarzten Frösche.

»Ich bin da!« rief Urban mit lauter Stimme. Ein tauber Widerhall flog zurück. Nichts bewegte sich. Urban wurde unruhig. Sein Zorn wuchs. Welches Spiel wurde hier gespielt?

»Ich bin da!« wiederholte er. »Allein! Wie ausgemacht!! Ich hab das Geld dabei!«

Der Wind hatte sich gedreht. Das Rauschen des Baches schwoll an. Ein Siebenschläfer keckerte durchdringend. Als hätte Urban sie aufgeschreckt, schwirrte der schwarze Schatten einer Fledermaus über dem Hof in die Scheune. Urban zuckte zusammen. Als er sich wieder aufrichtete, bemerkte er plötzlich, daß er mit den Knien schlotterte. Sein Puls hämmerte; seine Schädeldecke schien sich zu heben. Das Rauschen in seinen Ohren nahm zu. Er hatte Angst.

Fiebrig suchten seine Blicke den Waldrand ab. Wo blieben die Männer? Schoos sollte den Eingang zur Lichtung bewachen, um eine mögliche Flucht der unbekannten Erpresser zu verhindern. Mit Bierkugel hatte er vereinbart, daß er versuchen sollte, durch den Garten seitlich in die Mühle einzusteigen und die dort vermuteten Erpresser rücklings anzugreifen. Kandl hatte den Auftrag, den Mühlbach zu durchqueren, um von der leicht erhöhten gegenüberliegenden Böschung den Hof im Schußfeld zuhaben.

Sie mußten längst angekommen sein! Wo waren sie?

Urbans Schädel dröhnte. Ein marternder Ton sang in seinen Ohren. Er preßte seine Hände an die Schläfe. Dort, wo der schwarze Wald in die mondbeschienene Fläche des Gartens überging, entdeckte er plötzlich eine Bewegung. Das mußte Bierkugel sein!

Eine winzige, rote Glut fraß sich durch die Dunkelheit. Sie dehnte sich zur Flamme und blieb noch in Urbans Netzhaut eingebrannt, als sie schon längst erloschen war.

In unendlicher Langsamkeit lief Bierkugel einige weitere Schritte, blieb plötzlich stehen und begann tapsig zu tanzen. Der Tanz ging in ein Torkeln über. Er verfing sich im Fall in den Bohnenranken, stürzte vornüber in die weiche Erde des Gartens und bewegte sich nicht mehr.

Schockartig war Urban aus seiner Betäubung erwacht. Er warf sich zu Boden, robbte panisch hinter das Auto in Deckung, fingerte nach seiner Pistole und gab einige Schüsse in die Richtung ab, in der er den Schützen vermutete. Dann lauschte er angespannt. Der Bach rauschte in ruhiger Gleichmäßigkeit. Erbost suchte ein Nachtvogel das Weite. Der Mond war höher gestiegen. Urban hob den Kopf und kniff seine Augen zusammen. Am Waldrand bewegte sich nichts.

»Schoos! Kandl!« kreischte Urban.

Er ahnte, daß er keine Antwort mehr erhalten würde, und jagte eine Reihe von Schüssen in die Dunkelheit. Vergeblich.

Eine Kugel fuhr klockend in die Karosserie. Eine zweite traf den Reifen. Pfeifend senkte sich der Wagen. Urban schoß zurück. Ein Ast brach; einige Äpfel fielen zu Boden.

Splitternd zerbarst die Frontscheibe. Urban fühlte ein dünnes Brennen an der Wange. Entsetzt tastete er danach und fühlte eine laue, klebrige Flüssigkeit. ›Ich werde häßlich‹, dachte er verwirrt. Dann zischte auch der zweite Reifen. Der Schütze mußte die Stellung verändert haben. Urban wußte, daß er keine Chance gegen ihn haben würde. Der Unbekannte konnte sich unbemerkt im Halbrund des den Hof umgebenden Waldes bewegen und schließlich eine Position finden, von der aus er ihn schutzlos vorfinden würde.

Urban zog sich hastig seine Jacke aus, bündelte sie und warf sie hoch. Sofort dröhnten zwei Schüsse. Urban schrie getroffen auf, taumelte aus der Deckung, fiel zu Boden und blieb bewegungslos liegen.

Eine hochgewachsene, schmale Silhouette löste sich aus dem Schatten. Sie schien unschlüssig. Zögernd setzte sie Schritt vor Schritt. Sie hielt ein Gewehr im Anschlag.

Urban öffnete die Augen einen winzigen Spalt. Der Unbekannte trat schwarz vor den Mond, dessen Licht sein wüst abstehendes Haar umkränzte. Wieder blieb er stehen und schien sich versichern zu wollen, ob von dem am Boden Liegenden keine Gefahr mehr ausginge. Urban hielt den Atem an. Wieder knirschte der grobe Sand unter den bedächtigen Tritten.

Eine heftige Bö fegte über den Platz, verfing sich im raschelnden Blattwerk und legte sich wieder.

Der Schwarze ließ plötzlich die Schultern sinken. In unendlicher Erschöpfung fiel er auf die Knie. Urban vernahm ein leises Schluchzen.

»Warum ...?« wimmerte der Unbekannte.

Sein Gewehr kippte zur Seite. Urbans rechte Hand schnellte hoch. Im sekundenkurzen blauen Blitz des Schusses war ein verstört blickendes Augenpaar zu sehen. Der Unbekannte fiel auf den Rücken und bewegte sich nicht mehr.

Urban erhob sich und trat näher. Ungläubig wanderte sein Blick über die verheerten Züge des Erschossenen. Das Gesicht des Toten lag gegen das Licht des Mondes. Urbans Puls schlug plötzlich so heftig, als hätte er einen Schlag erhalten. Er hatte ihn erkannt.

Mit einem Ruck richtete er sich auf. Er schnappte nach Atem. Eine närrische Freude durchströmte ihn.

Plötzlich flammte das Hoflicht auf. Urban begriff nichts. Schon spritzte der Schotter neben ihm auf. In Panik hastete er hinter das Auto. Ein Fenster der Mühle hatte sich geöffnet. Mit einer schnellen Bewegung begab sich Urban aus seiner Deckung und feuerte in das dunkle Rechteck. Glas splitterte, doch sofort antworteten zwei weitere Feuerstöße und schlugen in das Autoblech.

Urban tastete bebend an seine Wange, die nun wie nach einer heftigen Ohrfeige zu brennen begonnen hatte. Er zwang sich, sein Entsetzen zu unterdrücken. Ein hilfloser, unbändiger Zorn ergriff ihn. Schwer atmend sah er sich um. Wenn er an dieser Stelle blieb, hatte er keine

Chance. Sobald er versuchen würde, aus dem Lichtkegel des Hofs zu laufen, um das rettende Dunkel des Waldrandes zu erreichen, würde ihn sein Gegner sehen können. Es gab nur noch eine Möglichkeit: Er mußte versuchen, in den Winkel des Hauses zu gelangen, von dem aus der andere ihn nur noch treffen konnte, wenn er sich suchend aus dem Fenster lehnen würde. Einige Meter wären dabei zu überwinden, doch der Schütze schien offenbar mit einem doppelläufigen Gewehr zu feuern – Urban hatte also nach jedem Schußpaar einige Sekunden Zeit. Bis sein Gegner eine neue Position erreicht hatte, könnte er das Hauseck erreichen, wäre dort ebenfalls wieder einige Minuten, die er brauchen würde, um den Waldrand zu erreichen, geschützt. Anschließend müßte er versuchen, sich nach München durchzuschlagen, sich ein Alibi zu organisieren, um später den Ahnungslosen zu spielen, wenn die Polizei ihn nach dem Verbleib seiner Männer und seines Autos fragte. Jedoch ... dieser zweite Gegner würde bezeugen können, daß dies eine Lüge war. Und vor allem: er mußte auch den Mann gekannt haben, den Urban vor wenigen Augenblicken erschossen hatte – und würde auch um dessen Geheimnis wissen.

Urban gab wieder einen Schuß ab. Sofort antworteten zwei Einschläge. Urbans Körper spannte sich. Er hechtete aus seiner Deckung, preßte seinen Rücken an die Hauswand und schob sich langsam, die Pistole nach oben gerichtet, dem rettenden Hauseck zu. Er grinste triumphierend, als wiederum Schüsse neben ihm einschlugen, ihn aber nicht mehr treffen konnten. Bald hatte er den rettenden Mauervorsprung erreicht und befand sich nun in einer lichtlosen, schmalen Gasse zwischen Haus und Scheune. Gebückt lief er in die Richtung, in der er den Waldrand vermutete. Er konnte sich gerade noch abfangen, um nicht in den tiefer liegenden Kanal des gurgelnden Mühlbachs zu stürzen. Er drehte sich verzweifelt

um. Ein Zurück gab es nicht mehr. Der Unbekannte
würde längst die Position gewechselt haben und jetzt nur
darauf warten, bis er die Gasse wieder verlassen hätte.
Verzweifelt suchte Urban nach einer Möglichkeit, den
Bach zu überqueren. Auf der rechten Seite sog sich der
reißende Wasserlauf mit donnerndem Dröhnen durch einen breiten Spalt aus feuchtem, glattgeschliffenem Fels,
links hing das Mühlrad über einem schwarzen, uner-
gründlich tiefen Gumpen.

Dann entdeckte er den Ausweg. Ein schmaler Mauer-
grat, einige Meter über dem Wasser, führte entlang der
fensterlosen Hauswand zu einer winzigen Luke, durch
die man unbemerkt in das Haus eindringen, hinter den
Rücken des Unbekannten gelangen und ihn rücklings er-
ledigen könnte. Damit wäre der letzte Mitwisser ausgeschaltet! Wer war es eigentlich? Gar die Alte, die früher
mit ihrem Mann die Mühle betrieb? Dann würde er ein
doppelt leichtes Spiel haben. Nie hätte er sich vorstellen
können, daß es der alte Gendarm oder gar der Landthaler waren, die ihn zu erpressen versuchten. Beide steckten
sie zu tief in der Sache, als daß sie noch wagten, gegen
ihn vorzugehen und damit ihre eigene Existenz zu ver-
nichten.

Eine diebische Freude erfüllte Urban. Er wischte sich
den Schweiß von der Stirn und betrat den handbreiten
Sims. Meter für Meter hangelte er sich an der bemoosten
Hausmauer entlang. Sorgsam sicherte er seine Schritte.
Endlich hatte er die Luke erreicht. Der verwitterte Laden
ließ sich mit leichtem Druck aufschieben. Urban griff
durch die Leibung, zog sich an der Mauerkante nach
oben und kroch durch die Öffnung.

Er befand sich in einem pechdunklen Raum und begann, sich vorwärts zu tasten. Er griff an ein Gestänge;
mit jähem Ekel zog er seine Hand zurück, als er in eine
dicke Schicht körnig durchsetzten Fettes griff. Er tappte

weiter und fühlte kühles Eisen, ertastete ein fast manns-
großes Rad mit hölzernen Zähnen, ein Gespinst steifer,
offenbar den Raum in alle Richtungen durchlaufender Le-
derbänder, dann wieder kleinere, waagrechte Umsetzrä-
der und querliegende, mächtige stählerne Holme. Urban
versuchte, gebückt durch zwei waagrechte Achsen hin-
durchzusteigen. Er kam auf einer fettgetränkten,
schrägliegenden Achsenhalterung auf, rutschte aus, griff
blind in die armdicken Speichen eines Zahnrades und versuchte, sich daran hochzuziehen. Als er schließlich wieder
stand, stellte er fest, daß ein zweites, riesiges Rad ihm den
Durchgang versperrte. Er kroch zurück, tastete nach einer
anderen Stelle und drang wieder in das stählerne Gewirr
ein. Er unterdrückte einen unbeherrschten Laut; die Enge
machte ihn maßlos wütend. Sie erinnerte ihn plötzlich
daran, mit welch auswegsloser Verzweiflung er mit ansehen mußte, wie in dieser Nacht vor zwanzig Jahren, auf
die dieses fürchterliche Unwetter folgen sollte, der ver-
haßte Fuhrknecht Eglinger in bräsiger Zufriedenheit, fi-
schig nach Schweiß und Samen stinkend, aus der Kammer
eines Mädchens kam – jenes Mädchens, das er und nur
er, Urban, wirklich liebte. Als er sich ihm in hilfloser,
kindlich heulender Wut entgegenstellen wollte, hatte ihn
der Fuhrknecht mit rohen Worten gedemütigt.

Ein starrer Stab drückte auf seine Schultern, als er wieder versuchte, die Enge zwischen einer Steinsäule und
dem großen Rad zu überwinden. Er blieb stecken. Sein
Mund füllte sich mit Speichel, er atmete hechelnd. Eine
betäubende Wut bäumte sich in ihm auf. Er preßte seinen Körper wie ein Wahnsinniger in die Enge.

Er hörte nicht, wie sich das Rauschen des Wasserlaufs
veränderte. Für einige Sekunden klang es, als würde der
Bach hinter einer Schleuse gestaut.

*

»Wer ist da?!« rief Kajetan. Er hatte ein Geräusch gehört. Wachtmeister Kaneder trat hinter dem Mauervorsprung hervor, von dem aus er das Gespräch verfolgt hatte.

»Respekt«, brummte er, und seiner Stimme war tatsächlich so etwas wie Hochachtung zu entnehmen, »Sie wären gar kein so schlechter Gendarm nicht!«

Kajetan schüttelte den Kopf und wandte sich wieder zur Müllerin, die zusammengesunken auf ihrem Stuhl saß.

»Und ... wo ist der Urban jetzt?«

Ihre Augen schienen nicht mehr zu leben. Sie blickte durch ihn hindurch.

Kaneder trat einen Schritt vor. »Das tät mich auch interessieren«, sagte er, »diesen Hund, wenn ich in die Finger krieg!«

Die Müllerin hatte die Frage offenbar nicht gehört. Sie stützte sich mit der rechten Hand auf die Stuhllehne, schob sich mühsam hoch und ging mit schlurfenden Schritten zu einem Hebel an der Wand. Ohne einen der beiden Männer anzusehen, und als wäre ihr gerade etwas anderes in den Sinn gekommen, begann sie in beiläufigem Tonfall zu sprechen.

»Es ist früher hie und da geschehen, daß sich ein Hund ins Mühlwerk verirrt hat. Wie der Müllner dann runter ist, ist schon nicht mehr viel übrig gewesen als ein paar Fetzen Haut. Das lassen wir den Ratzen, hat der Müllner immer gesagt, die wollen ja auch leben, eine jede Kreatur will leben.«

Kajetan starrte sie ungläubig an. Sein Blick wanderte zu Kaneder. Der Wachtmeister war kreidebleich geworden.

»Stell deine Mühl ab, Marie«, sagte er heiser.

✳

Die beiden Männer hatten sich ausgesprochen. Kaneder hatte Kajetan erklärt, daß er von illegalen Waffengeschäften in der Nähe Sarzhofens gehört und ihn verdächtigt hatte, damit in Verbindung zu stehen. Kajetan hatte verständnisvoll genickt.

Wie zur Entschuldigung ließ der Wachtmeister schließlich beim Bräu anschirren und begleitete Kajetan zum Zug.

Als die Kutsche die Brücke passierte, sagte der Wachtmeister: »Seit ich in Sarzhofen bin, plagt mich die Geschicht. Sie werdens mir nicht glauben, aber ich hab die Krätzen deswegen gekriegt. Immer hab ich gewußt, daß da was ist. Wie ein unguter Geist ist es zwischen den Leuten gewesen, jeder hat was geahnt, aber keiner was gewußt. Ich hab wieder und wieder die Protokolle durchgeschaut. Da sind Widersprüche drin gewesen, die jedem, auch wenn er noch weniger Hirn hat wie der alte Sinzinger, auffallen hätten müssen. Und ein Protokoll hat gleich ganz gefehlt. Dann hab ich mir auch noch die Prozeßakten bringen lassen und gelesen, wie sie den armen Teufel auf dem Gericht eingewickelt haben, bis er schließlich nicht mehr aus hat können. Aber zu beweisen war nie was!«

Der Wagen polterte über die Brücke. Als die Räder wieder die Schotterpiste unter sich hatten, pendelten die Körper der beiden Männer gegeneinander. Kajetan war in Gedanken versunken.

»Was werdens jetzt tun?« fragte er leise.

»Dem Landthaler wirds schlecht gehen, das versprech ich. Daß er damals eine falsche Aussag gemacht hat, ist zwar nicht mehr strafbar, aber den werd ich zwifeln, bis er sich nimmer aus dem Haus traut. Dem brenn ich schon eine Straf drauf, wenn er bloß an die Hausmauer biselt.«

»Und der Sinzinger, der alte Wachtmeister? Der Doktor hat ihm ja damals wohl das Haus gelassen, damit er eine Ruh gibt.«

»Der Sinzinger hat alles rausgekriegt, weil sich der Martl bei seiner Vernehmung so dermaßen deppert angestellt hat. Er hat aber nichts davon ans Gericht weitergegeben.«

In der Ferne war das Signal einer Lokomotive zu hören. »Hüah!« Kaneder trieb das Pferd an.

»Das Haus, glaub ich, war ihm gar nicht das Allerwichtigste«, fuhr er, eine Spur hastiger, fort, »nein, da muß noch was anderes gewesen sein. Er hat Angst gehabt. Der Doktor war einflußreich, er war der angesehenste Mann im ganzen Gäu. Es darf nicht sein, muß er sich gedacht haben, daß da was gestört wird. Es bringt Unruhe, wenn die Obersten sich als die größten Bazis rausstellen. So muß er gedacht haben.«

Kajetan neigte seinen Kopf zu ihm, ohne ihn anzusehen. »Aber auch wenn man ihn nicht mehr anzeigen kann: Wenigstens die Rente kann man ihm doch nehmen?«

Kaneder sah auf die Straße und schlug die Zügel. Wieder war das Signal des ankommenden Zuges zu hören, dieses Mal bereits lauter.

»Der Sinzinger braucht keine Rente mehr«, sagte er ungerührt, »heut mittag hat ihn seine Hausfrau im Dachstuhl gefunden.«

Kajetan starrte Kaneder an. Der Gendarm erwiderte seinen Blick offen und schüttelte entschlossen den Kopf. »Hie und da derbarmt mich einer, den ich erwisch. Der nicht!« Kaneder schlug die Zügel auf den Rücken des trägen Rosses. »Aber jetzt sagens mir bloß noch, wieso auch das Madl vom Martl hat draufgehen müssen.«

»Die Mia ist die einzige gewesen, die dem Urban noch gefährlich hätt werden können. Weil nur sie sich noch dafür interessieren würde, was mit ihren Eltern wirklich geschehen war. Als wenigstes hätte sie versuchen können, wieder in das Haus, das er dem Doktor verkauft hatte, einzuziehen. Die Gefahr hätte bestanden, daß der Arzt von Allerberg, der das Haus bereits vermietet hatte, die ganze Angelegenheit wieder aufrollen würde. Es ist um eine ordentliche Summe gegangen, die er ihm zurückzahlen hätte müssen – Geld, das er für andere Unternehmungen benötigt hatte.«

»Aber sie hat das gar nicht vorgehabt?«

»Sie hat nichts davon geahnt. Sie war nur über das Schicksal ihrer Eltern erschüttert. Aber in Sarzhofen ist ihr auch gesagt worden, daß sich Urbans Vater so selbstlos für ihre Eltern eingesetzt hat. Darüber hat sie vermutlich mit Urban gesprochen. Vielleicht hat sie sich sogar bei ihm für seinen Vater bedanken wollen. Wie ich ihn kenne, hat er ganz freundlich getan und ihr das Kokain, das er vorher mit Amphetaminen gestreckt hat, zukommen lassen. Sie hat nur ganz wenig davon genommen.«

Kaneder spuckte auf die Straße. Der Weg zum Bahnhof stieg an. Sie unterquerten den Gleisdamm. Nach einigen Minuten straffte der Wachtmeister die Zügel. Sie hielten vor dem Bahnhofsgebäude. Kajetan ergriff Kaneders ausgestreckte Hand. Der Wachtmeister drückte sie fest.

»Es ist echt wahr, was ich gesagt hab in der Mühl. Daß sie einen guten Polizisten abgeben täten.«

＊

Eine einzige frostkalte Nacht zum Sonntag hatte genügt, um den Sommer in München zu beenden. Rotgelbe Sprenkel durchsetzten das matte Grün der Bäume am Isarufer. Die Sonne stand hoch vor dem diesig blauen, wolkenlosen Himmel, doch ihre Wärme wurde von einem kühlen Luftzug, der aus dem Boden zu dringen schien, zurückgeworfen.

Kajetan faltete die Zeitung zusammen, in der im Gesellschaftsteil von einem rauschenden Fest berichtet wurde: Der »Steyrer« hatte zur Eröffnung unter der Leitung der neuen Betreiber, der Geschäftsleute Georg »Schoos« Maier und seines Kompagnons Candidus »Kandl« Rohsmeisl, geladen.

Kajetan streckte die Beine aus, knüllte seine Jacke zu einem Kissen und legte sich auf die Bank. Er kreuzte die Arme hinter seinem Kopf, schloß die Augen und genoß die seidige Luft des beginnenden Herbstes. In das Rauschen des behäbig dahinströmenden Flusses mischte sich plötzlich die Musik einer Blaskapelle. Kajetan öffnete die Augen und hob den Kopf. Sein Blick fiel auf den Zug, der sich auf der Wittelsbacherstraße zum Sommerfest der Volks- und Arbeiterchöre auf der Schyrenwiese bewegte. Der Kapelle folgten die bunt geschmückten Wagen, auf deren Ladeflächen ausgelassene Männer und Frauen in die Menge winkten.

Kajetan hob unentschlossen die Hand und winkte zögernd zurück. Sein Kopf sank wieder zurück. Vielleicht würde er das Fest später besuchen, vielleicht aber in der Dämmerung nach Hause gehen, an seinem neuen, bei Josef Rodenstock am Karlsplatz erstandenen Audion-Empfänger weiterbasteln, sich zufrieden auf das Bett legen und sich – nach dem Esperantokurs, den er einige Male halbherzig verfolgt hatte – das Konzert des Rundfunkorchesters im Radio anhören. Die »Bayerische Radiozeitung« hatte einen »volkstümlichen Orchesterabend« mit Werken italienischer Komponisten angekündigt. Zwei Wochen nach seiner Rückkehr aus Sarzhofen hatte er sich das Radio endlich kaufen können, nachdem der alte Detektiv ihn an sein Krankenbett befohlen hatte, um ihm das Honorar für den von-Seeberg-Fall auszubezahlen und ihm einige weitere Aufträge zu übergeben, die er selbst in der nächsten Zeit nicht mehr ausführen können würde.

Dabei zu entdecken, daß kein anderer als Pius Fleischhauer der Münchner Verbündete der Müllner Marie war, geschah fast nebenbei, obwohl der Detektiv heftig bestritt, jemals einen Mann namens Urban gekannt zu haben, geschweige denn beim Überfall auf dessen Haus verwundet worden zu sein.

Der kühle Wind fuhr unter seine dünne Weste. Auf seinen Ellenbogen gestützt, richtete er sich fröstelnd auf. Das Fest hatte bereits begonnen. Dennoch strömten noch immer Besucher auf die Wiese zu. Unschlüssig griff Kajetan in die Tasche seiner Jacke und zog Teobalts Broschüre hervor.

Er schlug sie auf und begann zu lesen.

Emil Teobalt beschrieb die Hintergründe des Putsches, der im vergangenen Jahr die Stadt erschüttert hatte. Er wies nach, daß viele der Politiker, die sich heute von Hitlers Gefolgsleuten distanzierten und als überzeugte Republikaner gaben, höchst aktiv an der Vorbereitung des mißglückten Aufstandes beteiligt waren. Eines der Kapitel war überschrieben: »Putschvorbereitungen«. Kajetan blätterte uninteressiert weiter.

Plötzlich hielt er inne. Er hatte einen bestimmten Namen gelesen. Hastig suchte er eine Seite, die er bereits überschlagen hatte. Sein Atem stockte.

Emil Teobalt beschrieb eine republikfeindliche Organisation, die sich um einen ehemaligen Major der Reichswehr gebildet hatte und deren Zentrum sich in einem kleinen Ort namens Walching, nah der österreichischen Grenze, befand. Dieser Gruppe hatten sich mehrere hochrangige Beamte der Gendarmerie angeschlossen, darunter auch der Leiter der Dornsteiner Bezirksinspektion. Nach einem Feme-Mord an einem Bauernmädchen sowie der mysteriösen Explosion eines Waffenlagers in einem Bergwerksstollen hätte sie sich zunächst wieder zurückziehen müssen, da der Verdacht immer lauter geworden war, wichtige Vertreter von Politik und Obrigkeit würden ihr angehören. Der Dornsteiner Kriminalrat, nachweislich einer der maßgeblichen Köpfe dieses geheimen Bundes, hätte es sich jedoch nicht nehmen lassen, sich am Vorabend des Putsches nach München zu begeben. Allerdings sei ihm die Ehre des Heldentodes vor der Feldherrnhalle versagt geblieben – nach einem exzessiven Besäufnis nach Hitlers Coup im Bürgerbräukeller hatte ihn ein Herzschlag ereilt.

Heftig klappte Kajetan die Broschüre zu. Er starrte fassungslos ins Leere. Wieder öffnete er den dünnen Band: Fußnoten verwiesen auf Untersuchungsprotokolle, Zeitungsartikel, Bücher.

Er schnellte unwillkürlich empor, blieb starr und verwirrt stehen und setzte sich wieder.

»Da schau her! Die Polizei ist auch schon da!« scherzte eine muntere Stimme hinter ihm. Er fuhr herum. Die Fürsorgebeamtin, in ein feiertägliches Dirndl gekleidet, lächelte ihm zu. »So ein Zufall«, meinte sie, »gehns auch zum Musikfest?«

Er schoß hoch. Sie quiekte erschrocken auf. »Erdrückens mich nicht!« japste sie fassungslos.

Er ließ sie los und tippte mit dem Zeigefinger aufgeregt auf Emils Broschüre. »Ich hab recht gehabt! Ich hab recht gehabt, wie ich meinen Vorgesetzten damals bezichtigt hab, in die Geschicht verwickelt gewesen zu sein!«

»Was für einen Vorgesetzten?« Sie verstand nichts und wich etwas zurück.

»Den Kriminalrat von Dornstein! Der hat mit den Verbrechern, die das arme Ding umgebracht haben, unter einer Decke gesteckt!«

»So«, sagte sie.

»Ich habs rausgefunden, habs aber nicht beweisen können und bin deswegen entlassen worden. Und hier steht«, wieder wedelte er mit der Broschüre, »daß ich recht gehabt hab! So sagens doch ...«

»Ja, was denn?«

»Ich muß doch wieder eingestellt werden, wenns eine gibt auf der Welt, eine Gerechtigkeit, oder?«

Sie begann zu verstehen.

»Eine – was ... ?«

Nachwort des Autors

Über das weitere Schicksal der Godin habe ich nicht mehr viel in Erfahrung bringen können. Die entsprechenden Eintragungen der Gemeinde Sarzhofen scheinen, um es höflich zu formulieren, etwas nachlässig geführt worden zu sein. Auch existiert auf dem alten Friedhof von Wengen bei Sarzhofen, auf dessen Gemarkung das Höllbachtal liegt, keine Grabstätte mit der Aufschrift »Maier, Marie Anna« – so der Schreibname der Müllnerin.

Auch die Fabler in der Stube des Sarzhofener Klosterbräu, die mir vor einigen Jahren von der Godin erzählt hatten, wußten nur noch, daß sie nie vor ein Gericht gestellt worden sei und daß sie sich wieder verheiratet hätte (möglicherweise Pius Fleischhauer? Eine Photographie in der Ortschronik zeigt zwar einen Mann an ihrer Seite, doch die schmale, ernst und kränklich wirkende Gestalt hat wenig mit meiner Vorstellung des Detektivs zu tun). Man erinnerte sich daran, daß beide ein so verliebtes wie zerstrittenes Paar gewesen seien, und einmal, beim Metzger-Hansl soll es gewesen sein, hätte die Müllnerin bei den Sarzhofener Frauen mit dem Ausspruch »Kaum wart' eins dreißig Jahr auf ein Mannsbild – schon kommts daher!« für herzliches Gelächter gesorgt. Beide seien schließlich nach nicht allzulanger Zeit zu einer größeren Reise aufgebrochen (nach Kanada, meinten die einen, nach Südamerika ein anderer), von der sie nicht mehr nach Sarzhofen zurückgekehrt seien.

In der alten Mühle, die mittlerweile längst in andere Hände übergegangen und zu einem rustikalen Wochenenddomizil umgebaut worden ist, wußte man nichts.

R. H.

Ich danke allen, die mir zu jeder, gelegentlich auch nachtschlafender Zeit mit Einschätzungen und engagierter Kritik geholfen haben. Besonderer Dank geht an Frau Christiane Droste für ihre engagierte und sachkundige Hilfe bei der Recherche, Herrn Tino Hocke für interessante Hinweise zur Altmünchner Spitznamen-Kultur, den Mitarbeitern des Siemens- und des Deutschen Museums für Informationen u. a. zum Stand der damaligen elektronischen Kommunikation und zum Bruchverhalten durchschossener Fahrzeugscheiben, Katy und Franz für viele regionalgeschichtliche Details und mitternächtliche Spaziergänge am Ufer des Inn, Herrn Dr. Krapp für kritische Anmerkungen zur Dramaturgie – sowie dem Patron der Bar-Tabac, Pont de Montvert, für die geeignete Arbeitsbeleuchtung in so manch verregnet-dämmriger Stunde und dem Café du Globe, Ste. Croix, für kühlschrank- und fliegensummende, träumerische Ruhe.

Gewidmet ist dieses Buch jenem Fabler, der mich darauf hingewiesen hat, daß eine Geschichte nicht wahr sein muß. Schön aber schon.

Worterklärungen

6 *Nauferger:* Bootsführer der Innschiffahrt
6 *Plafond:* Decke eines Raumes
6 *streng ... gespielt:* nach den Regeln gespielt
6 *Deine Groschn:* (Halt) dein Maul
7 *er kanns nimmer deuten:* er kann sich nicht mehr erklären, was er sieht
9 *gspaßig:* seltsam, eigentümlich
16 *Weiberer:* Weiberheld
19 *Viragierung:* monochrome Einfärbung einer Filmszene
19 *epper:* etwa, vielleicht
20 *böhmakisch:* böhmisch
21 *Geraffelhaufen:* Müllhalde
22 *Gackerl:* Gockel
26 *blahts:* aufgeblähtes, eingebildetes
27 *zwiderne Wurzen:* unangenehme Person
35 *Thal:* Straßenzug in der Münchner Innenstadt
36 *Baraber:* Obdachloser, Herumvagabundierender.
   Hier: Gelegenheitsarbeiter. Abwertend auch: Herumtreiber
39 *ein gut tust:* dich als brauchbar erweist
41 *Krauterer:* armselige Existenz
41 seit wann leits: seit wann kannst du dir ... leisten
43 *karessierst* (n. d. Frz. *caresser: streicheln, lieben*): liebkost,
   zärtlich umgarnst; hier etwa: beschmust
44 *Bladern:* Blattern, Pocken. Hier: Pockennarben.
44 *Ypern:* Die belgische Stadt Ypern steht im 1. Weltkrieg im Mittelpunkt
   der Flandernschlachten und wird fast vollkommen zerstört.
45 *barabert:* verrichtet Gelegenheitsarbeit
46 *Laiberl:* hier: Brüste
48 *Schnallen:* Huren
48 *Bagasch* (n. d. Frz. *bagage*): Gesindel
48 *Penzerei:* Aufdringlichkeit, Belästigung
53 *zum Zeug bringt:* heranschafft
57 *Fotzn:* hier: Ohrfeigen
60 *biseln:* Wasser lassen, pinkeln
61 *Lacken:* Pfütze
62 *wifste* (n. d. Frz. *vif: lebendig*): klügste
64 *Stadelheim:* Zuchthaus im Münchner Süden
67 *delogiern* (n. d. Frz.): ausquartieren, hinauswerfen
69 *Kuntn:* hier: Kerl
71 *kommod* (n. d. Frz.): bequem
71 *zweng:* wegen
72 *Plumeau* (lat.-frz.): halblanges, dickeres Federdeckbett
72 *Tuchert:* Zudecke, Federbett
73 *Diridari:* Geld
74 *Hamma uns?:* Haben wir uns verstanden?
75 *iatz:* jetzt
75 *Kloiffe:* Rüpel

75 *Massl* (jidd.): Glück
76 *Gmoa:* Gemeinde
76 *Britschn:* sehr abwertend für: Frau
76 *Haberer:* hier: Zuhälter
79 *Graffel:* Gerümpel
81 *Glump:* Gelump, wertloses Zeug
85 *Parapluie* (lat.-frz.): Regenschirm
87 *hinten im Wald:* hier: Bayerischer Wald
90 *wengerl:* wenig
91 *Wosch ma aso gfalla dädsch! Warum denn it?:*
   Wo du mir so gefallen tätst! Warum denn nicht?
91 *hädsch:* hättest du
91 *schtiehlsch:* stiehlst
92 *etzla:* jetzt
98 *Impresario* (ital.): Theateragent, der für einen Künstler die
   Geschäfte führt
98 *Hühnerduttn:* Hühnerbrüste
100 *blahden: (von aufgebläht):* eingebildeten
102 *Gschamiger:* schüchterner, zurückhaltender Mensch
109 *Ausse:* hinaus
110 *Selve:* frühere deutsche Automarke
112 *Orient:* Zigarettenmarke, zugleich Sammelbegriff für eine ganze
   Reihe von Marken
115 *Innlände:* Bootsanlegestelle am Inn
116 *Roßbollen:* Pferdeäpfel
122 *Pratzen:* große Hände, Pranken
124 *Lackl:* ungeschlachter Kerl
124 *wif* (n. d. Frz. *vif*): klug, schlau
125 *Hundling:* meist anerkennend für: gerissener Hund
126 *penzt:* belästigt
126 *Kuttenbrunzer:* verächtlich für: Mönch
126 *reinloost:* horcht, lauscht
127 *Ös Boarfackl!:* Ihr Bayernschweine! (Schmähruf der Tiroler
   Aufständischen gegen die bayerischen Besatzungssoldaten in
   der Napoleonischen Zeit)
129 *gefotzt:* verdroschen
130 *Plaid* (schott.-engl.): großes wollenes Umhängetuch
132 *gelurt:* verstohlen beobachtet, heimlich gespäht
136 *Gutl:* Bonbon
143 *Nahderin:* Näherin
149 *brunzt:* pißt
150 *Watschen:* Ohrfeigen
153 *Panbavaren:* Separatisten, die eine Loslösung vom Deutschen Reich
   und den politischen Zusammenschluß aller bairischsprechenden
   Gebiete anstrebten
154 *Buick:* amerikanische Automarke
154 *franschman* (n. d. Frz. *franchement*): freimütig
154 *Bopperl:* Püppchen. Hier: Liebling
154 *gschnappig:* vorlaut, schnippisch, frech